EL EXP
BÍBL

LA BIBLIA,
LIBRO POR LIBRO

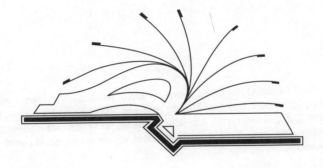

3

1, 2 TESALONICENSES, GÁLATAS,
JOSUÉ, JUECES,
HEBREOS, SANTIAGO,
RUT Y 1 SAMUEL

52 Estudios intensivos de la Biblia
para alumnos adultos

EDITORIAL MUNDO HISPANO

EDITORIAL MUNDO HISPANO

7000 Alabama Street, El Paso, Texas 79904 EE. UU. de A.

www.editorialmundohispano.org

Nuestra pasión: Comunicar el mensaje de Jesucristo y facilitar la formación de discípulos por medios impresos y electrónicos.

Primera edición: 1994
Décima edición: 2018

Clasificación Decimal Dewey 220.6 B471a

Temas: 1. Biblia—Estudio
2. Escuelas dominicales—Currículos

ISBN 978-0-311-11263-0
EMH Núm. No. 11263

1 M 7 18

Impreso en Colombia
Printed in Colombia

EL EXPOSITOR BIBLICO

PROGRAMA:
"LA BIBLIA, LIBRO POR LIBRO"
PARA ADULTOS

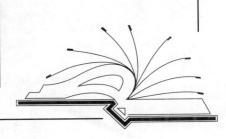

DIRECTORA GENERAL
Raquel Contreras

DIRECTORA
DE LA DIVISIÓN EDITORIAL
Raquel Contreras

DISEÑO GRÁFICO
Carlos Santiesteban Jr.

ESCRITORES
1 y 2 Tesalonicenses y Gálatas:
Luis Manuel Sánchez
Josué y Jueces:
Guillermo I. Catalán
Hebreos y Santiago:
Luis Manuel Sánchez
Rut y 1 Samuel:
Roy B. Cooper

EDITOR
Jorge E. Díaz

EDITORA SUPERVISORA
Maria Carmona Alonso

DIRECTORA DEL DEPARTAMENTO
DE PRODUCCIÓN
Nora Avalos

CONTENIDO

Objetivo general del programa *La Biblia, Libro por Libro:*
Facilitar el estudio de todos los libros de la Biblia, durante nueve años, en 52 estudios por año.

El libro de adultos está estructurado en seis secciones bien definidas:

1 Información general: Aquí encuentra el tema-título del estudio, el pasaje que sirve de contexto, el texto básico, el versículo clave, la verdad central y las metas de enseñanza-aprendizaje.

2 Estudio panorámico del contexto. El propósito de esta sección es ubicar el estudio en el marco histórico en el cual se llevó a cabo el evento o las enseñanzas del texto básico. Aquí encuentra datos históricos, fechas de eventos, costumbres de la época, información geográfica y otros elementos de interés que enriquecen el estudio de la Biblia.

3 Estudio del texto básico. Está dividido en dos partes. La primera le instruye: *Lea su Biblia y responda.* Se espera que, con la Biblia abierta, complete una serie de ejercicios que le guían a familiarizarse y comprender el pasaje. La segunda parte le instruye: *Lea su Biblia y piense.* Aquí se provee la interpretación del mensaje básico del pasaje en relación con todo el libro bajo estudio. Aunque la base de la exégesis son las versiones Reina Valera Actualizada y Reina Valera Revisada 1960, también se usan otras versiones de la Biblia. Sinceramente creemos que el estilo narrativo, didáctico y lógico de esta sección la hará disfrutar del estudio de la Palabra de Dios.

La Biblia, Libro por Libro para Adultos

Objetivo educacional: que el adulto (1) Conozca los hechos básicos, la historia, la geografía, las costumbres, el mensaje central y las enseñanzas que presentan cada uno de los libros de la Biblia. (2) Desarrolle actitudes que demuestren la valorización del mensaje de la Biblia en su vida diaria de tal manera que pueda ser mejor discípulo de Cristo.

4 Aplicaciones del estudio: El propósito de esta sección es guiarle como estudiante a plicar el estudio de la Biblia a su vida diaria, con la intención de que se decida a actuar de acuerdo con las enseñanzas bíblicas. Aseguramos que no son pequeños "sermoncitos" o "maralejas", sino verdaderos desafíos para actuar en obediencia al Señor Jesucristo.

5 Prueba. Aquí se da la oportunidad de demostrar cómo se han alcanzado las metas de enseñanza-aprendizaje para el estudio correspondiente. Hay dos actividades, una que "prueba" conocimiento de los hechos presentados y la otra, que "prueba" sentimientos o afectos hacia las verdades encontradas en la Palabra de Dios durante el estudio. La actividad que prueba sus conocimientos puede hacerla en el aula, durante la hora de clase; la actividad que "prueba" sus sentimientos generalmente tiene que hacerla en el laboratorio de la vida cotidiana. Al fin y al cabo, es allí donde uno demuestra la calidad de discípulos de Cristo que verdaderamente es.

6 Lecturas bíblicas para el siguiente estudio. Estas lecturas forman el contexto para el siguiente estudio. Si las lee con disciplina, sin duda alguna leerá toda su Biblia, por lo menos una vez, en nueve años. Le animamos a leerlas, estudiarlas y meditarlas en su cita diaria con la Palabra de Dios y con el Dios de la Palabra.

PLAN GENERAL DE ESTUDIOS

Libro	Libros con 52 estudios para cada año			
1	Génesis		Mateo	
2	Exodo	Levítico Números	Los Hechos	
3	1,2 Tesalonicenses Gálatas	Josué Jueces	Hebreos Santiago	Rut 1 Samuel
4	Lucas		2 Samuel (1 Crónicas)	1 Reyes (2 Crón. 1-20)
5	1 Corintios	Amós Oseas Jonás	2 Corintios Filemón	2 Reyes (2 Crón. 21-36) Miqueas
6	Romanos	Salmos	Isaías	1,2 Pedro 1,2,3 Juan Judas
7	Deuteronomio	Juan		Job, Proverbios, Eclesiastés Cantares
8	Efesios Filipenses	Habacuc Jeremías Lamentaciones	Marcos	Ezequiel Daniel
9	Esdras Nehemías Ester	Colosenses 1,2 Timoteo Tito	Joel, Abdías, Nahúm Sofonías, Hageo Zacarías, Malaquías	Apocalipsis

JOSUE, JUECES, RUT Y 1 SAMUEL
Una introducción

El libro de Josué

Cuando Moisés se dio cuenta que iba a morir, pidió al Señor que nombrara a un hombre que tomara su lugar para guiar al pueblo en la conquista de la tierra de Canaán (Núm. 27:16). La respuesta del Señor fue: "Toma a Josué, hijo de Nun, ...y pon tu mano sobre él. ...que toda la congregación de los hijos de Israel le obedezca" (Núm. 26:18-20).

Como en la mayoría de los libros del Antiguo Testamento, el personaje principal del libro de Josué es Dios. Dios llamó y capacitó a Josué para que fuera el sucesor de Moisés (Núm. 27:13-23; Deut. 3:28; 31:1-3). El Señor afirmó a Josué su presencia como comandante general de los ejércitos (Jos. 5:14). El guió a Israel contra sus enemigos. Jehovah fue la persona que hizo el pacto con Israel (Jos. 23:16).

El nombre de Josué aparece en cada capítulo del libro menos en el capítulo 16. Josué había sido un compañero y ayudante de Moisés por cuarenta años. El libro de Josué cuenta acerca de la vida, las batallas y victorias de Josué, pero no fue escrito por él. Su muerte y sepultura se relata en Josué 24:29-32. El escritor dice que "Israel sirvió a Jehová todo el tiempo de Josué y todo el tiempo de los ancianos que sobrevivieron a Josué, quienes conocían todas las obras que Jehovah había hecho por Israel" (Jos. 24:31). La repetida frase del libro: "hasta el día de hoy" es una evidencia de que el libro fue escrito mucho tiempo después de los eventos que se relatan.

La fecha de redacción del libro. Depende de cuándo se fija la fecha del Exodo. En general se piensa que los eventos pudieron ocurrir entre los años 1250 a 1200 a. de J.C., pero que el libro se escribió mucho después, quizá hasta el tiempo de los reyes.

El plan del libro. El libro de Josué consiste de tres grandes partes. La primera, los capítulos 1-12, en la cual se describe cómo las doce tribus cruzaron el río Jordán y conquistaron la tierra de Canaán bajo la dirección de Josué. La segunda parte, los capítulos 13-22, describen cómo se hizo la división de la tierra. La tercera parte, la forman los capítulos 23 y 24. Recuerdan a Israel que su tierra es un regalo de Dios y que les pede ser quitada si desobedecen el pacto hecho con Dios.

El mensaje del libro. Sin duda el motivo principal del escritor fue relatar cómo Dios cumplió su promesa dada a los patriarcas que les daría una tierra. El mensaje básico es que Dios tiene un plan y un propósito para su pueblo, es más, él no está ajeno a la historia, sino es un participante activo en ella.

El libro de los Jueces

Recibe su nombre de los "jueces", "caudillos" o "jefes" (11:11) que Dios levantó para dirigir al pueblo hebreo en el período entre la muerte de Josué y la monarquía. Fueron líderes temporales para eventos especiales. No eran como los oficiales judiciales que presiden una sala para resolver asuntos legales, aunque algunos sí cumplieron funciones parecidas.

La fecha de redacción del libro. Siete veces aparece en todo el libro la expresión: "hasta el día de hoy". Esto da lugar a pensar que el libro se escribió algún tiempo después de que ocurrieron los eventos que relata. Una fecha aproximada para esos eventos se puede dar entre la muerte de Josué (1250 a. de J.C.) y el nacimiento de Samuel (alrededor de 1075 a. de J.C.). Además, cuatro veces casi al final del libro, se menciona el hecho de que no había rey en la tierra de Israel. Esto guía a pensar que el libro fue escrito cuando ya había rey. Es decir que, el libro fue escrito durante la monarquía.

El plan del libro. El libro contiene tres secciones: La primera, cuenta lo que ocurrió entre la muerte de Josué y antes de los jueces (1:1 a 2:5). La segunda, relata acerca de los jueces y su administración (2:6 a 16:31). La tercera, da a conocer ciertas historias relacionadas con las tribus de Dan y Benjamín (17:1 a 21:25).

El mensaje del libro. El libro dice que Dios tiene interés en comunicar su mensaje al pueblo hebreo a pesr de que éste le ha sido infiel y se ha hundido en la depravación moral. Hay un ciclo constante que ilustra esa verdad: Dios bendice al pueblo, el pueblo peca, Dios lo castiga, el pueblo se arrepiente, Dios lo perdona y bendice. Algunas historias que el libro relata son muy rudas y crueles; hay muy poco, si es que hay algo, que expresa amor, paz, pureza y bondad. Así es la historia. Nos cuenta lo que pasó y la anarquía política, moral y espiritual que ocurre cuando los dirigentes de una nación se olvidan de Dios y hacen solamente aquello que les parece correcto.

El libro de Rut

En solamente cuatro capítulos el libro nos presenta la historia de una mujer de Moab que llegó a ser la esposa de un rico granjero de Belén. El escritor presenta a esta mujer como un modelo de dignidad y de devoción firme hacia los valores más altos y nobles de la vida humana.

La fecha de redacción del libro. Aunque los eventos relatados en el libro ocurrieron durante el período de los jueces, el libro puede haber sido escrito muchos años después durante la época de la monarquía. Sin embargo, algunos estudiantes de la Biblia insisten que el escritor fue alguien que vivió durante la formación de la historia. Como obra literaria el libro es clásico. Con escenas bien pintadas nos presenta el ambiente de la vida familiar, costumbres y la conducta de aquellas aldeas en las cuales se tenía el temor al Señor.

El plan del libro. Es un plan sencillo que sigue naturalmente los eventos de la historia que magistralmente presenta el escritor. Elimelec y su familia se refugian en Moab (1:1-5). Noemí regresa a Belén con Rut (1:6-22). Rut siega en el campo de Boaz (2:1-18). Noemí instruye a Rut (2:19 a 3:5). Rut visita a Boaz (3:6:18). Boaz hace la transacción para casarse con Rut (4:1-12). El casamiento de Boaz y Rut y el nacimiento de Obed (4:13-17). La genealogía de Fares hasta el rey David (4:17-22).

El mensaje del libro. Es muy pertinente para el día de hoy como lo fue para sus primeros lectores y para el pueblo que escuchaba su lectura cada año durante la fiesta de los tabernáculos. El mensaje es simple, pero significativo: la vida familiar que se construye en el temor de Jehovah es satisfactoria y feliz.

El libro de 1 Samuel

Pocos libros del Antiguo Testamento incluyen tanta historia en su contenido. El primer libro de Samuel presenta a tres personajes principales: Samuel, Saúl y David. También hay otras personas de menor importancia como Elí, Jonatán y Abiatar. Todos ellos en su momento hacen su contribución al mensaje del libro. Conviene recordar que los dos libros de Samuel eran uno solo en el texto hebreo. La división en dos surgió por razones prácticas. Un rollo no fue suficiente para el texto de la versión de la Septuaginta y debió separársele llamándose así 1 y 2 de Samuel.

La versión griega y la Vulgata Latina llaman a Samuel y Reyes, Libros de los Reyes, llamando a Samuel 1 y 2 de Reyes y a Reyes, 3 y 4 de Reyes. Así aparecen "hasta el día de hoy" en algunas versiones católicas en castellano.

La fecha de redacción del libro. El primer libro de Samuel relata tanto el nacimiento como la muerte de Samuel. Esto ha conducido a los estudiosos a observar que el libro se basa en apuntes de Samuel y contribuciones significitivas de Gad y Natán, pero que la redacción tuvo lugar durante la monarquía en tiempo de David.

El plan del libro. Un bosquejo muy condensado del libro se puede expresar así: Samuel como juez (1:1 a 7:17). Samuel y Saúl (8:1 a 15:35). Samuel y David (16:1 a 31:13).

El mensaje del libro. Es claro, directo y pertinente. Dios guía todas las cosas para su gloria y el cumplimiento de su propósito. Dentro de sus planes el Señor utiliza a aquellos que obedecen sus mandamientos.

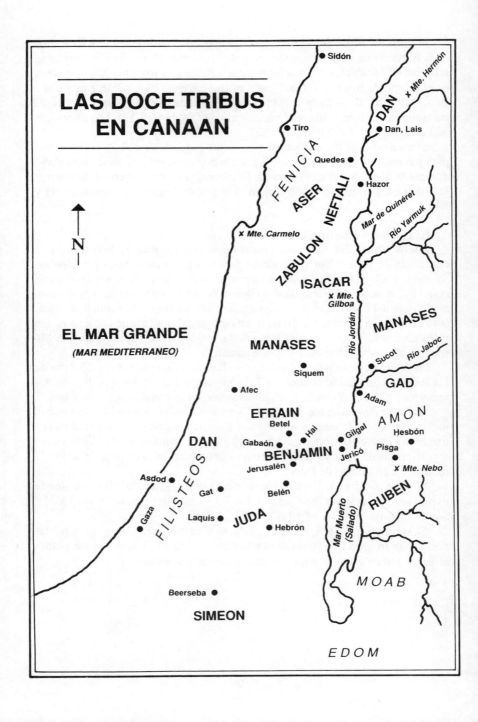

1,2 TESALONICENSES, GALATAS, HEBREOS Y SANTIAGO

Una introducción

1, 2 Tesalonicenses, Gálatas. *Paternidad literaria.* No hay ningún problema en aceptar que el apóstol Pablo es el escritor de estas tres cartas. La evidencia interna es convincente, pues cada carta así lo declara en los versículos iniciales. En cada caso, los manuscritos contienen información autobiográfica de la vida y ministerio del Apóstol. Las iglesias a quienes iban dirigidas originalmente estas cartas estaban asociadas de una manera muy especial con Pablo, puesto que fue él quien las inició en sus viajes misioneros.

1, 2 Tesalonicenses

Ocasión y propósito. Dos de las cartas de Pablo que encontramos en el Nuevo Testamento fueron escritas a la congregación de los tesalonicenses fundada por él mismo en su segundo viaje misionero (Hech. 17:1-9). Tesalónica era la capital de Macedonia, provincia romana, así como la ciudad más grande e importante de ese territorio. Su ubicación entratégica en la Vía Ignacia, una ruta muy importante que corría de este a oeste, la convertía en un centro comercial sobresaliente, accesible por mar y tierra.

Pablo trabajó allí por un breve período, probablemente de uno a tres meses. Al enfrentar la oposición de los judíos, partió a Berea y luego a Atenas.

En Atenas se le unió Timoteo, pero no por mucho tiempo, pues Pablo lo envió a Tesalónica porque tenía la convicción de que allá lo necesitaban. Al poco tiempo regresó Timoteo con algunas noticias de Macedonia. Una de las noticias era que los creyentes mantenían su fe y amor y que estaban creciendo espiritualmente. Además, el evangelio se había extendido hacia otras regiones (1 Tes. 1:6-8). Aparentemente había cierta falta de respeto para los líderes de la iglesia (1 Tes. 5:12).

La Segunda Epístola a los Tesalonicenses fue escrita solamente unas pocas semanas o meses después de la primera.

El tema predominante en esta segunda carta sugiere la preocupación de Pablo por aclarar algunas falsas enseñanzas acerca de la segunda venida de Cristo. Los creyentes querían saber cuándo sería ese evento y cómo debían prepararse para esperarlo. Tales fueron algunas de las razones por las que Pablo escribió a los Tesalonicenses.

Fecha. La fecha de la estancia de Pablo en Corinto se determina por la unión de dos evidencias: En Los Hechos, Lucas relata que Pablo fue llevado ante Galión, procónsul de Acaya, acusado por los judíos de estar persuadiendo a la gente a honrar a Dios contra la ley (Hech. 18:12-17). Con la ayuda de una inscripción encontrada en Grecia, los años del reinado de Galión han sido establecidos por los años 51-52 d. de J.C. Pablo entonces debió haber estado en Corinto en la sexta década del primer siglo. Como resultado, el consenso es que esas cartas fueron escritas entre los años 50 o 51 d. de J.C.

Gálatas

Destinatarios: La mayor dificultad en el caso de esta carta es la identificación de los recipientes originales. Galacia (tal como Tesalónica), no era el nombre de una ciudad, sino de una región o territorio. Si Pablo se refería a Galacia en el sentido de territorio o de un grupo étnico, se trataba de una región al norte-centro de Asia Menor, donde se habían asentado los galos y los celtas. Lucas se refirió escasamente a las actividades de Pablo en esta región (Hech. 16:6; 18:23). Si Pablo usó la expresión Galacia en un sentido político, se refería a la provincia romana que concentraba las ciudades de Psidia, Iconio, Listra y Derbe en la parte sur del Asia Central.

Fecha: Si Pablo se refería a la parte norte, no pudo haber escrito la carta antes de 55-56 d. de J.C. (todavía no evangelizaba esa región). Si dirigió su carta a los habitantes de la región sureña, a quienes evangelizó en su primer viaje misionero, se puede establecer la fecha entre 49-51 d. de J.C. y esta (junto con las cartas a los tesalonicenses), debe haber sido una de su primeras epístolas.

Ocasión y propósito: Tan pronto como Pablo había partido de entre los creyentes de Galacia, algunos judaizantes estaban tratando de imponer la práctica de la ley como coadyuvante de la gracia. Decían a los nuvos creyentes que era necesaria la circuncisión y la obediencia a la ley para la completa salvación. Tales enseñanzas, además de ser equivocadas, ponían en entredicho la autoridad del Apóstol. Pablo escribió la carta con dos propósitos: defenderse él así como al evangelio contra los ataques de los judaizantes.

Tema: El tema central de la carta es que la fe en Jesucristo libera al hombre de la esclavitud de la ley. Pablo aclara que el evangelio que predica viene de Dios, no de hombres. Finaliza enseñando que la vida que agrada a Dios solamente es posible al vivir en comunión con el Espíritu que ha sido recibido por la fe en Cristo (5:13—16:18).

Hebreos

Paternidad literaria: Algunas versiones de la Biblia, como la de King James, atribuyen la autoridad de la carta a Pablo. Sin embargo, la mayoría de las versiones tienen solamente el título de la carta pero sin identificar al escritor. Los títulos de los libros de la Biblia no son parte de los manuscritos originales. Dichos títulos se agregaron posteriormente y se han transmitido por tradición. El texto de Hebreos no identifica a Pablo como su escritor. Las cartas que él escribió sí identifican a Pablo como tal. La conclusión más feliz a la que podemos arribar es que el Espíritu Santo usó a otra persona para escribir esta carta. ¿Quién es esa persona? No lo sabemos.

La así llamada carta a los Hebreos, en realidad no comienza como una epístola. Comienza como un sermón o serie de sermones. En el desarrollo de dichos sermones, el escritor muestra la superioridad de Jesucristo.

Fecha. Aunque no podemos fechar este documento con exactitud, es razonable asumir que fue escrito alrededor del año 70 d. de J.C. Durante esa época fue destruido el templo de Jerusalén, centro importante de la fe judaica. Los nuevos creyentes debían establecer una diferencia notable entre el antiguo pacto y el nuevo. Entre la permanencia de la fidelidad de Dios y lo pasajero de un edificio como el templo.

Contenido. Un análisis del bosquejo del documento nos ayuda a descubrir sus verdades centrales. Empieza declarando que Jesús es la suprema revelación de Dios. Luego afirma la superioridad del sacerdocio de Jesús, en contraste con las limitaciones y fallas del sacerdocio levítico. Finalmente, el escritor hace recomendaciones prácticas y exhortaciones que ayuden' al creyente a valorar su nueva vida en Cristo. Han sido liberados de la esclavitud de la ley para vivir la libertad de la gracia.

Santiago

Escritor y fecha. El mismo texto identifica a Santiago como el escritor de la carta. ¿Quién era Santiago? ¿Era acaso el hermano de Jesús? El nombre Santiago es una forma del nombre hebreo "Jacob". Dos de los discípulos de Jesús se llamaban Santiago (Mat. 4:18-22; Luc. 6:15). La tradición está de acuerdo en asignar esta carta al hermano de Jesús. Si aceptamos la paternidad literaria de este Santiago, entonces podemos fechar la carta alrededor del año 72 d. de J.C. fecha en que Santiago sufrió la muerte de mártir.

Propósito. Dicho de manera sencilla, Santiago se propone desafiar a los creyentes a aplicar las enseñanzas cristianas a la vida diaria. En ese sentido su propósito es ético, no doctrinal. Es evidente que Santiago escribe a personas que ya son cristianas. Repetidamente les llama hermanos. Habla de asuntos internos de las iglesias, como por ejemplo el trato que debe darse a los pobres. Ha habido ocasiones cuando algunos críticos han acusado a Santiago de contradecir el énfasis que Pablo ponía en la salvación por gracia, exagerando su mención de las obras. El lector cuidadoso pronto descubre que al contrario, Santiago hace un balance entre la gracia y las obras. Consecuentemente, los creyentes somos llamados a "ser hacedores de la Palabra y no solamente oidores" (Stg. 1:22).

Destinatarios. Se le llama la epístola universal, porque sus recipientes son los cristianos en general, y no una iglesia o individuo en particular. El énfasis se pone en que el cristianismo se demuestre de una forma práctica. Su enseñanza más clara es que hablar de fe, sin demostrarla con buenas obras, resulta en un engaño.

PANORAMA HISTORICO

CARTA	GOBERNABA GALILEA	GOBERNABA JUDEA	EMPERADOR ROMANO	EVENTO PRINCIPAL
	Herodes 37-4 a.de J.C.	Herodes 37-4 a.de J.C.	Augusto César 27 a.de J.C. a 14 d. de J.C.	Nació Jesús 6-4 a. de J.C.
	Herodes Antipas 4a. de J.C. a 39d. de J.C.	Arquelao 4 a.de J.C. a 6 d. de J.C.	Tiberio 14-37 d. de J.C.	Crucifixión Resurrección de Jesús 30 d. de J.C.
		Poncio Pilato 26-36 d. de J.C.		
	Herodes Agripa I 39-44 d. de J.C.	Herodes Agripa I 41-44 d. de J.C.	Calígula 37-41 d. de J.C.	
1,2 Tesalonicenses 51-52 d. de J.C.			Claudio 41-54 d. de J.C.	Viajes de Pablo 47-57 d. de J.C.
Gálatas 57 d. de J.C.			Nerón 54-68 d. de J.C.	Pablo prisionero en Roma 60-62 d. de J.C.
Santiago 61 d. de J.C.			Tito 69-81 d. de J.C.	Destrucción de Jerusalén 70 d. de J.C.
Hebreos 68 d. de J.C.			Domiciano 81-96 d. de J.C.	Caída de Masada 73 d. de J.C.

Notas: Las fechas dadas son aproximadas.

a. de J.C. significa antes de Jesucristo.

d. de J.C. significa después de Jesucristo.

PLAN DE ESTUDIOS
1 y 2 TESALONICENSES, GALATAS, JOSUE Y JUECES

Escriba antes del número de cada estudio, la fecha en que lo usará.

Fecha   **Unidad 1: Iglesia vigilante**
_____ 1. Gratitud por la iglesia
_____ 2. Preocupación por la iglesia
_____ 3. Viviendo como Cristo
_____ 4. ¡Cristo viene!

Unidad 2: Iglesia en conflicto
_____ 5. Fidelidad en la tribulación
_____ 6. La segunda venida de Cristo
_____ 7. Cristianos responsables

Unidad 3: Iglesia con autoridad
_____ 8. El único evangelio
_____ 9. Unidad en Cristo
_____ 10. Viviendo por la fe
_____ 11. Viviendo como hijos de Dios
_____ 12. Firmes en la libertad de Cristo
_____ 13. Practicando el bien

Unidad 4: Dios guía a Israel a la tierra prometida
_____ 14. Preparativos para entrar a la tierra prometida
_____ 15. Israel entra a la tierra prometida
_____ 16. Exito y fracaso en Jericó
_____ 17. La caída en Hai y los gabaonitas

Unidad 5: Los viajes por el desierto hasta Canaán
_____ 18. Conquista de la tierra prometida
_____ 19. Distribución de la tierra prometida
_____ 20. Ciudades de refugio
_____ 21. Despedida de Josué

Unidad 6: Los jueces de Israel
_____ 22. Apostasía y aflicción
_____ 23. Llamamiento y victoria de Gedeón
_____ 24. La crisis y el voto de Jefté
_____ 25. Sansón, mayordomo irresponsable
_____ 26. Cuando faltó dirección en Israel

PLAN DE ESTUDIOS
HEBREOS, SANTIAGO, RUT y 1 SAMUEL

Escriba antes del número de cada estudio, la fecha en que lo usará.

Fecha

Unidad 7: Dios ha hablado
_____ 27. Jesús, la suprema revelación de Dios
_____ 28. Jesús provee gran salvación
_____ 29. Jesús, superior a Moisés
_____ 30. Jesús, nuestro gran sumo sacerdote
_____ 31. Jesús, la superioridad de su sacerdocio
_____ 32. Jesús, ministro y ofrenda por nuestros pecados

Unidad 8: Llamamiento a la consagración
_____ 33. Firmes en la fe
_____ 34. Vida y servicio aceptables

Unidad 9: Llamamiento a una vida victoriosa
_____ 35. Sabiduría y fe csfrente a las pruebas y las tentaciones
_____ 36. Fe y obras
_____ 37. Poder y peligro de la lengua
_____ 38. Mejorando nuestras actitudes
_____ 39. Oración y perseverancia

Unidad 10: Rut
_____ 40. La lealtad de Rut
_____ 41. Dios provee para Rut y Noemí
_____ 42. Rut es redimida por Boaz

Unidad 11: Samuel
_____ 43. Nacimiento y primeras tareas de Samuel
_____ 44. Los filisteos y el arca del Señor
_____ 45. Israel pide un rey
_____ 46. Victoria de Saúl y despedida de Samuel

Unidad 12: Saúl
_____ 47. Saúl desobedece a Dios
_____ 48. Saúl tiene celos de David
_____ 49. La venganza de Saúl
_____ 50. David perdona a Saúl
_____ 51. Saúl y la espiritista de Endor
_____ 52. Obediencia _versus_ desobediencia

Unidad 1

Gratitud por la iglesia

Contexto: 1 Tesalonicenses 1:1 a 2:16
Texto básico: 1 Tesalonicenses 1:2-7; 2:3-9, 13
Versículo clave: 1 Tesalonicenses 2:13
Verdad central: La gratitud de Pablo por la iglesia de Tesalónica demuestra que el testimonio basado en la integridad y el interés genuino puede producir resultados de largo alcance.
Metas de enseñanza-aprendizaje: Que el alumno demuestre su conocimiento de los motivos de la gratitud de Pablo por la iglesia de Tesalónica, y su actitud de buscar maneras de mejorar su testimonio personal.

— *Estudio panorámico del contexto* —

Tesalónica fue una ciudad portuaria muy activa en la cabeza del Golfo de Salónica, en el Mar Egeo. Era un centro de comunicación y comercio muy importante, pues se encontraba sobre la vía Egnatia, camino que unía Roma con el Oriente. Pablo, en su ministerio evangelístico y misionero, gustaba de acudir a estas grandes ciudades de su época, creando así verdaderos centros de predicación que servían como puestos estratégicos de extensión del cristianismo. Pablo inició su trabajo evangelizador en la ciudad de Tesalónica durante su segundo viaje misionero, en compañía de Silas y Timoteo.

Predicar el evangelio en Tesalónica después de las dolorosas experiencias de Filipos, no era cosa fácil (Hech. 16:22-24). Probablemente los tesalonicenses fueron testigos oculares de las cicatrices de Pablo y sus acompañantes. En Tesalónica, Pablo realizó su ministerio predicando en la sinagoga durante tres sábados consecutivos (Hech. 17:2) y ganándose el pan trabajando manualmente, quizá, como en Corinto en su profesión de fabricante de tiendas de campaña (2:9). La necesidad de ganarse la vida incrementa notablemente la dureza de la misión. Su ministerio tuvo un gran impacto al grado que los judíos que no creían en el evangelio, se enojaron y provocaron un alboroto muy grande (Hech. 17:5-8). Al ver los hermanos tesalonicenses que la vida de Pablo estaba en peligro y recordar lo que seguramente Pablo les platicó de su experiencia en Filipos, decidieron enviarlo a Berea. Pero su vida también corría peligro allá, así que los bereanos decidieron sacarlo con rumbo a la costa y luego a Atenas (Hech. 17:15). Entre tanto, Silas y Timoteo se quedaron en Berea (Hech. 17:14).

Pablo quedó sumamente preocupado por los hermanos tesalonicenses, así que decidió enviar a Timoteo para fortalecerlos y alentarlos en la propagación de la fe. Pablo recibió de parte de Timoteo un informe muy alentador en cuanto al bienestar espiritual de los hermanos, y no pudo soportar el deseo de escribirles una carta para expresar su gratitud a Dios por sus vidas (1 Tes. 3:5). Pablo aprovecha la ocasión para aclarar algunos puntos de la fe cristiana, especialmente la segunda venida del Señor Jesucristo.

Estudio del texto básico

Lea su Biblia y responda

1. Complete en cada caso la información solicitada.
   a. Dos profundas realidades de Dios para los suyos: (1 Tes. 1:1)
   _____ y _____
   b. El ministerio de intercesión de Pablo se caracterizaba por ser: (1:2)
   _____
   c. Aspectos tesalonicenses recordados por Pablo en sus oraciones: (1:3)
   _____, _____ y _____
   d. Manera en la que llegó el evangelio a Tesalónica: (1:5)
   _____
   e. ¿En que se convirtieron los tesalonicenses para los hermanos de aquellas regiones? (1:7) _____
   _____

2. Marque con una X la declaración correcta. El trabajo de Pablo entre los tesalonicenses se caracterizó por: (2:3-8)
   _____ La aspereza.
   _____ La presunción y el aprovechamiento personal.
   _____ La ternura, semejante a la de una madre:
   _____ La exigencia sin fundamento.

3. ¿Qué actitud manifestaron los tesalonicenses al recibir el mensaje de Pablo? (2:13) _____
_____

Lea su Biblia y piense

1 Saludos y acciones de gracias, 1 Tesalonicenses 1:2-4.

Vv. 2. Pablo inicia su correspondencia a los tesalonicenses con la forma acostumbrada en las cartas de su tiempo. Comienza con la identificación de sí mismo y sus colaboradores. Destaca en su saludo, *la gracia*, el favor inmerecido de Dios, y *la paz*, este estado de plenitud que viene como resultado de la acción de Dios en el individuo. La vida de oración de Pablo, y sobre todo, su ministerio de intercesión en favor de sus muchos "hijos espirituales", entre los cuales los tesalonicenses ocuparon un lugar muy especial en su corazón (2:8), era una práctica a la cual dedicaba mucho tiempo (vea Rom. 1:8-10; 2 Cor. 13:7, 9; Efe. 1:15-23; 2 Tes. 1:11; Fil. 1:4, 9-11).

V. 3, 4. Pablo recordaba tres aspectos muy importantes de la vida de los tesalonicenses en sus oraciones en favor de ellos: *su fe, su amor y su esperanza.* Estas tres gracias son una pauta bíblica para medir la madurez de una iglesia. La fe describe la confianza y la seguridad que el cristiano tiene en Jesucristo. El amor describe las relaciones sanas y los actos concretos que deben existir entre los miembros de una iglesia, y de éstos para con el mundo. Y la esperanza es la seguridad que tiene en cuanto al futuro, basado en la promesa de Dios. La promesa es una afirmación que anuncia una realidad aún no presente.

2 Un testimonio ejemplar, 1 Tesalonicenses 1:5-7.

V. 5. La recepción del evangelio en Tesalónica fue acompañada por el poder de Dios. Los hombres lo predican, pero el Espíritu Santo lo impulsa y hace que sea impactante en la vida de los que lo escuchan. Así se reconoce como palabra de Dios.

V. 6, 7. El efecto del evangelio en la vida de los tesalonicenses fue marcado por una vida de imitación, que resultó en ejemplo para los demás cristianos de aquellas regiones. Se presenta una hermosa "cadena de imitación": 1. Los creyentes de Acaya y Macedonia imitaban a los tesalonicenses (v. 7). 2. Los tesalonicenses imitaban a las iglesias de Judea (2:14), a Pablo y a su equipo (1:6). 3. Pablo era imitador de Jesucristo (1 Cor. 11:1). La idea expresada por "imitar" es la identificación voluntaria y afectiva que se tiene con alguien.

3 Ministerio y estímulo de Pablo en Tesalónica, 1 Tesalonicenses 2:3-9, 13.

Vv. 3, 4. Proclamar el evangelio del Señor no es cosa sencilla. Debe existir una seguridad y una transparencia total en la vida del que lo hace. Pablo conocía perfectamente esta responsabilidad y buscaba cumplirla con toda dignidad. Al predicar el evangelio, Pablo sabía que su vida y sus palabras ciertamente estaban frente a sus oyentes, pero sobre todo estaban delante de Dios.

Vv. 5, 6. Quien predica la Palabra de Dios no se puede dar el lujo de predicar lo que se le antoje; debe predicar lo que el Señor ha hablado. Pablo conocía a numerosos predicadores ambulantes de aquella época, quienes por su predicación buscaban prestigio y provecho personal (Fil. 1:15), pero no quiere ser confundido con ellos. Pablo no intenta conseguir aplausos humanos ni tiene intereses malsanos, y de esto pone a Dios como testigo.

V. 7-9. En su calidad de mensajeros de Cristo, Pablo y sus colaboradores podrían haberse presentado con exigencias y honores; lejos de esto, prefirieron el servicio abnegado y desinteresado, como el de una madre hacia sus hijos. Pablo y su equipo estuvieron dispuestos a llevar este servicio hasta el mismo sacrificio si fuera necesario. Todo por el grande amor hacia ellos y para no ser una carga innecesaria para los tesalonicenses.

V. 13. Los tesalonicenses reconocieron la palabra predicada por Pablo y aun su propio comportamiento personal, como una manifestación de Dios. Por esta docilidad mostrada, Pablo levantaba sus manos al cielo en señal de gratitud.

Aplicaciones del estudio

1. El nivel de madurez se presenta por la presencia y desarrollo de la fe, la esperanza y el amor, 1 Tesalonicenses 1:3. Regularmente al considerar la madurez de una iglesia, pensamos en actividades, programas, presupuestos, años de organización, y otras cosas, pero Pablo no evalúa a la iglesia de Tesalónica por ninguno de estos aspectos, sino por la verdadera medida de una iglesia: la fe, la esperanza y el amor.

2. La recepción del mensaje cristiano va acompañada de una vida ejemplar, 1 Tesalonicenses 1:6-7. Como cristianos alguna vez tomamos el ejemplo de un cristiano maduro; también, estamos llamados a formar parte de esta misma "cadena de imitación", y seguramente hay quienes nos han tomado como ejemplo. ¡Qué responsabilidad tan grande, pero al mismo tiempo, tan hermosa!

3. La proclamación del evangelio incluye no sólo la entrega de la Palabra, sino de ser necesario, la entrega de la vida misma, 1 Tesalonicenses 2:7-9. Este fue un principio rector en la vida de Pablo y por supuesto, del mismo Señor Jesucristo. Algunas veces tenemos la tendencia de separar la entrega de la Palabra y el servicio, pero debemos recordar que el mensaje se entrega a través del servicio.

Prueba

1. Piense que usted puede ser nombrado por su pastor como líder de un grupo pequeño, ya sea grupo de estudio, centro de predicación o misión. En base a este estudio, ¿cuál sería su proceder en esta comisión? Exponga tres principios aprendidos.

   a. _____

   b. _____

   c. _____

2. En su propia experiencia cristiana, ¿quién han sido un ejemplo para usted? _____

3. ¿Quién piensa usted que está tomando la vida suya como modelo a seguir? _____
   Piense en la responsabilidad que esto implica.

Lecturas bíblicas para el siguiente estudio

Lunes: 1 Tesalonicenses 2:17, 18   **Jueves:** 1 Tesalonicenses 3:4, 5
Martes: 1 Tesalonicenses 2:19, 20   **Viernes:** 1 Tesalonicenses 3:6-8
Miércoles: 1 Tesalonicenses 3:1-3   **Sábado:** 1 Tesalonicenses 3:9-13

Preocupación por la iglesia

Contexto: 1 Tesalonicenses 2:17 a 3:13
Texto básico: 1 Tesalonicenses 2:17, 18; 3:1-13
Versículo clave: 1 Tesalonicenses 3:12
Verdad central: La preocupación de Pablo por la iglesia en Tesalónica demuestra que debe haber un genuino interés por las necesidades de los demás.
Metas de enseñanza-aprendizaje: Que el alumno demuestre su conocimiento de los diferentes aspectos del interés que Pablo tuvo por los tesalonicenses, y su actitud de interés por alguna persona en necesidad.

Estudio panorámico del contexto

En la sección de 2:17 a 3:13, Pablo recuerda a los tesalonicenses las cosas sucedidas desde que él los dejó, explicando así su ausencia involuntaria y las razones de la misión de Timoteo. Pablo sentía que al ser expulsado tan repentinamente, había dejado tras sí una comunidad con poca fuerza y necesitada de ayuda. No es sólo su conciencia apostólica, sino su amor auténtico y las posibles acusaciones de descuido, lo que lo empujan a desear volver a esta iglesia. Pablo lleva a cabo varios pasos para suplir esta necesidad pastoral en la iglesia de Tesalónica: 1. Muestra el profundo interés en visitarlos, (2:17-20). 2. Envía un representante personal por su propia imposibilidad y espera informes fidedignos, (3:1-8). 3. Invierte mucho tiempo en orar personalmente por ellos, (3:9-13).

Pablo sabía que no hay nada que estimule más a un creyente que el calor de una visita personal. Es por esta razón que Pablo anhela visitar a los hermanos de Tesalónica (1 Tes. 2:17-20). Su deseo es muy profundo, pues experimenta el dolor de un padre (2:11) y de una madre (2:7) al ser separados de sus hijos. Ahora suspira por la comunidad con gran afecto y con tierno amor. Para sanar en algo este profundo anhelo y dolor, Pablo decide enviar a Tesalónica a su hijo amado, Timoteo (1 Tes. 3:1-8). A Pablo no le importa la soledad personal, pues se queda en Atenas sin colaboradores, y prefiere enviar a Timoteo a los tesalonicenses, para que los anime y fortalezca. Este regresa a Pablo y le da informes muy gratos de la iglesia, haciendo incapié en su estabilidad y el recuerdo de ellos para con Pablo.

El informe de Timoteo fortalece a Pablo de tal manera, que siente que nueva vida llega a él. El gozo y la alegría de las noticias hacen que Pablo irrumpa en una oración de gratitud a Dios por la preservación de los hermanos, así como una plegaria por su crecimiento espiritual (1 Tes. 3:9-13). Pablo sabe que la vida cristiana es una lucha espiritual, y por lo tanto requiere las armas espirituales de poder, de las cuales la oración es imprescindible.

─────────── *Estudio del texto básico* ───────────

Lea su Biblia y responda

1. Complete en cada caso la información solicitada.
   a. Dos expresiones en las que Pablo describe su amor por los tesalonicenses: (1 Tes. 2:17) _____

   y _____

   b. ¿A quién le atribuye Pablo el estorbo en la obra del Señor? (2:18)
   _____

   c. ¿Con qué doble propósito envió Pablo a Timoteo a Tesalónica? (3:2)
   _____

   y _____

   d. ¿Qué fue para Pablo el informe que Timoteo le dio de los hermanos de Tesalónica? (3:7) _____

   e. ¿Cuál es la doble petición que expresa Pablo para con los hermanos tesalonicenses? (3:12-13) _____

   y_____

2. Relacione correctamente las siguientes columnas.

1. ____ Pablo, al enviar a Timoteo a Tesalónica se encontraba en:	A. Santidad	
	B. Gozo	
2. ____ Pablo aseguró a los tesalonicenses que padecerían:	C. Atenas	
	D. Corinto	
3. ____ Pablo era consciente que el camino del creyente es dirigido por:	E. Tribulación	
	F. El Padre	
4. ____ El corazón del creyente debe permanecer en:	G. Dios	

Lea su Biblia y piense

1 Pablo anhela visitar a los tesalonicenses, 1 Tesalonicenses 2:17, 18.

V. 17. Pablo ha sido separado de sus hijos espirituales y ahora suspira por ellos con gran nostalgia. Hace notar la profunda preocupación pastoral que siente, aun estando ausente. Pablo tiene un fuerte deseo de ver el rostro de ellos. Algunas veces en el Nuevo Testamento, la palabra traducida aquí como *deseo*, describe aquel apetito que brota de la "carne" que mueve a los hombres y que termina por hacerlos esclavos (lea 1 Ped. 1:14; 2:11). Ese deseo es negativo, conduce al pecado, pero en Pablo era una preocupación positiva ver a los tesalonicenses.

V. 18. El dolor producido por la separación se ve incrementado por la interposición de Satanás, que ha impedido en más de una ocasión la realización de los planes de Pablo. Ciertamente algunas situaciones particulares impidieron a Pablo, pero él sabe quién es el adversario que se lo impide. El apego emotivo que tiene Pablo hacia los tesalonicenses es enorme. El los identifica con aquella corona de guirnaldas otorgada a los triunfadores de los juegos griegos. En el día de la venida del Señor, Pablo solamente quiere recibir un premio, el privilegio de ver la salvación de los tesalonicenses (vv. 19, 20).

2 La misión e informe de Timoteo, 1 Tesalonicenses 3:1-8.

V. 1. Pablo no podía seguir con el peso de la preocupación y separación de los tesalonicenses. Así que decide enviar a Timoteo, su "amado hijo" (1 Tim. 1:2), no importando que él se quede solo.

Vv. 2, 3a. El propósito de la visita de Timoteo es claro: afirmar y animar a los tesalonicenses, pues seguramente vendrán tribulaciones. *Afirmaros* describe la acción de "hacer fuerte" o "soportar"; y *animaros* habla de "aquella persona que sale al apoyo de otro." Esta última palabra viene de la misma raíz de la cual procede "el Consolador" (Parakleto) un nombre y tarea del Espíritu Santo.

Vv. 3b, 4. La persecución no debe extrañar a los tesalonicenses. En otra parte Pablo llama a las tribulaciones parte necesaria e inseparable de la vida cristiana (Hech. 14:22).

V. 5. La preocupación de Pablo acerca de los tesalonicenses es el estado de su fe. Si su fe se hubiera desvanecido, la vida de los tesalonicenses, la de Pablo y su equipo, y la misma obra se hubiera quedado sin contenido.

V. 6. Al regresar Timoteo con buenas noticias, tres cosas producen en Pablo un gran gozo: 1. La fe de los tesalonicenses, una correcta actitud hacia Dios. 2. El amor de ellos, una correcta actitud entre ellos mismos. 3. Los buenos recuerdos, una correcta actitud de cariño hacia Pablo.

Vv. 7, 8. Cuando Pablo recibió estas noticias tan buenas, fue como si le salvaran de la muerte; fue para él un gran consuelo. Cuando un predicador tiene un celo tan grande por las almas como el del apóstol Pablo, noticias como estas son vida para él.

3 Acciones de gracias de Pablo, 1 Tesalonicenses 3:9-13.

V. 9, 10. Este informe muestra que el trabajo evangelístico y misionero de Pablo fue efectivo. El podría enorgullecerse, pero reconoce que todo esto es obra de Dios, y por eso le da gracias. Pablo, además, solicita a Dios la oportunidad de regresar a Tesalónica y completar la obra.

Vv. 11-13. Pablo hace una doble petición por sus hermanos en Tesalónica. La primera es el crecimiento sin límites de su amor, manifestado entre ellos mismos y hacia los de la comunidad. El amor cristiano es más que un sentimiento; es acción que suple necesidades en otros. La segunda petición es la firmeza en santidad que deben guardar delante de Dios. La santidad es una expresión del amor hacia Dios.

───────────────── *Aplicaciones del estudio* ─────────────────

1. La preocupación pastoral y la visita personal son de gran bendición, tanto para los recién convertidos como para todos los miembros de la iglesia, 1 Tesalonicenses 2:17. Al igual que Pablo, debemos reconocer que no hay nada que estimule más a un creyente que el calor de una visita personal.

2. Debemos tener tal preocupación por el bienestar de nuestros hermanos, que no nos importe despojarnos de algo personal, 1 Tesalonicenses 3:1. Que al igual que Pablo pudo permanecer sin la compañía de Timoteo en beneficio de los tesalonicenses, nosotros pensemos primero en nuestro hermano antes que en nosotros mismos.

3. Como iglesia estamos llamados a un ministerio de solidaridad, 1 Tesalonicenses 3:2. Recordemos que el propósito de la misión de Timoteo fue confirmar y exhortar a los tesalonicenses. Que podamos tener la misma práctica en nuestras iglesias.

4. El crecimiento en amor y en santidad son esenciales en la vida del cristiano, 1 Tesalonicenses 3:12, 13. Estos son dos elementos necesarios en la vida de todo creyente.

──────────────────────── *Prueba* ────────────────────────

1. En este pasaje Pablo expone tres principios que todo cristiano debe practicar al ayudar a un recién convertido en su desarrollo espiritual. ¿Cuáles son?

   a. (2:17) _____

   b. (3:1, 2) _____

   c. (3:9-13) _____

2. Durante esta semana haga una visita a un hermano de su iglesia que tenga dificultades. Recuerde el propósito de la visita: Confirmar y exhortar.

   "Me comprometo a visitar a _____
   y a permanecer en oración hasta que la situación se mejore."

Lecturas bíblicas para el siguiente estudio

Lunes: 1 Tesalonicenses 4:1, 2   **Jueves:** 1 Tesalonicenses 4:7, 8
Martes: 1 Tesalonicenses 4:3, 4   **Viernes:** 1 Tesalonicenses 4:9, 10
Miércoles: 1 Tesalonicenses 4:5, 6   **Sábado:** 1 Tesalonicenses 4:11, 12

Viviendo como Cristo

Contexto: 1 Tesalonicenses 4:1-12
Texto básico: 1 Tesalonicenses 4:1-12
Versículo clave: 1 Tesalonicenses 4:7
Verdad central: La exhortación de Pablo a los cristianos para que vivan de manera piadosa revela que Dios espera que le agraden a él y ganen el respeto de los que no son cristianos.
Metas de enseñanza-aprendizaje: Que el alumno demuestre su conocimiento de la manera en que deben vivir los cristianos, y su actitud por mejorar aspectos de su vida que no glorifican a Dios ni pueden ganar el respeto de los no cristianos.

—————— Estudio panorámico del contexto ——————

Las exhortaciones morales en la sección 4:1-12 proveen instrucciones fundamentales para la vida cristiana dentro de la comunidad eclesiástica y fuera de ella. Pablo hace énfasis sobre tres temas muy importantes: 1. La pureza sexual (4:3-8). 2. El amor fraternal (4:9, 10). 3. La necesidad de trabajar (4:11, 12). El Apóstol inicia con una introducción donde destaca que un comportamiento recto es lo que agrada a Dios (compare 4:3; 5:18). Así establece el verdadero móvil para el proceder del cristiano.

Estos tres temas son de particular relevancia para Pablo y los tesalonicenses, porque dos de ellos llegaron a ser un verdadero problema para los cristianos del siglo primero. Uno de los más graves fue el relacionado con el sexo. Las prácticas sexuales estuvieron en un nivel muy bajo en los tiempos de Pablo y la castidad era considerada como una restricción sin ninguna razón. En el ámbito griego las relaciones sexuales ilícitas, regularmente llamadas en el Nuevo Testamento como "fornicación", tenían un sentido religioso. Estas se introdujeron especialmente en los grandes santuarios de Corinto y Atenas. Según el historiador Estrabón, solamente en Corinto había más de mil cortesanas consagradas a Venus, las cuales se ofrecían en las calles de la ciudad como parte de su adoración a la diosa del amor.

Amor fraternal en el griego es una sola palabra de donde viene el nombre "Filadelfia." Describe a hombres que están unidos entre sí por un vínculo ya sea de sangre o de amistad. Este término se utilizaba en el ámbito familiar. Así que, en el concepto del apóstol Pablo, los cristianos pertenecen a una misma familia celestial, donde predomina el amor y la comprensión. El otro tema que se convirtió en un problema fue el relacionado con el trabajo. Al parecer en algunos creyentes de Tesalónica, se había producido una exitación negativa ante la expectativa de la segunda venida de Cristo. Esta. esperanza se convirtió en excusa para la pereza (vea 2 Tes. 3:11) y para entrometerse en lo ajeno. Por otro lado, tal vez el apoyo que la comunidad, con amor, prestaba a los necesitados, constituía para algunos una tentación de no trabajar y vivir de la caridad.

────────── *Estudio del texto básico* ──────────

Lea su Biblia y responda

1. Complete en cada caso la información solicitada.
   a. Dos formas en las que Pablo enseñó a los tesalonicenses cuál debe ser el comportamiento cristiano: (1 Tes. 4:1-2) _____
   _____ y _____
   b. Según 4:3, ¿cuál es la voluntad de Dios en la vida del cristiano?
   _____
   c. ¿Qué cualidades debe tener un matrimonio cristiano? (4:4)
   _____ y _____
   d. ¿De quién aprendieron los tesalonicenses el amor fraternal? (4:9)
   _____
   e. ¿Cómo debe ser el comportamiento del cristiano? (4:12)
   _____

2. Marque con X las declaraciones correctas. La voluntad de Dios para el cristiano es:
   _____ la santificación
   _____ el agraviar y el engañar al hermano
   _____ el practicar la inmundicia
   _____ el amar al prójimo
   _____ el vivir en ociosidad
   _____ el trabajar activamente

Lea su Biblia y piense

1 La conducta que agrada a Dios, 1 Tesalonicenses 4:1-8.

V. 1. Pablo hace una apremiante petición a sus hermanos tesalonicenses, reconociendo el trabajo que han venido haciendo en su comportamiento y al mismo tiempo los anima a continuar (4:10). La esencia de esta exhortación es que ellos deberían agradar a Dios con su comportamiento. Esto es importante pues Dios escudriña los corazones (2:4) y está como juez sobre el hombre (4:6).

V. 2. La palabra traducida *instrucciones* designa disposiciones autorizadas de cualquier índole, particularmente los decretos militares. **Pablo** está destacando el sello de autoridad divina que tiene su exhortación.

V. 3a. Pablo trata el asunto de la inmoralidad sexual. Dice en primer lugar, que la voluntad de Dios es la santificación, que aquí es vista como un proceso a través del cual una persona es puesta aparte para el servicio de Dios.

Vv. 3b-5. Pablo toma el tema de la fornicación y exhorta a los tesalonicenses a apartarse del desenfreno sexual. La palabra "apartarse" describe la acción de abstenerse, evitar o estar lejos de algo. Las religiones paganas, lejos de advertir contra la perversión sexual, la fomentaban. Por el contrario, el cristianismo insta a tener un matrimonio legítimo y a vivirlo en un ambiente de santidad y respeto. Pablo enseña que el matrimonio brinda la oportunidad de dominar las pasiones, no de darles rienda suelta (compare con 1 Cor. 7:2, 3, 9).

Vv. 6, 7. Los pecados sexuales también perjudican a otras personas aparte de aquellos que los practican. En el adulterio el cónyuge de ambos es ofendido. Las relaciones antes del matrimonio también perjudican al futuro cónyuge, robándole los valores que deben ser llevados al matrimonio. Así se agravia y se engaña al prójimo.

V. 8. Como si lo dicho hasta aquí fuera de poco peso para alejarse de estas prácticas inmorales, Pablo expone una razón más para la castidad: detrás de sus palabras está Dios con su autoridad y el Espíritu Santo. Así que quien *rechaza esto no rechaza a hombre, sino a Dios.*

2 Permanencia del amor fraternal, 1 Tesalonicenses 4:9, 10.

V. 9. Una vez que uno ha recibido a Jesucristo como Señor y Salvador, se integra a una comunidad unida por lazos familiares de amor. Este es el modelo del Nuevo Testamento, y sobre esto los tesalonicenses no necesitaban de instrucción, pues lo practicaban muy bien.

V. 10. Este amor fraterno que reinaba en la comunidad cristiana de Tesalónica, probablemente fue manifestado a uno o varios hermanos de otras iglesias de Macedonia quienes, cuando visitaron Tesalónica, fueron recibidos como hermanos de la misma familia.

3 El trabajo honrado, 1 Tesalonicenses 4:11, 12.

V. 11. Parece que algunos de la iglesia andaban rondando por todos lados esperando ansiosamente la venida del Señor, y se inmiscuían en asuntos ajenos. Pablo les exhorta a ocuparse en sus propios trabajos. Dentro de la cultura griega, se pensaba que una labor manual era degradante y se asignaba a los esclavos. Pablo mismo había fabricado tiendas para sostener su propios gastos (vea 2:9), así que trabajar con las manos no es deshonroso.

V. 12. Un trabajo digno se refleja en dos sentidos. El primero es una vida honrada; así los de afuera pueden hacer juicios sobre esta base y no se dará ocasión para desacreditar el evangelio. El segundo es una vida que no busca la caridad de otros. Los cristianos deben tener el privilegio de no ser carga para los demás. Recordando las palabras del Señor: "Mas bienaventurado es dar que recibir" (Hech. 20:35). El deber de todo cristiano es ayudar a la comunidad y no sacar provecho de ésta.

—————————— *Aplicaciones del estudio* ——————————

1. Las palabras y órdenes dichas por el Señor deben ser cumplidas con especial cuidado, 1 Tesalonicenses 4:2, 8. La obediencia a la voluntad de Dios es un factor central en la vida del cristiano. Nuestro modelo de obediencia es el mismo Señor Jesucristo.

2. Una vida de completa santidad es la voluntad de Dios para cada cristiano, 1 Tesalonicenses 4:3, 7. El rasgo distintivo, central y organizador de cualquier decisión ética en la vida del cristiano, es la santidad. Desde el Antiguo Testamento, Dios ha pedido a los suyos un comportamiento santo, conforme al mismo carácter del Señor y completamente distinto de los incrédulos.

3. El amor fraternal dentro de la iglesia engendra unidad y comunión, 1 Tesalonicenses 4:9. El amor fraternal es la marca que distingue a un cristiano de un "no cristiano." Si hemos de esperar que los no cristianos nos reconozcan como cristianos, debemos mostrarnos y mostrarles verdadero amor fraternal.

—————————————— *Prueba* ——————————————

1. En este pasaje, Pablo trata tres temas muy particulares de las iglesias del primer siglo. ¿Cuáles son?

    a. (4:3-8) _____

    b. (4:9-10) _____

    c. (4:11-12) _____

2. Probablemente dentro de su iglesia hay una persona a la cual le cueste mucho trabajo expresarle su amor fraternal. Ore al Señor y muéstrele a este hermano su amor de una forma concreta. Escriba lo que piensa hacer.

_____

_____

_____

Lecturas bíblicas para el siguiente estudio

Lunes: 1 Tesalonicenses 4:13, 14
Martes: 1 Tesalonicenses 4:15-18
Miércoles: 1 Tesalonicenses 5:1-3
Jueves: 1 Tesalonicenses 5:4-11
Viernes: 1 Tesalonicenses 5:12-22
Sábado: 1 Tesalonicenses 5:23-28

¡Cristo viene!

Contexto: 1 Tesalonicenses 4:13 a 5:28
Texto básico: 1 Tesalonicenses 4:13-18; 5:1, 2, 8-10, 12-18
Versículo clave: 1 Tesalonicenses 4:16
Verdad central: La certeza de la segunda venida de Cristo nos alienta a estar vigilantes, viviendo de acuerdo con lo que él espera de sus seguidores.
Metas de enseñanza-aprendizaje: Que el alumno demuestre su conocimiento de las enseñanzas de Pablo acerca de la certeza de la segunda venida de Cristo, y su actitud hacia un estilo de vida que da evidencia de estar en espera de la segunda venida de Cristo.

―――――――― *Estudio panorámico del contexto* ――――――――

Timoteo presentó a Pablo en su informe (3:6) varios asuntos que inquietaban a los tesalonicenses. Uno de ellos era el de la situación de los creyentes muertos antes de la segunda venida del Señor. Pablo en su predicación y enseñanza, había insistido permanentemente en la esperanza que inspiraba su propia vida y ministerio: la segunda venida de Cristo (vea 2 Tim. 1:12; 4:8). Esto provocó en los tesalonicenses tal ansiedad, que los condujo a malos entendidos (2 Tes. 3:11). Ellos esperaban ardientemente estar vivos cuando el regreso del Señor aconteciera. También estaban preocupados por aquellos que habían muerto previamente. No estaban seguros de que aquellos que ya habían muerto fueran a participar de la gloria del día del Señor. Pablo tranquiliza sus inquietudes afirmando que los *muertos en Cristo resucitarán primero* (v. 16). Esta seguridad produce en la vida del cristiano una *esperanza* en el futuro de Dios (v. 13). La esperanza cristiana no se funda en los vaivenes de los sentimientos. Tampoco en el éxito de la vida. La esperanza permanente y sustancial, se fundamenta en el Dios de la promesa.

La segunda venida del Señor es segura, pero, Pablo afirma a los tesalonicenses que la fecha exacta de ésta es tan impredecible como el asalto de un ladrón en una noche cualquiera (5:2). Este hecho es un llamamiento a la vigilancia que cada cristiano debe mantener en su vida diaria (5:6) (vea Mar. 13:33-37). Esta vigilancia sostenida por una relación personal con Jesucristo, producirá que el cristiano pueda *alcanzar salvación* en aquel día (5:9).

Pablo, a la luz de la segura e inminente segunda venida del Señor y acercándose al final de su carta, hace una serie de exhortaciones prácticas del comportamiento cristiano (5:12-24), explicando así lo que significa que *seamos sobrios* (5:6). Estas exhortaciones comprenden: 1. Relaciones con los líderes (vv. 12, 13). 2. Relaciones con los hermanos (v.14). 3. Relaciones interpersonales generales (vv. 15, 16). 4. Relaciones con el Señor (vv. 17-20). 5. Relaciones con el mundo (vv. 21-24). Pablo se despide cariñosamente de sus amados lectores (5:25-28).

────────────── *Estudio del texto básico* ──────────────

Lea su Biblia y responda

1. Complete en cada caso la información solicitada.
   a. ¿Cuál es la diferencia entre un cristiano y un no cristiano cuando se enfrentan a la muerte? (4:13) _____
   _____
   b. ¿Qué es lo que trae seguridad a la vida del cristiano, en cuanto a su propia permanencia en el día del Señor? (4:14) _____
   _____
   c. ¿Dónde está la morada eterna del creyente una vez muerto? (4:17)
   _____

2. Marque verdadero (**V**) o falso (**F**) en cada una de las siguientes expresiones, en base al versículo citado.
   a. ___ Se puede fechar la segunda venida del Señor (5:2).
   b. ___ El cristiano pertenece al reino de las tinieblas (5:5).
   c. ___ La salvación se obtiene a través de Jesús (5:9).
   d. ___ Se debe reconocer a aquellos que trabajan como líderes de una iglesia (5:12).
   e. ___ El cristiano se debe abstener de toda clase de mal (5:22).
   f. ___ Para cuando el Señor Jesucristo venga por segunda vez, el cristiano debe ser encontrado irreprensible (5:23).

Lea su Biblia y piense

1 Esperanza de la venida de Cristo, 1 Tesalonicenses 4:13-18.

V. 13. En la sección 4:13-18, Pablo trata de fortalecer las expectativas de los tesalonicenses respecto de aquellos que están *durmiendo*. Esta expresión es una figura literaria llamada "eufemismo", que consiste en el empleo de términos agradables, en lugar de algunos fuertes o cargados de emoción negativa. Aquí se está describiendo a los que están muertos. Pablo afirma que la vida del cristiano es una vida de *esperanza* que no elimina la tristeza por la pérdida de un ser querido, pero si la expresa adecuadamente. Atanasio de Alejandría, quien vivió en el año 300 d. de J. C., dijo: "El Cristo resucitado convierte la vida en una continua fiesta, en una fiesta que no tiene fin."

Vv. 14, 15. La resurrección del Señor Jesucristo es el medio del que se vale Dios para regalarnos la esperanza de nuestra propia resurrección. Esta *palabra del Señor* (v. 15) no se encuentra registrada en los Evangelios. Puede ser algo revelado directamente a Pablo o una enseñanza dicha por Jesús y preservada en forma oral hasta ese momento. Pablo afirma que aquellos que estén vivos cuando el Señor venga *no precederán* a los ya muertos. Los muertos no perderán la bendición de participar en aquel día.

V. 16. Pablo explica en lenguaje apocalíptico cómo será la segunda venida del Señor. Este lenguaje es más descriptivo que literal. Los símbolos representan una realidad histórica, pero no necesariamente la describen en forma absoluta. El Señor Jesucristo glorificado, el mismo que se encarnó, dará "la señal" que ponga fin a la historia e introducirá el acontecer de los últimos tiempos. Dará la señal con su voz de líder, semejante a *la voz de un arcángel* (ver Apoc. 10:3) y así *descenderá* el Señor del cielo.

Vv. 17, 18. Pablo afirma que tanto muertos como vivos habrán de encontrarse frente a frente con el Señor. El verbo griego que describe la acción de "ser arrebatado" aparece catorce veces en el Nuevo Testamento (ver Juan 10:12, 28, 29). Este pasaje es único, nos enseña del "rapto" de la iglesia explícitamente. En este pasaje y Mateo 23:13 se sustenta la postura doctrinal que afirma que los creyentes serán transportados al cielo antes de que venga "la gran tribulación". Como quiera que sea, Pablo está describiendo una comunión definitiva de los redimidos con Jesucristo, y la enfatiza por la maravillosa expresión *y así estaremos siempre con el Señor*. De esta manera, sugiere, podemos alentarnos unos a otros y consolarnos frente a la pérdida de nuestros amados hermanos en la fe.

2 Necesidad de estar vigilantes y ser fieles,
1 Tesalonicenses 5:1, 2, 8 -10.
Vv. 1, 2. Pablo recuerda a los tesalonicenses que la segunda venida de Cristo es un evento impredecible, pues su venida será semejante al asalto de un *ladrón*, el cual llega cuando nadie lo espera. Toda nuestra certeza es ésta: la hora es incierta. Hemos de ser conscientes de esta incertidumbre y tomarla en serio.

Vv. 8-10. El uso de la *luz* (v. 4) y el *día* como metáforas para describir el carácter de Cristo y sus seguidores es común en el Nuevo Testamento (Mat. 5:14-16; Juan. 8:12; Efe.5:8). Los cristianos están marcados por la luz del día futuro de Cristo. Tienen ya en sí algo de esa luz de Cristo. Pablo hace un alto contraste con "los que duermen y se embriagan". Estos son los incrédulos, quienes pasan de largo ante la verdadera realidad (v.6). Quien no conoce nada del fin del mundo y de la segunda venida del Señor, tampoco conoce el mundo, y es como si estuviera dormido. Con dos expresiones se describe el carácter del cristiano: Como *sobrio*, que enfatiza su conocimiento de la realidad de la revelación, que resulta en un ministerio de adoración, esperanza y amor. Como *vestido*, una figura paulina que describe lo dispuesto y presentable que está un cristiano (vea Rom.13:12; Efe. 6:8; Col. 3:12).

3 Exhortación a cumplir con los deberes, 1 Tesalonicenses 5:12-18.

Vv. 12, 13. Pablo exhorta a los hermanos a *reconocer y a estimar* el trabajo desarrollado por los líderes de la iglesia, quienes realizan su trabajo *en el Señor*, no buscando nada personal.

V. 14. Hay tres acciones que hacer con algunos hermanos de la congregación: Amonestar, reprender por algo mal hecho. Alentar, animar, sostener y apoyar al que se encuentra debilitado. Tener paciencia con todos.

Vv. 15-18. En estos versículos se describe el carácter del cristiano: 1. Gozo inquebrantable. Su gozo no depende de las circunstancias sino de la realidad interior por su relación con Cristo (v. 16). 2. Oración constante para nutrir su relación con Dios (v. 17). 3. Agradecimiento perpetuo por la seguridad de que Dios controla todas las circunstancias (v. 18).

Aplicaciones del estudio

1. La resurrección de Jesucristo es el regalo de esperanza que Dios nos da, 1 Tesalonicenses 4:13-15. El evento de la resurrección de Cristo tiene una aplicación presente en la esperanza, y una futura en la realidad de la resurrección personal.

2. Nuestro comportamiento como cristianos viene de nuestra naturaleza redimida, 1 Tesalonicenses 5:4-8. Nuestra vida de luminares es producto de nuestra naturaleza. Primero somos, y como consecuencia hacemos.

3. Estamos llamados a fortalecer a los más débiles dentro de nuestra iglesia, 1 Tesalonicenses 5:14. Las acciones de amonestar, alentar y sostener se resumen en un ministerio de servicio en amor.

Prueba

1. Escriba los hechos que dan seguridad de que Cristo vendrá otra vez.

   a. _____

   b. _____

2. Pensando en el carácter del cristiano descrito en 1 Tesalonicenses 5:16 -19: ¿Qué cualidades son más fuertes y cuáles más débiles en usted?

   a. Gozo inquebrantable.   Fuerte _____ Débil _____

   b. Oración constante.   Fuerte _____ Débil _____

   c. Agradecimiento.   Fuerte _____ Débil _____

   d. Espiritualidad.   Fuerte _____ Débil _____

3. Busque a un hermano que necesite ser alentado y minístrelo.

Lecturas bíblicas para el siguiente estudio

Lunes: 2 Tesalonicenses 1:1, 2   **Jueves:** 2 Tesalonicenses 1:6-8
Martes: 2 Tesalonicenses 1:3, 4   **Viernes:** 2 Tesalonicenses 1:9, 10
Miércoles: 2 Tesalonicenses 1:5   **Sábado:** 2 Tesalonicenses 1:11, 12

Unidad 2

Fidelidad en la tribulación

Contexto: 2 Tesalonicenses 1:1-12
Texto básico: 2 Tesalonicenses 1:1-12
Versículos clave: 2 Tesalonicenses 1:6, 7
Verdad central: La exhortación de Pablo a los tesalonicenses nos enseña que se debe perseverar en medio de las adversidades ante la perspectiva del triunfo final de la justicia divina.
Metas de enseñanza-aprendizaje: Que el alumno demuestre su conocimiento de las bases de la exhortación de Pablo a los tesalonicenses para que perseveren en medio de las adversidades, y su actitud de aplicar esas bases para su crecimiento espiritual.

Estudio panorámico del contexto

Unas cuantas semanas después de haber escrito su primera carta a los tesalonicenses y por haber escuchado alguna información acerca de la iglesia (1:3), Pablo decide escribirles una segunda carta.

El propósito de esta segunda carta es dar énfasis a algunas cosas que escribió en la primera: animarlos a permanecer fieles aun en medio de la persecución que estaban sufriendo (1:4-10); para exhortarlos a estar firmes y a ocuparse en sus propios trabajos (2:13 a 3:15); y para corregir algunos de los malos entendidos acerca de la segunda venida del Señor (2:1-12).

La persecución que estaban experimentando en esos momentos los tesalonicenses (1:6-8), probablemente se debía a la obra que había estado haciendo aquel grupo de judíos que algún día pretendió atacar a Pablo, y al no encontrarlo trajeron a Jasón y lo acusaron de rebelión delante de las autoridades de la ciudad (Hech. 17:5-9). Fuera esta la razón o alguna otra, lo cierto es que los tesalonicenses estaban sufriendo la persecución, y Pablo ve la necesidad de explicar a los miembros de esta comunidad cristiana que las tribulaciones forman parte de la vida cristiana. Pablo, en su primer viaje misionero, al confirmar a las iglesias en su fe les decía: "Es preciso que a través de muchas tribulaciones entremos en el reino de Dios" (Hech. 14:22).

En el pensamiento paulino, esta persecución no debe ser motivo para perder de vista la victoria que en Cristo hemos alcanzado. Cuando regrese el Señor, también su iglesia podrá celebrar su propia y espléndida victoria (1:10). En el Sermón del monte, Jesús enseñó cuál debería ser la actitud del cristiano frente a la persecución, "Bienaventurados sois cuando os persigan" (Mat. 5:11a). Debemos aclarar que la persecución es algo que el cristiano siempre debería lamentar; debería causarle dolor que hombres, a causa del pecado, se conduzcan en forma tan maligna, pero la persecución prueba de quién es y de qué calidad es el cristiano. A través de la tribulación *el nombre de Dios es glorificado*, esto significa que, en el sufrimiento soportado con paciencia y esperanza el cristiano refleja sin cesar esa gloria que está contenida en el precioso nombre del Señor. Glorificar a Dios es mostrar a la gente por medio de nuestro carácter y comportamiento quién es el Señor.

———————————— *Estudio del texto básico* ————————————

Lea su Biblia y responda

1. Complete en cada caso la información solicitada.

   a. ¿Qué bendiciones espirituales desea el apóstol Pablo a los hermanos de Tesalónica? (1:2)._____ y _____
   b. ¿Por qué aspectos dentro de la vida de la iglesia de Tesalónica Pablo da gracias al Señor? (1:3)._____ y _____
   c. ¿Cómo ha de demostrarse que un cristiano es digno del reino de Dios? (1:5)._____

2. Marque verdadero (**V**) o falso (**F**) cada una de las siguientes expresiones, en base al versículo citado.

   a. _____ La tribulación es un aspecto de la vida del cual los cristianos no participan (1:5).
   b. _____ A los cristianos atribulados en el presente, cuando el Señor se manifieste dará reposo (1:7).
   c. _____ A los incrédulos, a su regreso el Señor les retribuirá con perdón y misericordia (1:8).
   d. _____ Hay un propósito claro en la vida del cristiano (1:11).
   e. _____ Como cristianos debemos glorificar el nombre del Señor (1:12).

Lea su Biblia y piense

1 Gracia y paz en la tribulación, 2 Tesalonicenses 1:1, 2.

V. 1. Pablo y sus colaboradores, Silas y Timoteo, saludan afectuosamente a la iglesia de Tesalónica. Describen a la iglesia como estando *en Dios y en Jesucristo*. Pablo tiene probablemente puesta la mira en la comunidad reunida para el culto. Esta es la atmósfera en la que los creyentes, reunidos, reciben la palabra de Dios y fortalecen sus relaciones. Una iglesia, en el culto se reúne para oír el mensaje y para estrechar sus relaciones para impactar al mundo.

V. 2. Al igual que en su primera carta, Pablo desea *gracia y paz* a la iglesia de Tesalónica. La gracia del Señor es aquello que hace posible que una persona sea hecha nueva, que sea grato olor de Cristo para el mundo. La paz no describe la ausencia de guerra o problemas, sino ese estado de plenitud que solamente el Señor puede dar. Pablo desea que estas virtudes divinas sean experimentadas en la iglesia, pero que al mismo tiempo se extienda fuera de la comunidad de creyentes, bendiciendo a muchos más.

2 Fidelidad en medio de la tribulación, 2 Tesalonicenses 1:3, 4.

V. 3. Pablo da gracias a Dios por el *crecimiento en fe y amor* de los cristianos en Tesalónica. La fe de los cristianos no es sólo reconocer firmemente verdades reveladas. La fe es vida que puede crecer y prosperar. La consecuencia inmediata de una fe robusta es amor vivo. Una fe sin amor es una contradicción (vea 1 Cor. 13:2)

V. 4. Pablo se siente verdaderamente orgulloso del comportamiento de los tesalonicenses ante la prueba de la persecución. Ellos la han enfrentado con *perseverancia y fe.* La perseverancia describe aquella actitud de mantenerse firme ante la adversidad. Un aguante así sin fe sería completamente vano. Esta noble actitud de ellos ha servido como ejemplo y motivación para otras *iglesias de Dios* (vea 1 Tes. 1:7).

3 Recompensa y gloria de la fidelidad, 2 Tesalonicenses 1:5-12.

V. 5. La respuesta que están teniendo los tesalonicenses ante la persecución, *da muestra evidente del justo juicio de Dios,* el cual están aprobando con dignidad. Algo *digno* describe aquello que tiene el valor o el peso estimado.

V. 6, 7. Bajo la perspectiva del justo juicio de Dios, se pagará con tribulación a los que están atribulando a la iglesia del Señor. La *retribución* se utilizaba en el campo judicial, describiendo el premio o el castigo que otorgaba el juez a uno que era juzgado (vea 2 Sam. 3:39). Entre tanto que los malos recibirán tribulación y *llama de fuego* (v. 8), los cristianos atribulados en la edad presente recibirán *reposo* en la venida del Señor. El reposo describe la eliminación de las tensiones y la participación de algo refrescante.

V. 8, 9. Los incrédulos son descritos de dos formas. En primer lugar como aquellos que *no conocen a Dios,* que describe a los hombres que nunca han tenido una experiencia personal con Dios y no están convencidos que él sea la verdad. En segundo lugar, como aquellos que *no obedecen* al evangelio del Señor, describiendo a aquellos que no quieren actuar de acuerdo a lo que Dios ha establecido. Su castigo será *ser excluidos de la presencia del Señor,* ya que no quisieron relacionarse con él, nunca tendrán la oportunidad de hacerlo.

V. 10, 11. Mientras a aquellos les espera perdición y exclusión, a los creyentes verán la *gloria* total del Señor. El Señor se presentará con los santos y ellos constituirán la corte de honor del juez de los mundos (vea 1 Tes. 4:17). Mientras esto ocurre, Pablo ora por sus lectores, pidiendo que su vida diaria refleje el *llamamiento* que Dios les hizo, y que todo el *propósito* divino sea cumplido en ellos.

V. 12. Pablo ve que los cristianos tienen la misión de *glorificar el nombre* *de Dios*, esto quiere decir, reflejar a través de la vida misma cuál es la esencia del Ser divino, así como él ha sido glorificado en los cristianos.

Aplicaciones del estudio

1. Los cristianos estamos llamados a ser canales de la gracia y de la paz de Dios para el mundo, 2 Tesalonicenses 1:2. Entre cristianos debemos desearnos mutuamente estas virtudes divinas, pero al mismo tiempo debemos compartirlas con aquellos que no las poseen.

2. La fe debe tener un crecimiento continuo, y una manifestación palpable en amor mutuo, 2 Tesalonicenses 1:3. El amor de los cristianos entre sí, y para con el mundo, son un testimonio elocuente de la fe. La fraternidad que reinaba en las primeras comunidades cristianas hacía que ellos tuvieran el favor de todo el pueblo (Hech. 2:47).

3. Como cristianos, debemos enfrentar las tribulaciones con perseverancia y fe, 2 Tesalonicenses 1:4. Cuando cada día nos identificamos más con Cristo, seguramente más persecución sufriremos. Si uno trata de imitar a Cristo el mundo lo alabará; si uno llega a ser semejante a Cristo el mundo lo odiará.

4. Al igual que la iglesia en Tesalónica, estamos llamados a glorificar a Dios en nuestro carácter y conducta, 2 Tesalonicenses 1:12.

Prueba

1. En este pasaje, Pablo hace varias descripciones de los creyentes y de los inconversos, según las siguientes citas, ¿a quién se refiere? Escriba C = creyente o I = inconverso.

   a. _____ Crece en fe y amor (1:3).
   b. _____ Sufrirá eterna perdición (1:9).
   c. _____ Está atribulado actualmente (1:4).
   d. _____ No obedece al evangelio (1:8).

2. Seguramente dentro de su congregación hay algún hermano que está pasando por momentos de tribulación. Trate de acercarse a él y en base a las enseñanzas aprendidas hoy, anímele y exhórtele.

Lecturas bíblicas para el siguiente estudio

Lunes: 2 Tesalonicenses 2:1, 2   **Jueves:** 2 Tesalonicenses 2:7, 8
Martes: 2 Tesalonicenses 2:3, 4   **Viernes:** 2 Tesalonicenses 2:9, 10
Miércoles: 2 Tesalonicenses 2:5,6   **Sábado:** 2 Tesalonicenses 2:11, 12

La segunda venida de Cristo

Contexto: 2 Tesalonicenses 2:1-12
Texto básico: 2 Tesalonicenses 2:1-12
Versículos clave: 2 Tesalonicenses 2:1, 2
Verdad central: Las aclaraciones de Pablo acerca de la segunda venida de Cristo nos enseñan que debemos estar alertas en cuanto a las falsas enseñanzas de ese evento.
Metas de enseñanza-aprendizaje: Que el alumno demuestre su conocimiento de las enseñanza de Pablo acerca de la segunda venida de Cristo, y su actitud hacia las enseñanzas correctas de ese evento.

Estudio panorámico del contexto

Pablo comienza la parte principal de la carta. Los tesalonicenses se han inquietado grandemente por el tema de la segunda venida de Jesucristo. Pablo, movido por esta circunstancia y por los abusos que se han generado (3:10-12), decide escribirles para tranquilizarlos, explicando algunos aspectos importantes de la venida del Señor. Aunque el cristiano suspire ardientemente por la venida del Señor y tenga un vivo y ardiente deseo de unirse con Cristo, no debe perder la serenidad y el buen juicio que demanda el presente.

Pablo se refiere a la segunda venida del Señor con la expresión, *el día del Señor*. Esta frase tiene sus raíces en los profetas del Antiguo Testamento. El profeta Joel lo describe como, *día de destrucción de parte del Todopoderoso* (Joel 1:15), como *día de tinieblas y de oscuridad* (Joel 2:2), y como *día grande y terrible* (Joel 2:11). Pero, será más que un día de juicio. En ese día, acompañado de fenómenos cósmicos que anunciarán el arribo del Señor (Joel 2:30-31), tendrán salvación todos aquellos que invoquen el nombre del Señor (Joel 2:32).

Pero antes de que el día del Señor venga, se habrá de manifestar una grande apostasía. La apostasía es lo contrario de la conversión que Pablo describió en 1 Tesalonicenses 1:9: convertirse de los ídolos a Dios. Apostatar es abandonar al Dios verdadero e ir tras ídolos y falsos dioses. Esta apostasía será encabezada por el hombre de pecado, el hijo de perdición (2:3), quien desviará a muchos, demandando que se le otorgue culto y colocándose en el lugar de Dios (2:4). Pero Pablo dice que por el momento está limitada su acción (2:6). Sobre estos temas, Pablo ya había instruido a los hermanos de Tesalónica y les anima a recordar su instrucción. Pablo atribuye la aparición de este *inicuo* a la obra destructora de Satanás. Puesto que ninguna de estas cosas habían sucedido, era imposible que el Señor ya hubiera venido, como afirmaban algunos (2:2-3). Al igual que Juan en Apocalipsis 19:15, Pablo asegura que al final de los tiempos, al Señor le bastará el espíritu de su boca para destruir por completo a todo aquello que se opone a él. Así establece su victoria eterna.

───────────── *Estudio del texto básico* ─────────────

Lea su Biblia y responda

1. Complete en cada caso la información solicitada.
   a. ¿Cuál es la recomendación de Pablo, respecto a las enseñanzas equivocadas de la segunda venida de Cristo? (2 Tes. 2:2). _____
   _____

   b. Según 2:2, ¿cuáles fuentes de autoridad citaban los falsos maestros para su enseñanza?
   1. _____
   2. _____
   3. _____
   c. ¿Qué otros nombres le da Pablo al "hombre de pecado"?
   1. _____ (2:3)
   2. _____ (2:8)
   d. ¿Qué acciones realizará este "hombre de pecado" cuando aparezca?
   1. _____ (2:4)
   2. _____ (2:4)
   3. _____ (2:9)

2. Marque verdadero (**V**) o falso (**F**) cada una de las siguientes expresiones, en base al versículo citado.
   a. _____ El hombre de pecado se hace pasar por Dios (2:4).
   b._____ El cristiano debe aceptar como verdadera cualquier enseñanza acerca del fin (2:2).
   c. _____ Dios usa el engaño que Satanás opera, como parte del castigo del pecado (2:10-11).

Lea su Biblia y piense

1 Advertencia contra las falsas enseñanzas, 2 Tesalonicenses 2:1, 2.
V. 1. Pablo siempre tenía una razón poderosa para escribir sus cartas. Ya fuera la exhortación, la corrección, la enseñanza, o como en este caso, la prevención. Circunstancias hasta cierto punto desconocidas para nosotros, dieron lugar entre los creyentes de Tesalónica a una gran expectación e inquietud respecto a la segunda venida del Señor. Estas desembocaron en prácticas negativas dentro de la iglesia (3:10-12).
V. 2. Frente a la inquietud que este asunto había producido, Pablo les anima a permanecer en la sana doctrina. También les exhorta a la firmeza por medio de dos expresiones: La primera, *que no seáis movidos fácilmente*. En

el griego secular y en el Antiguo Testamento en griego, esta frase describía el movimiento del mar o la sacudida de un temblor. Así, Pablo está pidiendo de ellos estabilidad y cordura. La segunda, *ni seáis alarmados*. Esta expresión es utilizada tres ocasiones en el Nuevo Testamento (Mat. 24:6; Mar. 13:7; 2 Tes. 2:1), y describe una actitud de pánico. Es interesante que sus tres usos en el Nuevo Testamento tienen que ver con los últimos tiempos, describiendo cuál debe ser la actitud del cristiano.

2 El hombre de iniquidad, 2 Tesalonicenses 2:3-10.

Vv. 3, 4. Pablo establece claramente que antes de la segunda venida del Señor, se habrá de presentar una gran *apostasía*. La palabra apostasía significa "apartarse de algo o de alguien, perdiendo así toda comunión." La esperanza apocalíptica judía esperaba tal período de renuncia a la fe verdadera, que precedería de un modo inmediato a la aparición del mesías. En 1 Timoteo 4:1, Pablo describe cómo algunos se apartarán de la fe, escuchando a espíritus engañosos. Esta gran apostasía estará presidida por *el hombre de iniquidad, el hijo de perdición*. Pablo describe a este anticristo con las palabras de Daniel (7:25; 11:36,37), dando incapié que esta figura siniestra de los últimos tiempos se opondrá radicalmente a la santa voluntad de Dios.

En Apocalipsis aparece la figura de la bestia (13:1-2), quien representa al anticristo de los últimos tiempos. Esta bestia lleva el nombre de la deidad sobre sus cabeza y demanda la adoración de la gente (Apoc. 13:4). La bestia no debe identificarse con ninguna expresión histórica en particular; más bien está representando cualquier poder político, económico o religioso que demanda la adoración que solamente pertenece a Dios. La motivación para la adoración no es su grandeza moral sino su poder aterrador (ver 1 Juan 2:18, 22; 4:3).

Vv. 5, 6. Pablo en sus viajes misioneros había anunciado la verdadera doctrina sobre los últimos tiempos, y particularmente lo había hecho en Tesalónica. El asegura que llegará el tiempo cuando este inicuo actúe libremente. ¿Qué detenía o detiene a este anticristo? Nosotros no lo sabemos, pero evidentemente los primeros lectores sí, pues Pablo se los había dicho oralmente. Sea lo que fuere, lo cierto es que debe ser un poder lo suficientemente grande para resistir la manifestación de Satanás, poder, personaje o institución. La expresión *a su debido tiempo*, implica que Dios es el que tiene el control de todo. Cuando al Señor le plazca, él permitirá que el anticristo se manifieste, y siempre bajo su entera soberanía. Dios jamás perderá el control de la historia.

V. 7. De alguna forma o de otra, las fuerzas de *la iniquidad* ya están actuando. En todo tiempo han actuado las fuerzas y poderes de aquello que se opone al Señor y Juan así lo asegura (1 Juan 2:18).

V. 8. ¿Qué o quién es este inicuo? ¿Qué lo detiene? ¿Cuándo se manifestará de forma plena? A ninguna de estas interrogantes podemos dar respuestas definitivas, pero lo más importante es que quien sea, será derrotado por el Señor *con el soplo de su boca y con el resplandor de su venida*.

Vv. 9, 10. Estos versículos nos describen el tremendo poder del *inicuo* que es un enviado de Satanás. Este personaje tiene la capacidad de hacer señales y prodigios que son *falsos,* pero que engañan a aquellos que reciben *la verdad para ser salvos.*

3 Los que no creen la verdad son condenados, 2 Tesalonicenses 2:11, 12.

La proclamación del evangelio es una espada de justicia y de juicio. Por un lado, trae salvación a todo aquel que cree, pero por el otro, trae condenación a aquel que lo rechaza. El que repudia la verdad cae en la mentira y en la injusticia, y es condenado. La persona que rechaza a Jesucristo va cayendo en una destrucción progresiva: al principio la mentira se apodera de su mente y luego la injusticia llena su conducta. El que rechaza a Jesucristo se condena a sí mismo a ser esclavo de la maldad. ¡Qué tragedia es rechazar a Jesucristo, quien es la verdad y la vida!

─────────── *Aplicaciones del estudio* ───────────

1. Los cristianos vivimos en un mundo lleno de filosofías falsas, ante las cuales tenemos que mantenernos firmes y predicar la verdad, 2 Tesalonicenses 2:1-3. Necesitamos ser cristianos de carácter y de convicciones firmes, capaces de soportar los embates de todas aquellas "huecas sutilezas" que se introducen en nuestras congregaciones. La mejor forma de contrarrestar el error es predicando la verdad.

2. Ciertamente el poder de la maldad es muy fuerte en nuestro mundo, pero el Señor ejerce su soberanía aún sobre estos poderes y los somete debajo de sus pies, 2 Tesalonicenses 2:6-8. Como cristianos, debemos recordar que la soberanía del Señor es absoluta, irresistible e infinita. Afirmar que Dios es soberano es decir que, él tiene el derecho del alfarero sobre el barro, al cual puede darle la forma que a él le guste y escoja.

──────────────── *Prueba* ────────────────

1. En este pasaje, Pablo hace varias descripciones de las condiciones previas a la segunda venida de Cristo, ¿Cuáles son?

a. _____ (2:2)

b. _____ (2:3)

c. _____ (2:7)

2. ¿Qué idea tiene usted en cuanto a la personalidad del "hijo de perdición" que vimos en clase? _____
_____

Lecturas bíblicas para el siguiente estudio

Lunes: 2 Tesalonicenses 2:13-17   **Jueves:** 2 Tesalonicenses 3:10-12
Martes: 2 Tesalonicenses 3:1-5   **Viernes:** 2 Tesalonicenses 3:13-16
Miércoles: 2 Tesalonicenses 3:6-9   **Sábado:** 2 Tesalonicenses 3:17, 18

Cristianos responsables

Contexto: 2 Tesalonicenses 2:13 a 3:18
Texto básico: 2 Tesalonicenses 3:1-18
Versículo clave: 2 Tesalonicenses 3:10
Verdad central: La dirección de Pablo sobre las relaciones responsables revela que cada creyente debe contribuir para la buena marcha de todo el cuerpo de Cristo que es la iglesia.
Metas de enseñanza-aprendizaje: Que el alumno demuestre su conocimiento de las enseñanzas de Pablo acerca de las relaciones responsables, y su actitud por identificar maneras en las que él puede contribuir para la buena marcha de su iglesia.

Estudio panorámico del contexto

En la sección anterior, 2:1-12, Pablo habló con detalle de las circunstancias prevalecientes antes de la segunda venida del Señor, así como de la aparición del *hombre de pecado* (2:3). Ahora, en un marcado contraste, habla de los tesalonicenses, quienes fueron *escogidos desde el principio para salvación* (2:13). Por su presentación, Pablo está afirmando la gracia electiva de Dios para con los creyentes en Cristo. En cuanto a la elección, se puede considerar desde varios puntos de vista. Uno puede ser la soberanía de Dios para salvar. Siendo la salvación una manifestación de la gracia de Dios, se presenta a Dios en su pleno ejercicio en cuanto a la administración de esta para con el hombre. Otro aspecto puede ser el énfasis que se hace en el amor de Dios para salvar. La doctrina de la elección nunca se presenta en la Escritura como algo que hay que temer, sino algo que es motivo de gozo para los creyentes. Otra perspectiva puede ser la preeminencia de la redención. El propósito redentor de Dios no es el resultado de una decisión apresurada. Dios no elaboró un plan porque haya sido sorprendido por el pecado y por el hombre. El lo tenía todo previsto. Todos estos aspectos tienen un denominador común: Dios es el autor de la salvación del hombre. En base a esta salvación, Pablo exhorta a los tesalonicenses a mantenerse *firmes*, o fieles a los principios cristianos y a *retener* las enseñanzas de Pablo escritas en cartas o el relato oral autorizado de los sucesos del evangelio de Jesucristo.

Pablo suplica a los tesalonicenses que se mantengan en oración por dos peticiones específicas: la primera, para que el evangelio *se difunda rápidamente* en su predicación; y la segunda, para que Pablo y su equipo, sean guardados de *hombres perversos y malos.*

Nuevamente, Pablo con toda su autoridad apostólica, se enfrenta al problema de aquellos, que ante la inminente venida del Señor, se habían dedicado a la pereza y entrometerse en lo ajeno. Pablo les pone como ejemplo su propia actitud cuando estuvo entre ellos. Les recuerda el principio de la dignidad del trabajo: *si alguno no quiere trabajar que tampoco coma.* Pablo solicita una disciplina firme contra los que se comportan así, aunque al mismo tiempo debe ser aplicada con amor.

Estudio del texto básico

Lea su Biblia y responda

1. Complete en cada caso la información solicitada.
   a. ¿Cuáles son las dos peticiones solicitadas por Pablo a los tesalonicenses? (2 Tes. 3:1, 2) _____ y _____
   b. ¿Cuál es la confianza que tiene Pablo en cuanto a los tesalonicenses? (2 Tes. 3:4) _____
   c. ¿Cuál fue el comportamiento de Pablo cuando estuvo entre los tesalonicenses?
      1. _____ (3:7)
      2. _____ (3:8)
      3. _____ (3:8)
   d. ¿Cuál es la exhortación de Pablo a los que no trabajan? (3:12) _____
      _____
   e. ¿Y cuál a los que sí trabajan? _____

2. Marque con una X la declaración correcta. ¿Cómo se debe considerar al desobediente a los mandatos del Señor? (3:15)
   _____ Gentil y Publicano
   _____ Inconverso
   _____ Enemigo
   _____ Hermano

Lea su Biblia y piense

1 La confianza de Pablo en los tesalonicenses, 2 Tesalonicenses 3:1-5.
Vv. 1, 2. Pablo sabía que la oración del justo puede mucho. Así que, solicita de sus amigos y hermanos su intercesión en dos peticiones: La primera, para que la palabra del Señor *se difunda rápidamente.* La palabra "difundir", en el griego, originalmente designaba el movimiento rápido de los pies. Así, Pablo pide que se ore para que el evangelio de salvación corra por todos los caminos del mundo. La segunda petición, es para que él y sus compañeros de milicia, sean *librados de hombres perversos y malos.* En esta acción predomina la comprensión de que la salvación y la preservación de la vida dependen de la intervención y la voluntad de Dios. Pablo afirma que no todos

aceptan el evangelio aunque es "poder de Dios para salvación". Hay muchos que se rehúsan a creer en el Señor Jesucristo.

V. 3. No obstante que, muchos no aceptan el evangelio, y que algunos de los que lo aceptan son infieles, Dios permanece fiel. Esta fidelidad de Dios produce en la vida del creyente estabilidad en su desarrollo cristiano, y protección contra el mal.

V. 4. Pablo está confiado en la obediencia de los tesalonicenses. La obediencia al Señor de ninguna manera es un lujo espiritual, es un mandato que debe cumplirse sin objeciones. El Señor no quiere tener hijos inteligentes solamente (es decir que conocen lo que tienen qué hacer), él desea tener hijos que se gocen en ser obedientes a sus disposiciones.

V. 5. Pablo concluye esta sección rogando por el crecimiento de los tesalonicenses. Este crecimiento se muestra en *amor de Dios,* es decir, en su entrega y fidelidad a él; y en *la paciencia de Cristo,* tomando ejemplo de la paciencia inconmovible del Señor.

2 Cómo relacionarse con los indisciplinados y desobedientes, 2 Tesalonicenses 3:6-15.

V. 6. Pablo, con la autoridad que le caracterizaba, da ordenes específicas de cómo deben ser las relaciones del creyente con los hermanos desordenados y perezosos por el pretexto que esperaban la segunda venida de Cristo. Las instrucciones de Pablo son órdenes. El término traducido *os mandamos,* se utilizaba principalmente para designar las disposiciones dadas por una autoridad, particularmente los decretos militares. Así, que lo dicho por Pablo debería ser obedecido.

Vv. 7-9. Pablo, en su estancia en Tesalónica, les había dado un ejemplo claro de cómo debe ser el comportamiento de un cristiano en la vida diaria. Este comportamiento incluye: no vivir desordenadamente, sino acatando lo dispuesto por Dios; no comer de balde el pan de nadie, sino con respeto por la propiedad ajena; no ser gravoso a ninguno, sino ganándose el sustento diario con un trabajo decoroso. El término *ejemplo* en su significado original, describe aquellas marcas que deja un objeto cuando se aprieta sobre otro, como la huella o la marca de un sello. Así Pablo trató de dejar huella con su comportamiento entre los hermanos.

V. 10. Con un dicho popular, Pablo expresa la relación entre el trabajo y el derecho a disfrutar de su producto. Hay un estrecha conexión entre la voluntad de trabajar y el derecho al sustento.

Vv. 11, 12. En base a lo anterior, Pablo manda a los desordenados que trabajen y disfruten así de su pan. Si no hay entrega al trabajo, no hay cómo obtener el pan. Así Pablo establece que la piedad no anula la responsabilidad.

Vv. 13-15. Debido a los abusos de los perezosos, seguramente vino el desánimo de los buenos cristianos. Pablo les exhorta a mantenerse actuando correctamente para los verdaderamente necesitados. Podría ser que algunos no aceptaran las amonestaciones de Pablo, entonces la iglesia debería tomar medidas disciplinarias para con ellos. Esta disciplina tiene el propósito de corregir, así que debe ser administrada con amor.

3 Oración final y saludos, 2 Tesalonicenses 3:16-18.

V. 16. Con un deseo de paz Pablo cierra su carta, confiado de que ésta será administrada por Dios. La paz es mucho más que la ausencia de guerra, es un estado de plenitud y gozo.

Vv. 17, 18. Pablo garantiza la autenticidad de lo escrito al tomar la pluma de mano de su secretario para redactar el saludo y escribir su firma. En el saludo expresa el deseo que la *gracia* del Señor Jesucristo sea con todos sus lectores. El uso de la palabra *todos* nos hace pensar que incluye tanto a los que viven de acuerdo a lo ordenado por el Señor como a aquellos que andan desordenadamente, quizá en un intento amoroso por atraerlos a mejorar su conducta.

─────────── *Aplicaciones del estudio* ───────────

1. Debemos orar permanentemente para que el evangelio llegue a todos los hombres del mundo, y para que las vidas de aquellos que lo predican sean preservadas por el Señor, 2 Tesalonicenses 3:1-2. Debemos recordar que la oración del justo puede mucho, así que debemos orar fervientemente por aquellos grupos que aún no han sido alcanzados por el evangelio de Jesucristo.

2. La obediencia que debemos al Señor, es un elemento indispensable en nuestra vida cristiana, 2 Tesalonicenses 3:4, 6. Lo que el Señor dejó registrado en la Biblia, de ninguna manera son sugerencias u opiniones divinas que podemos aceptar o no. Son mandatos, los cuales el Señor quiere que obedezcamos mostrando disciplina y amor hacia él.

─────────── *Prueba* ───────────

1. ¿Cómo debe responder un cristiano ante la cuestión del comportamiento, el trabajo y las relaciones con otros?
   a. _____ (3:7)
   b. _____ (3:8a)
   c. _____ (3:8b)

2. Mencione dos maneras con las que usted puede contribuir a la buena marcha de su iglesia.
   a. _____
   b. _____

Lecturas bíblicas para el siguiente estudio

Lunes: Gálatas 1:1-5   **Jueves:** Gálatas 1:13-17
Martes: Gálatas 1:6-9   **Viernes:** Gálatas 1:18-20
Miércoles: Gálatas 1:10-12   **Sábado:** Gálatas 1:21-24

El único evangelio

Contexto: Gálatas 1:1-24
Texto básico: Gálatas 1:3-9, 13-17, 23, 24
Versículos clave: Gálatas 1:11, 12
Verdad central: Pablo declara que la finalidad del evangelio que predica es guiar a sus oyentes a creer en Cristo y a adoptar un nuevo estilo de vida.
Metas de enseñanza-aprendizaje: Que el alumno demuestre su conocimiento de que el evangelio que predicó Pablo, tiene como su finalidad guiar al hombre a su encuentro con Cristo, y su actitud de adoptar las verdades del evangelio como su norma de fe y práctica.

─────────── *Estudio panorámico del contexto* ───────────

La carta está dirigida a las iglesias de Galacia (1:2). Lamentablemente, el término Galacia es ambiguo. El nombre en sí mismo proviene de los galos, un pueblo de origen celta. En el siglo 4 a. de J.C. un número considerable de ellos dejó su territorio en Galia, hoy Francia. Tras dificultades y guerras, llegaron a establecerse al norte de Asia Menor, fundando las ciudades de Ancira, Pessino y Tavio. Los romanos los consideraron sus aliados pues les fueron útiles en guerras locales. Así, Galacia puede referirse a la región norte de Asia Menor. Pero, el término podía indicar una provincia más grande e incluir las ciudades de Antioquía de Pisidia, Iconio, Listra y Derbe, que Pablo evangelizó en su primer viaje misionero (Hech. 13:13 a 14:23) y visitó en el segundo (Hech. 16:1-5).

La fecha y el lugar de redacción es afectado por la ubicación de los destinatarios. Si se considera la teoría de Galacia en el norte, hace posible que la composición de la carta haya sido mientras Pablo estaba en Efeso (Hech. 19:1) o después de su salida de allí. Esto implicaría una fecha que oscila entre el año 53 hasta 56 d. de J.C. Sobre la base de la teoría de Galacia en el sur, la epístola podría haber sido redactada en cualquier período posterior al cierre del primer viaje misionero. Además, pensando que el viaje a Jerusalén citado en Gálatas 2:1-10 fuera el mismo mencionado en Los Hechos 15, que se verificó alrededor del año 50 d. de J.C. establecería una fecha cercana al año 51 d. de J.C. Debido a las semejanzas entre Gálatas, Corintios y Romanos, pues todas ellas tratan de la controversia judaizante, se colocan dentro del mismo período. Debido a esto, la teoría de su redacción entre los años 53 a 56 d. de J.C. es la más probable.

La razón por la cual Pablo escribió la carta se debió a una profunda ansiedad que le vino al enterarse de algunas noticias. Ciertos perturbadores judíos cristianos, habían estado tratando de imponer a los convertidos gentiles la circuncisión y el peso de la ley mosaica como necesarios para la salvación (Gál. 1:7; 4:17; 5:10). Además, esos falsos maestros trataron de desprestigiar a Pablo, diciendo que no era un auténtico siervo del Señor, afectando la confianza que tenían los gálatas en él. Por tanto, Pablo se ve en la necesidad de defender ampliamente su ministerio (Gál. 1:1, 11 a 2:21).

───────── Estudio del texto básico ─────────

Lea su Biblia y responda

1. Complete en cada caso la información solicitada.
   a. Pablo se consideraba apóstol por voluntad de: (Gál. 1:1) _____
   _____ y _____
   b. ¿Qué fue lo que maravilló a Pablo de los gálatas? (Gál 1:6) _____
   _____
   c. ¿Cómo debemos considerar a aquel que predique un evangelio diferente del de Jesucristo? _____
   d. ¿Cómo recibió Pablo el evangelio que él predicaba? (Gál. 1:11, 12) __
   _____
   e. ¿A dónde fue Pablo después de su conversión en el camino a Damasco? (Gál. 1:17) _____
   f. ¿Qué decían algunos de Pablo después de su conversión? (Gál. 1:23)
   _____

2. Marque con una X la declaración correcta. El error que combate Pablo en esta carta es:
   _____ el negar la resurrección de los muertos
   _____ la humanidad y la divinidad de Jesucristo
   _____ la posibilidad de comer de lo ofrecido a los ídolos
   _____ el de mezclar la gracia de Dios con la ley de Moisés

Lea su Biblia y piense

1 La obra de Jesucristo, Gálatas 1:3-5.

V. 3. Pablo inicia su correspondencia con los gálatas con la forma acostumbrada en las cartas de aquel tiempo. El se identifica por nombre, aumentando el hecho de que no era apóstol por voluntad propia ni de ningún hombre, sino por la voluntad de Jesucristo resucitado y de Dios. (v. 1). *Gracia a vosotros y paz,* seguramente este acostumbrado saludo en Pablo fue una manera contundente de despertar la mente de los gálatas, pues estas dos palabras resumían magistralmente el evangelio que ahora ellos estaban rechazando.

Vv. 4, 5. Pablo establece que Jesucristo se dio a sí mismo por nuestros pecados, dando como resultado una salvación perfecta, a la cual no es necesario añadir nada. Este proyecto de salvación hecho por Jesucristo fue resultado de *la voluntad de nuestro Dios y Padre*. Por consiguiente es completa y perfecta. En vista de todo lo que Dios ha hecho a favor de nuestra salvación él merece toda la *gloria* "por los siglos de los siglos", esto es, siempre y eternamente.

2 El único evangelio, Gálatas 1:6-9.

V. 6. En esta sección, Pablo reprende a los gálatas por la facilidad que han mostrado al aceptar el error, y se muestra *asombrado* por su actitud. El término "asombrarse" era usado para designar lo que por su aspecto suscita una gran sorpresa y admiración. En los evangelios se usa para describir la reacción de los hombres ante el poder prodigioso de Jesús (Luc. 11:14). Con solemnidad, Pablo les dice que esta disposición de aceptar otro evangelio equivale a abandonar a Dios por un evangelio falso.

V.7. Pablo aclara que no hay "otros" evangelios verdaderos, sino que los hombres quieren *pervertir el evangelio de Cristo*. El término "pervertir" significa cambiar o torcer. Así que, los falsos maestros tuercen la verdad y la convierten en mentira, y la mentira la presentan como si fuera la verdad. El privilegio de anunciar el evangelio no incluye el derecho de cambiarlo.

Vv. 8, 9. Pablo establece que si él o algún otro anuncia un evangelio pervertido será *anatema*. Este vocablo significa "algo elegido" y describe un objeto como propiedad de Dios que debería ser destruido (Deut. 13:17; Jos. 6:17). De aquí se toma la idea de algo destinado a la destrucción y por lo tanto equivale a echarle una maldición. Observe la severidad del hecho, pues Pablo lo repite en cada uno de estos dos versículos.

3 La experiencia de Pablo, Gálatas 1:13-17, 23, 24.

Vv. 13, 14. Pablo hace una defensa de su ministerio. Sus opositores le estaban criticando como persona y no reconocían la veracidad de su mensaje. Pablo les contesta con varios argumentos, muy efectivos, tomados de su historia personal. En primer lugar, establece que el evangelio que predica le fue dado por "revelación de Jesucristo" sin intervención humana. "Revelación" es la obra divina que abre "los ojos y los oídos" del hombre para poder recibir una verdad oculta hasta entonces. En segundo lugar, Pablo establece que el evangelio que predica no fue aceptado por él. Por su nacimiento y educación, Pablo estaba sumergido en el ambiente de la ley. El sobrepasó en la observancia de la ley a muchos judíos de su tiempo. Por lo tanto, no se puede argumentar que predicara la salvación por gracia por desconocimiento de las obras de la ley.

Vv. 15-17. En tercer lugar, Pablo establece que el evangelio que predica no lo aprendió de los demás apóstoles. Pablo demuestra que él no consultó a los apóstoles ni fue a Jerusalén, sino que fue a Arabia. De igual forma que Moisés (Exo. 3:1) y Elías (1 Rey. 19:8), fue en el desierto donde él oyó la voz de Dios.

Vv. 23, 24. En cuarto lugar, Pablo establece que el evangelio que predica antes era perseguido por él mismo. Las iglesias de Judea reconocían el gran cambio que se había producido en Pablo. Ellas daban testimonio de su conversión y de su evangelio y daban *gloria a Dios por causa de* él.

Aplicaciones del estudio

1. El Señor escoge personalmente para sí a los que habrán de ser sus siervos, Gálatas 1:1, 15. El apóstol Pablo, así como todos y cada uno de los siervos del Señor, han sido escogidos por él. Ha sido dentro de la voluntad del Señor que él ha llamado a quien él ha querido. Los servidores del Señor no han escogido serlo, han sido llamados.

2. El hecho de ser portavoces del evangelio no nos autoriza modificarlo ni adulterarlo, Gálatas 1:7, 8. Al predicar el evangelio debemos ser fieles a él, pues no nos está permitido torcerlo. Debemos "trazar bien" la palabra de verdad y responder a todas aquellas deformaciones del evangelio.

3. El cristiano debe estar preparado para responder a los cuestionamientos del evangelio que predica, Gálatas 1:11-17. Cuando Pablo escribió a los gálatas pudo dar una amplia defensa de su ministerio y del evangelio que predicaba. De la misma manera, cada uno de nosotros debemos saber defender nuestra fe y el evangelio que predicamos.

Prueba

1. Diga brevemente cuál es la finalidad última del evangelio.

_____

_____

_____

2. Imagine que se encuentra frente a un tribunal que está enjuiciándolo por predicar el evangelio. ¿Qué argumentos usaría para demostrar que lo que está usted diciendo es verdad? Piense en tres argumentos.

   a. _____

   b. _____

   c. _____

Lecturas bíblicas para el siguiente estudio

Lunes: Gálatas 2:1-5   **Jueves:** Gálatas 2:14

Martes: Gálatas 2:6-10   **Viernes:** Gálatas 2:15, 16

Miércoles: Gálatas 2:11-13   **Sábado:** Gálatas 2:17-21

Unidad en Cristo

Contexto: Gálatas 2:1-21
Texto básico: Gálatas 2:1-5, 9, 11-13, 15-21
Versículo clave: Gálatas 2:2
Verdad central: La explicación que Pablo hace de la naturaleza del evangelio enseña que las personas son salvas por su fe en Cristo.
Metas de enseñanza-aprendizaje: Que el alumno demuestre su conocimiento de la explicación que Pablo hace del evangelio, y su actitud que valoriza el hecho de que la salvación es por gracia a través de la fe en Cristo.

―――――― *Estudio panorámico del contexto* ――――――

Pablo continúa con la defensa de su ministerio y del evangelio que él predica. Puesto que la iglesia cristiana se inició en Jerusalén y los apóstoles hicieron de aquella ciudad la sede de la cristiandad, Pablo consideró conveniente ir allá y hablar con los líderes del movimiento. En primera instancia, Pablo habló en privado con los líderes de la iglesia. ¿Por qué lo hizo primero en privado? Puede haber sido por las siguientes razones: (1) Era una cortesía hablar primero con el liderazgo de la iglesia. (2) Aclarar primero con ellos alguna pregunta o diferencia. (3) Presentar su evangelio en un ambiente que estuviera lo más libre posible de fanatismo.

Juntamente con Pablo, fueron a Jerusalén Bernabé y Tito (2:1). Este último era gentil, y al considerarlo, los líderes en Jerusalén lo reconocieron como un "discípulo" auténtico, y no vieron la necesidad de que se circuncidara (2:3). Después de la conversación privada y seguramente una en público, y a pesar de la introducción de algunos *falsos hermanos,* los apóstoles reconocieron que la circuncisión no era necesaria para la salvación.

Pablo destaca que en Jerusalén los apóstoles y reconocidos líderes de la obra, no agregaron nada ni a su mensaje ni a su apostolado. Acordaron que el evangelio predicado por Pablo no era deficiente en ninguna forma (2:7). Antes bien, "las columnas de la iglesia," Jacobo, medio hermano del Señor Jesús (Mar. 6:3), Pedro y Juan, reconocieron el ministerio de Pablo y Bernabé (Gál. 2:9).

Como un argumento más de su defensa, Pablo cita el hecho de que una vez le fue necesario censurar al apóstol Pedro, tenido por muchos cristianos judíos como el jefe de los apóstoles. La razón de esto fue porque, en un principio Pedro comía con los gentiles, gozando plenamente de su libertad cristiana (Gál. 2:12a), pero, más tarde cuando llegó un grupo de judíos, Pedro se retiró de la comunión con los gentiles (2:12b). Esto no le pareció correcto a Pablo, y reprendió duramente a Pedro (2:1, 14). Tomando el ejemplo de

Pedro como judío y observador de la ley, Pablo establece que no es por la observancia de la ley que se alcanza la salvación (2:16). La ley condena a muerte, más la gracia de Dios trae vida y libertad de la ley (2:21).

Estudio del texto básico

Lea su Biblia y responda

1. Complete en cada caso la información solicitada.
   a. ¿Cuánto tiempo transcurrió entre la primera visita de Pablo a Jerusalén y la segunda? (2:1, 1:18) _____
   b. ¿Por causa de qué subió Pablo a Jerusalén? (2:2) _____
   _____
   c. ¿Por qué Pablo no se sometió a los falsos hermanos? (2:5) _____
   _____
   d. ¿Cuál fue la única solicitud que hicieron los líderes de la iglesia en Jerusalén a Pablo? (2:10) _____
   _____

2. Marque verdadero (**V**) o falso (**F**) a las siguientes afirmaciones.
   _____ a. Pedro solía comer con los hermanos gentiles.
   _____ b. A Bernabé no le afectó la simulación de Pedro.
   _____ c. Pablo llamó la atención a Pedro en secreto.
   _____ d. El hombre no es justificado por las obras de la ley.
   _____ e. Las obras de la ley ayudarán a algunos en su salvación.
   _____ f. Si se desecha la gracia se hace nulo el sacrificio de Cristo.

Lea su Biblia y piense

1 La diversidad del ministerio de la iglesia, Gálatas 2:1-5, 9.

V. 1. Pablo continua exponiendo la independencia de su evangelio y apostolado. Esto se manifiesta no sólo por el origen del evangelio paulino por revelación (1:12), sino también se puede añadir como prueba su total independencia de Jerusalén. Aunque no se concreta desde cuándo se empiezan a contar los *catorce años,* parece indicar que son a partir de la primera visita oficial de Pablo a Jerusalén. Con esto, Pablo pretende resaltar el largo espacio de tiempo, en el que no volvió a tener contacto con los otros apóstoles. En este segundo viaje, llevó consigo a Bernabé y Tito.

V. 2. Pablo quiere aclarar que este viaje no lo hizo por voluntad propia sino por mandato divino. El término griego utilizado para la palabra *revelación* es el mismo de donde viene el nombre del libro de Apocalipsis. No se precisa la forma en que vino esta revelación, pudo ser por sueños (Hech. 16:9), por éxtasis (Hech. 22:17) o una indicación directa del Espíritu (Hech. 16:6). El cómo, no importa, Pablo sabía que era la voluntad de Dios. El propósito del viaje es claro, procurar un acuerdo en el evangelio paulino. El término *exponer* significa presentar algo a alguien para procurar su aprobación. Así, quienes deberían tomar una decisión sobre esto eran los que tenían cierta reputación.

V. 3. Pablo resalta un hecho no muy importante en general, pero que en el contexto de la situación que él vivió es de suma importancia: no se obligó al acompañante de Pablo, Tito, a que se sometiera a la circuncisión. Con esto se está afirmando que ninguna persona, aun y cuando sea un líder prominente, puede obligar a un gentil a circuncidarse.

Vv. 4, 5. El Apóstol señala la introducción de ciertos *falsos hermanos*. Estos eran judaizantes que sostenía que los gentiles convertidos deberían circuncidarse y obedecer la ley de Dios (Hech. 15:5; 2 Cor. 11:26). Ellos son descritos por Pablo como espías, resaltando su infiltración irregular y por vías poco claras. Son doblemente intrusos: en la iglesia como "falsos hermanos" y en el lugar de la reunión especial. Por el mismo carácter de ellos, Pablo, con su característica firmeza, no aceptó sus condiciones en relación con la ley.

V. 9. Al escuchar la postura de Pablo, Jacobo, Pedro y Juan, considerados como soporte de la iglesia en Jerusalén, ratificaron el ministerio de Pablo. Ellos le dieron a él y a su equipo *la diestra,* esta era una práctica en la antigüedad que indicaba una promesa de amistad y compañerismo.

2 Diplomacia *versus* compromiso, Gálatas 2:11-13.

Vv. 11, 12. Como una prueba más de su apostolado, Pablo cita lo ocurrido con Pedro. Al llegar a Antioquía, Pedro comía con los gentiles, gozando de su libertad cristiana. Más tarde vino de Jerusalén un grupo de cristianos judíos. Al llegar ellos, Pedro se separó de los gentiles. Haciendo esto negaba una de las grandes verdades del evangelio: todos los creyentes en Cristo son uno y las diferencias raciales y culturales ya no afectan la comunión. Debido a esto, Pablo vio la necesidad de condenar su proceder. El término *reprensible* significa "notar algo malo en alguien." Así, la culpa concreta de Pedro fue que dejó de comer con los gentiles por motivo de los cristianos de Jerusalén.

V. 13. A este proceder de Pedro, Pablo le da el nombre de *simulación.* Este término viene de la misma raíz de la palabra "hipocresía." Lo peor de su acción fue el mal efecto que produjo. La posición que Pedro sostuvo dio lugar a que otros cristianos judíos en Antioquía actuaran también como hipócritas. Lo que más debió apenar a·Pablo fue el hecho de que el fiel Bernabé, que había sido su compañero de milicia, hubiera sido arrastrado a la hipocresía con todos los demás.

3 Unidos por la fe en Cristo, Gálatas 2:15-21.

V. 15. Pablo y Pedro tienen los mismos elementos en su naturaleza racial: son judíos de nacimiento, sin embargo necesitan ser justificados por el mismo principio que los gentiles: la fe en Cristo.

V. 16. Este versículo es clave en la comprensión de la carta. Tres veces se menciona que ninguno es justificado por la observancia de la ley, y tres veces establece el requisito indispensable de la fe en Cristo. Pablo no está despreciando la ley en sí misma, ya que él mantiene que es "santa, justa y buena" (Rom. 7:12). Pablo habla contra un uso ilegítimo de la ley del Antiguo Testamento, pensando que la sola observancia de esta hace al hombre acepto delante de Dios.

V. 17-19. Las Escrituras enseñan que el cristiano está muerto ante la ley y ya no tiene que ver con ella. ¿Quiere decir esto que el creyente tiene libertad para quebrantarla? No, pero ahora lleva una vida de santidad, no por temor a la ley, sino por amor al que murió por él.

V. 20, 21. En esta forma Pablo, muriendo para la ley vino a vivir para Dios. Las dos primeras oraciones de este versículo encierran un sentido místico muy profundo, especialmente la primera. Con esta afirmación, Pablo establece su dependencia total de Cristo.

Aplicaciones del estudio

1. Como cristianos siempre debemos actuar en conformidad con la voluntad revelada de Dios, Gálatas 2:2. El Señor ha provisto los medios necesarios por los cuales podemos conocer cuál es su voluntad. Dios ha revelado todo aquello necesario para nuestro desarrollo como sus hijos.

2. Algunas veces, dentro de la iglesia nos veremos en la necesidad de reprender a aquellos que por su comportamiento perjudican a hermanos débiles, Gálatas 2:11, 12. No debemos permitir que la diplomacia o la pena nos impida reprender en Cristo a aquellos que son piedra de tropiezo para los más pequeños.

Prueba

1. Escriba en sus propias palabras lo que significa la expresión: "la salvación es por la fe en Cristo".

_____

_____

2. Escriba, y diga a un compañero de clase lo que usted entiende por: "arrepentimiento", "fe" y "gracia".

a. _____

b. _____

c. _____

Lecturas bíblicas para el siguiente estudio

Lunes: Gálatas 3:1-5   **Jueves:** Gálatas 3:15-18
Martes: Gálatas 3:6-9   **Viernes:** Gálatas 3:19-29
Miércoles: Gálatas 3:10-14   **Sábado:** Gálatas 4:1-7

Viviendo por la fe

Contexto: Gálatas 3:1 a 4:7
Texto básico: Gálatas 3:7-14, 24-29; 4:4-7
Versículo clave: Gálatas 3:11
Verdad central: La explicación de Pablo de la doctrina de la justificación declara que las personas que confían en Cristo son justificadas por la fe en él y no por las obras, y entran en una nueva relación con Dios.
Metas de enseñanza-aprendizaje: Que el alumno demuestre su conocimiento de la afirmación de Pablo de la justificación por la fe, y su actitud hacia la nueva relación con Dios lograda por la fe en Cristo.

─────────── *Estudio panorámico del contexto* ───────────

Para comprender este estudio es necesario entender algunos términos que Pablo usa:

Gracia. Este término puede traducirse por "favor, caridad o beneficio," y para Pablo es la recapitulación de la decisiva acción salvadora de Dios en Jesucristo, acontecida en su muerte sacrificial. Pablo establece que la salvación por obras humanas es imposible, pues la vida del hombre sin Cristo es desobediencia y pasión pecaminosa.

Ley. Para hablar de la ley en Pablo hay que partir de su comprensión de la cruz de Cristo. En su muerte en la cruz, Jesús acepta el juicio condenatorio de la ley que pesa sobre el hombre. El se hace maldición (Gál. 3:13), es hecho pecado, representante del pecado de los demás (2 Cor. 5:21).

Obras. Pablo entiende las obras como el esfuerzo exigido por el hombre, para acentuar una fuerte oposición ante la acción de Dios. No hay justicia basada en el esfuerzo humano, la verdadera justicia existe únicamente basada en la gracia recibida. Así, el camino de salvación no nos viene prescrito por las "obras de la ley", sino por Jesucristo.

Fe. Para Pablo la fe significa abandonar toda confianza en la propia capacidad para merecer la salvación. Se trata simplemente de una aceptación confiada del don de Dios en Cristo, de confiar en Cristo, y solamente en él.

Justificación. La justicia de Dios ve al hombre a través de su Hijo Jesucristo. Cuando el hombre se presenta ante Dios, es completamente culpable. Sin embargo, Dios con su asombrosa misericordia, lo trata, lo juzga y lo considera como si fuera inocente.

Redención. Literalmente quiere decir "dejar en libertad." El término se usaba para describir el rescate del hombre hecho prisionero de guerra o esclavo. Se aplicaba también a la liberación del hombre de la **pena de muerte**. Pablo hace mención de la liberación que Jesucristo nos ha dado a través del derramamiento de su sangre en la cruz del Calvario.

---------------------- *Estudio del texto básico* ----------------------

Lea su Biblia y responda

1. Complete en cada caso la información solicitada.
   a. ¿Cómo fue presentado Jesucristo ante los gálatas? (Gál. 3:1) _____
   _____
   b. ¿Dónde comenzaron y dónde estaban terminando los gálatas? (Gál. 3:3)
   _____
   c. ¿Cómo le fue contada a Abraham su fe en Dios? (Gál.3:6) _____
   _____
   d. ¿Cómo permanecen aquellos que dependen de las obras de la ley? (Gál.
   3:10) _____
   e. ¿Cómo nos redimió Jesucristo de la maldición de la ley? (Gál. 3:13) __
   _____

2. Complete las siguientes afirmaciones con la lista de frases que se sugieren.
   a. Dios concedió a Abraham la herencia mediante _____
   b. La Ley se añadió a causa de _____
   c. Antes de la fe, el hombre estaba custodiado bajo _____
   d. La ley funciona como _____
   e. El cristiano es _____ de la promesa.

   > 1. la transgresión
   > 2. la ley
   > 3. un heredero
   > 4. un tutor o una nodriza
   > 5. la promesa

Lea su Biblia y piense

1 Los que se basan en la fe son benditos, Gálatas 3:7-9.
V.7. Los judaizantes que estaban entre los gálatas afirmaban que estos tenían que circuncidarse para ser realmente hijos de Abraham. La indicación de la Escritura no permite sino una conclusión contraria a estos falsos maestros y de acuerdo con el pensamiento paulino: hijos de Abraham son quienes comparten con él la fe. *Los que se basan en la fe* son aquellos que reciben la bendición de Dios y no quienes dependen de las obras.
Vv. 8, 9. Pablo personaliza al Antiguo Testamento como un profeta mirando a través de los siglos y viendo la salvación de los gentiles tanto como la

de los judíos por la fe. Decir que la Escritura vio de antemano no es una mera personificación, sino que en la mente de Pablo la *Escritura* es sinónimo de la "palabra de Dios". Considerando que la "palabra de Dios" es la expresión de su carácter, así "Escritura" es igual a decir "Dios mismo." De esta manera, Pablo establece que su doctrina de la justificación por la fe no es una novedad suya, sino que se encuentra presente desde los comienzos de la historia. Las palabras *gentiles* y *naciones* provienen de la misma raíz, y en griego se aplica principalmente a los paganos en contraposición del pueblo judío. Así, la justificación de Dios es para aquellos que se acercan por la fe a Cristo Jesús.

2 Los que se basan en la ley son malditos, Gálatas 3:10-14.

V. 10. Los que quieren basar su justificación delante de Dios en las obras de la ley están bajo maldición. *Maldición* significa incurrir en la ira de Dios. Esta es la reacción inevitable de la justicia absoluta de Dios, cuyas normas jamás pueden rebajarse frente al pecado. Para probar esto Pablo cita Deuteronomio 27:26. Pablo establece que no existe nadie que tenga la posibilidad de guardar "toda" la ley. Además, ¿quién de los gálatas pretendería haberla guardado por completo?

Vv. 11, 12. Para dejar perfectamente claro el asunto, Pablo añade que la ley jamás fue designada por Dios para justificar, para esto había designado a la fe. Para confirmar sus palabras Pablo cita Habacuc 2:4. Así Pablo establece que la justificación es por fe y no por las obras de la ley: (a) porque el ejemplo de Abraham y la declaración de Habacuc así lo afirman, y (b) porque la ley exige un cumplimiento total, imposible para el hombre. Sólo resta establecer que la ley no puede obrar por medio del principio de la fe, pues toda vez que promete bendiciones es por la obediencia completa y no por la sumisa confianza en Dios.

Vv. 13, 14. El pecador no puede hallar en la ley remedio que le salve de la ira de Dios. Todo lo contrario, la ley insiste en su condenación. Pero Pablo puede hablar de redención ya que Cristo fue hecho *maldición por nosotros*. Los judíos no solían ejecutar a los reos en la horca, sino por lapidación; pero el reo, ya muerto, podía ser expuesto en un árbol, haciéndose notorio que había muerto bajo la condenación de la ley (Deut. 21:22, 23). Pablo ve en las instrucciones legales de Deuteronomio una ilustración de algo muy profundo: Jesús se hizo a sí mismo maldición para librarnos a nosotros de la maldición.

3 Relación de la ley con la fe, Gálatas 3:24-29.

Vv. 24, 25. Después de la disertación de Pablo, la pregunta es, ¿qué propósito tuvo la ley? Pablo dice que la ley fue un *tutor*. Este era un guardián y guía de niños. El que llevaba a los niños de su casa a la escuela para entregarlos al maestro. La idea es que la ley era un guía hasta que viniera Cristo. Cuando vino Cristo, el Maestro y Salvador, ya no hubo necesidad del tutor.

Vv. 26, 27. El bautismo cristiano es un distintivo visible de los que son de la fe. Los que son bautizados en el nombre del Padre, del Hijo y del Espíritu Santo expresan públicamente su sumisión a Cristo. El cristiano no se bautiza en el nombre de Moisés; no se somete a la ley. La ley hacía distinciones entre clases de personas, pero al estar en Cristo, estas desaparecen.

V. 28, 29. Los gálatas se dejaron engañar y creían que podían hacerse linaje de Abraham por las prácticas judaicas. Pablo les demuestra que la herencia prometida a Abraham se cumplió en Cristo.

4 Nuestra adopción en Cristo, Gálatas 4:4-7.

Vv. 4, 5. Cuando llegó el tiempo que Dios consideró oportuno, vino Cristo. Pablo, en unas pocas palabras establece la deidad y la humanidad del Señor. Así mismo, establece las condiciones de su venida: bajo la ley, a fin de redimir a los que están bajo la maldición de la ley.

Vv. 6, 7. Para que los hijos de Dios se dieran cuenta de la dignidad de su posición, Dios envió al Espíritu para que habitase en ellos. El Espíritu crea una conciencia de que son hijos de Dios, haciendo que el creyente se dirija al Padre diciendo: *"Abba, Padre"*, pues ya no es un esclavo, sino un *heredero de Dios*, esto es, un legítimo hijo.

───────────────── *Aplicaciones del estudio* ─────────────────

1. La base de nuestra salvación es la obra perfecta de Cristo Jesús, la cual aplicamos a nuestras vidas a través de la fe, Gálatas 3:9. La fe cristiana siempre es creer lo que Dios ha dicho. Y la fe cristiana descansa sobre la obra realizada por Cristo en la cruz.

2. Jesucristo en su inmenso amor por nosotros, sufrió la maldición de la cruz dándonos libertad y redención, Gálatas 3:13. Jesucristo, quien reveló la justicia de Dios con una autoridad superior a la de Moisés, murió como un blasfemo según la sentencia de la ley. Esto lo hizo por amor a nosotros.

───────────────────── *Prueba* ─────────────────────

1. ¿Cuál fue la primera promesa de bendición en cuanto a Abraham hecha de parte de Dios? _____

_____

2. En Cristo "somos uno." ¿Es esto una realidad en su vida? Si ( ) No ( ). Si su respuesta es positiva, invite a su hogar a aquel hermano o hermana con quien se siente más identificado. Si su respuesta es negativa, invite a alguien con quien menos se relaciona en este momento.

Lecturas bíblicas para el siguiente estudio

Lunes: Gálatas 4:8-11   **Jueves:** Gálatas 4:21-24
Martes: Gálatas 4:12-14   **Viernes:** Gálatas 4:25-27
Miércoles: Gálatas 4:15-20   **Sábado:** Gálatas 4:28-31

Viviendo como hijos de Dios

Contexto: Gálatas 4:8-31
Texto básico: Gálatas 4:8-16, 19-26, 29-31
Versículo clave: Gálatas 4:29
Verdad central: La exhortación de Pablo a permanecer firmes en la libertad de Cristo nos advierte contra el peligro de caer de nuevo en la esclavitud del pecado.
Metas de enseñanza-aprendizaje: Que el alumno demuestre su conocimiento del llamamiento de Pablo a permanecer firmes en la libertad en Cristo, y su actitud de eliminar barreras que le impidan permanecer en esa libertad.

———————— *Estudio panorámico del contexto* ————————

"¿Quién os hechizó?" es la apasionante pregunta con la cual el apóstol Pablo está tratando desde el capítulo 3:1. El autor se pregunta por qué los gálatas siguen con la locura de volver atrás. El aceptar las pretensiones de sus embaucadores no equivale a otra cosa más que a una recaída en el servicio de los dioses, que era igualmente un servicio a la ley. Los gálatas en un tiempo habían servido a los ídolos. Ahora, nuevamente se estaban sometiendo a otra servidumbre: a la de la ley.

Después de exponer las razones contra la aceptación de la ley, Pablo recurre a un **argumento personal**, la antigua relación que habían guardado los gálatas y él. Pablo les recuerda que por causa de ellos él mismo se había hecho gentil. Había abandonado el camino y los privilegios de su pueblo; había cortado con las tradiciones en las que había sido criado; en otras palabras, se había convertido en lo que ellos eran. En segundo lugar, Pablo utiliza un **argumento sentimental**, mencionando una enfermedad que padecía y que los gálatas aceptaron sin rechazo. Algunos sostienen que esta enfermedad eran violentos dolores de cabeza. De este pasaje surgen dos indicaciones. Los gálatas le habrían dado sus propios *ojos* si esto hubiera sido necesario. Con esta referencia y Hechos 23:1-5 algunos han sugerido que los ojos de Pablo estaban seriamente afectados por alguna enfermedad, provocando que su vista fuera dificultosa. Las palabras *no lo desechasteis* describen la acción de despreciar a alguien. Ahora bien, en la antigüedad existía la costumbre de rechazar a personas que padecían serias enfermedades, por ejemplo, la epilepsia.

Por último, utiliza un **argumento doctrinal**. Pablo recurre al relato de las relaciones de Agar y Sara con Abraham, y elabora una alegoría. Una alegoría puede tener la forma de una historia cuyos actores representan algo diferente de su significado literal. En esta alegoría, Agar representa el antiguo pacto de la ley, hecho en el monte Sinaí. El hijo de Agar había nacido por el mero impulso de la desesperación de Sara y Abraham. Por otro lado, Sara representa el nuevo pacto en Jesucristo, no mediante la ley sino la gracia. Su hijo, Isaac, nació libre; además no fue fruto de la desesperación, sino de la promesa de Dios. En el relato, el hijo de la esclava perseguía al hijo de la libertad. Al final, éste permanece y aquel es despedido. Así se hará con todos los hijos de la ley.

─────────────── *Estudio del texto básico* ───────────────

Lea su Biblia y responda

1. Complete en cada caso la información solicitada.
   a. ¿Por qué los gálatas servían a falsos dioses? (Gál. 4:8) _____
   _____
   b. ¿Cómo llama Pablo a las cosas antiguas? (Gál. 4:9) _____
   _____
   c. A pesar de su enfermedad, ¿cómo recibieron los gálatas a Pablo? (Gál. 4:14) _____
   _____
   d. ¿Hasta que punto amaba Pablo a los gálatas? (Gál. 4:19) _____
   _____
   e. ¿Cómo se sentía Pablo por la actitud de los gálatas? (Gál. 4:20) _____
   _____

2. Marque falso (**F**) o verdadero (**V**) a las siguientes afirmaciones.
   ___ a. El hijo de la esclava (Agar) nació según la promesa.
   ___ b. En la alegoría, Sara y Agar representan los pactos.
   ___ c. Agar representa el monte Sinaí.
   ___ d. Los cristianos son hijos de la promesa.

Lea su Biblia y piense

1 La locura de volver atrás, Gálatas 4:8-11.

V. 8. Pablo recuerda a los gálatas cómo era su antigua religión de servidumbre y esclavitud. Por no tener el conocimiento adecuado del único y verdadero Dios, ellos servían *a los que por naturaleza no son dioses*. Ellos servían a dioses que pretendían ser Dios. Estos, comparados con el verdadero Dios, son fantasía.

V. 9. Sin embargo, los gálatas ahora guardan una relación íntima con Dios. Esto se describe con el término "conocer," ya que su sentido básico describe un encuentro personal, existencial e íntimo, tanto, que llegó a describir una relación sexual (Luc. 1:34). También Pablo les refiere la iniciativa de Dios en su relación al decir, *habéis sido conocidos por Dios.*

Vv. 10, 11. El paganismo jamás es ateo, siempre es intensamente religioso. Así también lo es el judaísmo. Ambos tienen una escrupulosa observancia de tiempos. *Los días* se refiere a los sábados; *los meses* se refiere a las ceremonias de luna nueva; *las estaciones* describe fiestas anuales como Pascua, Pentecostés, Tabernáculos y otras; *los años* puede referirse al séptimo año y al año de jubileo (Lev. 25:4ss). Por el deseo de los gálatas de regresar a la esclavitud de la religiosidad, Pablo teme haber trabajado *en vano*.

2 Una exhortación de amor, Gálatas 4:12-16, 19, 20.

V. 12. La dureza usada por Pablo (3:1) ahora se vuelve en dulzura. Por amor a los gentiles, Pablo había abandonado sus costumbres como judío (1 Cor. 9:20-23), ¿cómo era posible que los gálatas, que eran gentiles, quisieran adoptar costumbres ajenas a su propia cultura?

Vv. 13, 14. Pablo recuerda a los gálatas que su primer encuentro se debió más bien a una enfermedad. Esta no fue ningún obstáculo para que ellos aceptaran el evangelio, sino al contrario, fue una oportunidad de mostrarle a Pablo su amor. *La prueba* era aquella enfermedad que pudo haber provocado el rechazo por parte de los gálatas. Sin embargo, en vez de rechazarlo como a un epiléptico o un influenciado por algún mal, lo recibieron *como a un ángel de Dios.*

Vv. 15, 16. Tan positiva fue su recepción, que aun sus propios ojos le hubieran dado a Pablo. Esto probablemente debido a *la prueba* en el cuerpo de Pablo. Si todo esto prueba la amistad y el amor que había entre Pablo y los gálatas, no hay razón para el cambio de relación entre ambos. Pablo no es su *enemigo*. Este término originalmente describía a la parte contraria en un proceso legal.

V. 19, 20. Lejos de ser enemigo, Pablo se identifica como una madre que sufre *dolores de parto* por sus hijos. Lo que Pablo buscaba en agonía no era el nuevo nacimiento de sus amigos, sino la formación completa de la nueva vida de ellos en Cristo Jesús. Por esto, Pablo consideraba que una nueva visita conseguiría más que una carta, así podría hablarles con suavidad *cambiando el tono de su voz.*

3 Nuevo sentido de una vieja historia, Gálatas 4:21-26, 29-31.

Vv. 21-23. Pablo afirma que aquellos que querían vivir bajo la ley, deberían oír lo que la propia ley decía. Esto lo dice, porque el relato de Génesis formaba parte de la ley, según la división de la Biblia hebrea. Abraham tuvo dos hijos, uno como hijo de esclavitud, Ismael; y otro, como hijo de libertad, Isaac. El primero nació por la voluntad del hombre; el segundo por la promesa de Dios.

Vv. 24, 25. Pablo pasa a destacar los aspectos que importan a los gálatas. Las mujeres de Abraham representan los *dos pactos*. Agar, la esclava, equivale al pacto dado en el Monte Sinaí, el código mosaico; que a su vez es representación de *la Jerusalén actual*. Es decir, representa a aquellos que viven bajo la ley.

Vv. 26. Pero hay otra Jerusalén, *la de arriba,* que es la madre de todos los hijos de la gracia, los hijos de la libertad. Pablo cita Isaías 54:1 que prevé la gloria y el triunfo debido a la obra expiatoria del Siervo de Jehová después de la esterilidad de los días de cautiverio. Esto representa la situación de Sara, quien, aunque estéril al principio, recuperó su posición debido a la gracia de Dios.

Vv. 29, 30. Los creyentes en Cristo Jesús son *hijos de la promesa,* que al igual que Isaac, están sujetos a persecución por los hijos de Agar, los judaizantes (v. 28). Abraham resolvió el problema de Isaac e Ismael expulsando a Agar. Con esto, parece que Pablo está sugiriendo que los problemas de los gálatas no se resolverán hasta que expulsen a los hijos de Agar que se encuentran entre ellos.

V. 31. Pablo reitera la enseñanza principal de esta alegoría: los cristianos tienen un pacto de libertad, no de esclavitud.

Aplicaciones del estudio

1. La naturaleza de la vida cristiana es una relación dinámica y personal con Jesucristo, y no la observancia de reglas estrictas de religiosidad externa, Gálatas 4:9, 10. Ciertamente el Apóstol Pablo habla de normas que caracterizan al cristiano, pero éstas son el resultado de una relación con Jesucristo. Si se observan como requisitos para la salvación, se convierten en reglas estériles.

2. Reprender a los descarriados no elimina la posibilidad de ser tiernos con ellos, Gálatas 4:12. Pablo no duda en llamar a los gálatas "insensatos," pero esto no anula la tierna comprensión que tiene de ellos. Debemos aprender la virtud de reprender con dulzura y compasión.

Prueba

1. Pablo para hacer recapacitar a sus lectores recurre a tres argumentos básicos. Explique brevemente cada uno de ellos.

   Argumento personal _____

   Argumento sentimental _____

   Argumento doctrinal _____

2. Muchas veces hemos hecho "reglas cristianas" pensando que al observarlas tenemos una relación dinámica con Jesucristo. Anote algunas de ellas.

   _____

   _____

   _____

Lecturas bíblicas para el siguiente estudio

Lunes: Gálatas 5:1-6   **Jueves:** Gálatas 5:16-18

Martes: Gálatas 5:7-12   **Viernes:** Gálatas 5:19-21

Miércoles: Gálatas 5:13-15   **Sábado:** Gálatas 5:22-26

Unidad 3

Firmes en la libertad de Cristo

Contexto: Gálatas 5:1-26
Texto básico: Gálatas 5:1-3, 13-23
Versículo clave: Gálatas 5:1
Verdad central: Es posible vivir en la libertad de Cristo, por medio del poder y la dirección del Espíritu Santo.
Metas de enseñanza-aprendizaje: Que el alumno demuestre su conocimiento del llamamiento que el apóstol Pablo hace a los creyentes a vivir en la libertad de Cristo, y su disposición para buscar el poder y la dirección del Espíritu Santo.

―――――― *Estudio panorámico del contexto* ――――――

Los judaizantes que se encontraban entre los gálatas les enseñaban que la circuncisión era indispensable para la salvación (5:2-4). La circuncisión era la señal del pacto que Dios estableció con Abraham y con toda su descendencia (Gén. 17:10, 11). Aquellos que se hacían miembros del pacto deberían demostrarlo externamente por la obediencia a la ley divina, expresada a Abraham en su forma más general, "Anda delante de mí y sé perfecto" (Gén. 17:1). De esta forma, la circuncisión encarna y aplica promesas y exigencias contenidas en el pacto para una vida de obediencia a las condiciones establecidas en el mismo pacto.

Si los gálatas se sometían a este rito, habrían varias implicaciones: **Primero,** aceptarían que la obra de Jesucristo no basta para la salvación del creyente, reconociendo que era necesario circundarse a fin de participar de las bendiciones prometidas a Abraham. En 3:15 Pablo les había mostrado la locura de pensar que se podía añadir algo a la obra perfecta de Cristo Jesús. **Segundo,** al aceptar el camino de la circuncisión quedaban fuera del progreso espiritual que hay en Jesucristo (5:2,4-5). No quiere decir que ellos perderían la salvación, sino que dejarían de recibir las riquezas de Cristo que solamente se administran por la fe, la gracia y el amor.
Tercero, al tener que circuncidarse, se sometían a la ley y por lo tanto se obligaban a cumplirla en todas sus partes, siendo infractores sentenciados a muerte, si fallaban en uno solo de sus preceptos (5:3).

En 5:12 Pablo menciona un dicho muy duro. Galacia se encontraba en la vecindad de Frigia, y la gran devoción de esa región era el culto a Cibeles. La práctica de los sacerdotes y de los adoradores de esta deidad consistía en mutilarse castrándose. Así, la práctica de castrarse no era ajena al pensamiento de los gálatas. Por lo tanto, con un tono muy agresivo, Pablo les dice, a esos que los andan molestando ¡les sería mejor castrarse de una vez!

Así que, Pablo afirma que en Cristo hay libertad de la esclavitud de la ley (5:1). Para que sus palabras no sean mal interpretadas, Pablo no demora en indicar que la libertad cristiana no otorga permiso para pecar (5:13). La norma del creyente es la vida de Jesús, y el propio amor a Cristo le debe impulsar a odiar el pecado (5:16-21), y anhelar una vida como la de su Señor (5:22-26).

―――――――――― *Estudio del texto básico* ――――――――――

Lea su Biblia y responda

1. Complete en cada caso la información solicitada.
   a. ¿De qué aprovechaba a los gálatas la circuncisión? (Gál. 5:2) _____
   _____
   b. ¿Qué implica aceptar la circuncisión? (Gál. 5:3) _____
   _____
   c. Pablo advierte a los gálatas que la libertad no debe ser un pretexto para: (Gál. 5:13) _____
   d. ¿Cuál es el resumen de toda la ley? (Gál. 5:14) _____
   _____

2. Marque falso (**F**) o verdadero (**V**) a las siguientes afirmaciones:
   ___ a. El espíritu es compatible con la carne.
   ___ b. Los que hacen las cosas de la carne no heredarán el reino de Dios.
   ___ c. Pleitos, celos y contiendas son fruto del espíritu.
   ___ d. El fruto del espíritu tiene 9 manifestaciones.
   ___ e. Si somos guiados por el Espíritu no estamos bajo la ley.

Lea su Biblia y piense

1 Advertencia contra el legalismo, Gálatas 5:1-3.

V. 1. Pablo establece claramente que en Cristo el creyente tiene *libertad*. Del contexto se deduce en qué libertad piensa concretamente el Apóstol. Es la libertad a la que los gálatas renuncian de nuevo, si vuelven a tomar sobre sí *el yugo de la esclavitud* de la ley. La libertad implica compromiso, ya que en cierto modo es más fácil vivir como esclavo que usar rectamente la misma libertad.

V. 2. Pablo imprime el peso de su autoridad apostólica al decir, *yo, Pablo os digo.* Esto tiene mucho peso, pues después de lo que dijo en 1:13, no puede caer en la sospecha de estar lleno de prejuicios "liberales." La circuncisión sólo podía significar un intento de conseguir méritos delante de Dios a través de las obras.

V. 3. La circuncisión es sólo el principio de la vida según la ley. Si ellos se circuncidaban no sólo no experimentarían la gracia de Cristo, sino que se atraían la maldición de la ley. La ley del Antiguo Testamento es una unidad; la sujeción a ella no puede ser selectiva.

2 Advertencia contra el libertinaje, Gálatas 5:13-15.

V. 13. La libertad que forma parte intrínseca de la vida cristiana no debe convertirse en licencia. Así sucede cuando la libertad se toma como oportunidad para la *carnalidad*. Pero la libertad a la que los gálatas son llamados es la libertad para *el amor*. El auténtico y recto ejercicio de la libertad acontece en el mutuo servicio del amor. Con esto, Pablo les está diciendo, "¿Quieren esclavizarse a algo? ¡Pues sean esclavos en un servicio mutuo!"

V. 14. El amor rendido a Dios y al prójimo abarcan todos los preceptos de la ley. Pablo no coloca a los gálatas nuevamente bajo la ley, sino les dice, "si aman a su hermano están cumpliendo la ley del Señor."

V. 15. El legalismo sólo conduce a pleitos, y entre los gálatas esto había acontecido. Pablo compara a la comunidad de Galacía con fieras salvajes. Este es un ejemplo de su mal uso de la libertad. Morderse y devorarse mutuamente no es otra cosa que el resultado exterior de una esclavitud interior que presume de piedad.

3 Exhortación a andar en el Espíritu, Gálatas 5:16-18.

Vv. 16, 17. El término *andad* habla de cuál debe ser la conducta del cristiano. Describiendo el comportamiento, que según su dirección, se revela cómo está orientado el ser y el obrar del individuo. Andar en el Espíritu es permitirle el control en la vida. La vida en el Espíritu no significa tener más del Espíritu Santo, sino que el Espíritu Santo tenga más control de la vida del creyente. En vez de quitar la vieja naturaleza del cristiano, Dios le da su propio Espíritu para que habite en él.

V. 18. Para conseguir la victoria sobre la carne, el cristiano debe colocarse bajo la dirección del Espíritu. Adherirse a la ley significa multiplicar las transgresiones (Gál. 3:19) en vez de disminuirlas; pero vivir bajo la dirección del Espíritu es libertad de tratar de agradar a Dios por medio de la estricta observancia de la ley.

4 Las obras de la carne y el fruto del Espíritu, Gálatas 5:19-23.

Vv. 19-21. Dentro del legalismo, la manifestación de *las obras de la carne* es abundante. Pablo usa de cierta ironía al hablar de "obras de la carne" ("obras de la ley"). En primer lugar se mencionan **pecados sensuales,** *fornicación, impureza, desenfreno*. En segundo lugar se mencionan **pecados religiosos,** *idolatría, hechicería*. En tercer lugar se habla de **pecados del temperamento,** *enemistades, pleitos, celos, ira, contiendas, disensiones, partidismos, envidia*. Por último, se mencionan **pecados degradantes,** *borracheras, orgías y cosas semejantes a éstas*. Se afirma que quienes hacen esto, *no heredarán el reino de Dios*.

Vv. 22, 23. En contraste con la lista anterior, Pablo enlista el resultado de ser guiado por el Espíritu. Pablo gustaba de enlistar virtudes (2 Cor. 6:6; Efe. 4:2; 5:9; Col. 3:12-15), describiendo la belleza de la vida cristiana. La palabra *fruto* hace incapié sobre la unidad de la vida del Espíritu en oposición a la desorganización e inestabilidad de la vida en la carne. De estas nueve manifestaciones del Espíritu, las tres primeras hablan de **la relación del creyente con Dios:** *amor, gozo, paz*; las siguientes tres describen **la relación del creyente con su prójimo:** *paciencia, benignidad, bondad,* y las últimas tres, hablan de **la relación del creyente consigo mismo:** *fe, mansedumbre y dominio propio.* La ley tiene como propósito presionar, estas virtudes hablan de libertad para adorar a Dios y servir al prójimo.

Aplicaciones del estudio

1. En Jesucristo encontramos la verdadera libertad del yugo del pecado y la ley, Gálatas 5:1. Libertad no significa hacer lo que se "quiera " hacer, sino más bien es tener la capacidad y el poder de hacer lo que se "debe" hacer. La ley no ofrece la capacidad de hacer lo que se "debe" hacer, Jesucristo sí.

2. La libertad que tenemos en Cristo no nos conduce a la licencia, sino al servicio en amor, Gálatas 5:13. La libertad cristiana no implica una conducta arbitraria, sino que significa honrar y servir a todos, amar a los hermanos, temer a Dios, respetar a las autoridades. La vida del cristiano es una vida responsable, y por esa responsabilidad se han de reducir al silencio la ignorancia y la insensatez.

3. Nuestra vida se debe caracterizar por la dirección del Espíritu Santo en cada situación, Gálatas 5:16, 17. La vida en el Espíritu debe ser lo "normal" en el creyente. No debemos permitir que nuestras propias pasiones y deseos nos gobiernen. Debemos permitir que Dios establezca su soberanía en nuestra vida diaria.

Prueba

1. ¿Cuáles habrían sido las consecuencias si los gálatas se hubieran sometido a la circuncisión y a la ley?

   a. La obra de Jesucristo _____

   _____

   b. Ellos hubieran quedado _____

   _____

   c. Se hubieran visto obligados a _____

   _____

2. ¿Conoce a alguna persona que viva "en cautiverio" por algunas prácticas legalistas? Propóngase en su corazón compartir con ella la libertad que tenemos en Cristo.

Lecturas bíblicas para el siguiente estudio

Lunes: Gálatas 6:1, 2   **Jueves:** Gálatas 6:9, 10
Martes: Gálatas 6:3-5   **Viernes:** Gálatas 6:11-15
Miércoles: Gálatas 6:6-8   **Sábado:** Gálatas 6:16 -18

Unidad 3

Practicando el bien

Contexto: Gálatas 6:1-18
Texto básico: Gálatas 6:1, 2, 7-18
Versículo clave: Gálatas 6:2
Verdad central: Al poner en práctica las actitudes cristianas, el creyente experimenta relaciones saludables para con Dios, con sus semejantes y con el mismo.
Metas de enseñanza-aprendizaje: Que el alumno demuestre su conocimiento de las instrucciones de Pablo acerca de las actitudes cristianas en acción, y su disposición de practicar algunas acciones de servicio para ministrar a alguien que lo necesite.

─────── *Estudio panorámico del contexto* ───────

Pablo siempre terminaba sus epístolas con una parte de consejos muy prácticos. La mente de Pablo podía recorrer infinitos caminos de teología, doctrina y filosofía, pero nunca se perdía en ellos; siempre terminaba con los pies sólidamente plantados en la tierra. Esta es la misma perspectiva de T.B. Maston cuando comenta lo siguiente: "ser cristiano significa primeramente un compromiso con el Cristo resucitado y además una vida en comunión con él. Esto a su vez significa un compromiso con su manera de vivir. La piedra de toque de nuestra vida no es tanto cuánto creemos acerca del Jesús histórico, sino cómo es nuestra vida en relación con el Cristo resucitado."

Aunque en el caso particular de la carta a los Gálatas, la sección práctica empezó en 5:1, Pablo quiere ser muy exacto en cuáles son los deberes, que como cristianos, los hermanos de Galacia están comprometidos a cumplir. Primero, Pablo les recuerda cómo debe ser su práctica del evangelio en el servicio (6:1-10). Ellos ciertamente no tenían nada que ver con la ley que los judaizantes les querían imponer, pero estaban obligados a cumplir la ley de Cristo (Gál. 6:2; Mat. 7:12). Esta ley les demandaba sobrellevar las cargas de hermanos débiles. Pero Pablo se apresura a decir que esto sólo se puede cumplir con el poder del Espíritu y no por la fuerza de la carne (6:8).

En segundo lugar, Pablo los exhorta a practicar la vida cristiana separándose del mundo (6:11-15). Para hacer esto, Pablo subraya la centralidad y la suficiencia de la cruz, y la división que establece entre los creyentes y los hombres del mundo. Y por último, Pablo les escribe a los Gálatas que quienes andan conforme a la cruz de Cristo gozarán de la paz y la misericordia de Dios. De acuerdo al razonamiento de Pablo, la vida cristiana no es en primer lugar una teoría acerca de la vida sino más bien es un modo de vivir, y un modo distinto. Uno puede ser rígidamente ortodoxo en sus creencias y completamente anticristiano en sus relaciones y actitudes. Desde otro punto de vista, se puede decir que la vida cristiana no es una adhesión externa a la vida del cristiano; más bien, se origina en la naturaleza de su vida en Cristo (Gál. 2:20). Las experiencias externas de tal vida son el resultado de una relación interna del hijo de Dios con el Cristo vivo.

Estudio del texto básico

Lea su Biblia y responda

1. Complete en cada caso la información solicitada.
   a. ¿Cuál debe ser la actitud del cristiano espiritual frente a las transgresiones de los débiles? (Gál. 6:1) _____
   _____
   b. ¿Con qué actitud debe ser la restauración del débil? (Gál. 6:1)
   _____
   c. ¿A quién se debe considerar al restaurar al débil? ¿por qué? (Gál. 6:1)
   _____
   d. ¿Cuál es la ley de Cristo? (Gál. 6:2)
   _____
   e. ¿Qué ley rige la agricultura? (Gál. 6:7) _____
   _____
   f. ¿Cómo se aplica esta ley al cristiano? (Gál. 6:8) _____
   _____

2. Marque falso (**F**) o verdadero (**V**) a las siguientes afirmaciones:
   ___ a. El bien que hace el cristiano tiene un límite.
   ___ b. El cristiano debe hacer bien a todos.
   ___ c. Los gálatas estaban siendo obligados a circuncidarse.
   ___ d. Pablo se gloriaba en la cruz de Cristo.
   ___ e. Lo que vale para el cristiano es la nueva criatura.

Lea su Biblia y piense

1 Solidaridad cristiana, Gálatas 6:1, 2.

V. 1. Pablo subraya que a los hermanos *espirituales* les es esencial la dulzura respecto del hermano pecador. Pablo no deja esta actitud en lo general, sino que pone un ejemplo concreto. Supone el caso de un hermano de la comunidad que se encuentra *enredado en alguna transgresión*. Por la expresión utilizada por Pablo, implica una situación de pecado muy escabrosa. Pero el hermano espiritual, lejos de condenarlo o someterlo a juicio, tiene que restaurarlo. El término "restaurar" describe la acción de equipar algo hasta la perfección. Así, la conducta de los miembros de la comunidad se caracteriza no por la indiferencia, sino por la preocupación pastoral. El *espíritu de mansedumbre* en la restauración se debe a que la iglesia conoce la fragilidad de sus miembros. El proceder en esta restauración es a través de la vigilancia propia, ya que el espiritual podría tener la tentación de desatar la ira injusta de la soberbia, convirtiéndolo de juez a acusado.

V. 2. Lo expuesto anteriormente por Pablo, el restaurar al caído con un espíritu de dulzura, es un modo de sobrellevar *los unos las cargas de los otros.* No se especifica cuáles son estas cargas, pero se puede referir a: (1) los cristianos mismos, o (2) los pecados, y por lo tanto la debilidad y la maldad, de los otros. Tanto en este versículo como en Romanos 15:1 el verbo "sobrellevar" quizá tiene el sentido de "soportar pacientemente." A esta actitud, Pablo la llama *la ley de Cristo.* A pesar de toda la polémica contra la ley de los judaizantes, Pablo no duda en llamar así el sobrellevar las cargas mutuas.

2 Siembra y cosecha, Gálatas 6:7-10.

V. 7. El pensamiento de Pablo sigue siendo el hecho de llevar mutuamente las cargas, y al respecto Pablo advierte, *Dios no puede ser burlado.* La palabra traducida por *burlado* significa "arrugar la nariz," describiendo un trato despectivo hacia él. En el caso dado que se diera este desprecio a Dios, este mismo desprecio se vengará del hombre. El hombre recogerá lo que ha sembrado. Dios le da la libertad al hombre para sembrar donde él quiera, y por tanto, para recoger lo que él quiera.

V. 8. Pablo aplica la ley de la siembra-cosecha al comportamiento humano. Primero la aplica al cristiano egoísta que *siembra para su carne,* que gasta lo propio en la satisfacción de sus deseos. Este hombre, debido a su siembra, debe cosechar solamente *corrupción.* Pero, los creyentes que añaden interés a la vida en el Espíritu cosecharán vida eterna.

Vv. 9, 10. La ley de la cosecha es una "espada de dos filos"; para el carnal es una maldición, pero para el espiritual es un bendición. Por lo tanto, los espirituales no deben cansarse de hacer el bien, sabiendo que a su tiempo se habrá de levantar la buena cosecha. Entonces, se exhorta a la continuación del bien obrar en dos campos de beneficencia: (1) en relación con todos los hombres, y (2) en relación con otros cristianos.

3 Una regla para la vida diaria, Gálatas 6:11-18.

Vv. 11, 12. Pablo escribe de su "puño y letra" y con grandes letras para resaltar la importancia de lo que dice. Esto lo hace, pues nuevamente vuelve sobre el tema de la circuncisión. Los judaizantes, al presionar a los gentiles en la observancia de la ley, trataban de evitar el enojo de judíos no cristianos, quienes los acusaban de haber traicionado sus propias convicciones.

Vv. 13, 14. Los judaizantes alegaban su cuidado estricto en la ley, pero no la cumplían. Sin embargo, la imponían a los gentiles como carga. Ellos lo hacían para gloriarse de su celo por la ley. Pablo no quería gloriarse sino en la cruz de Cristo. A él no le preocupaba su reputación, sino su relación con el Señor.

Vv. 15, 16. La crucifixión de Jesucristo había hecho de la circuncisión algo irrelevante. La cruz de Jesucristo no valoriza ritos religiosos, lo que hace es nuevas criaturas. Los que vivan como nueva creación, gozarán de las bendiciones de Dios.

V. 17. Si alguno dudaba de la devoción de Pablo a Jesucristo, él tenía en su cuerpo las marcas de la persecución por amor al Señor. Estas marcas corporales eran más elocuentes que la marca de la circuncisión.

V. 18. Pablo termina su carta haciendo un marcado énfasis en la gracia de Cristo, como antítesis de la ley.

Aplicaciones del estudio

1. Aquellos que son cristianos maduros y espirituales, deben tratar con dulzura y comprensión a aquellos que son débiles y carnales, Gálatas 6:1. La actitud verdaderamente espiritual no es criticar a aquel que ha sido sorprendido en una falta, sino contribuir para que pueda superar sus deficiencias. El espiritual es el guía del débil, no su juez.

2. El proceder de los cristianos espirituales hacia los débiles está supervisado por el Señor, quien no puede ser burlado, Gálatas 6:7. La supervisión del Señor para con los cristianos no es exclusiva de las relaciones entre espirituales y débiles, sino que incluye toda la vida del creyente. El Señor por esto es llamado "juez justo", pues no juzga en base a las apariencias sino en base a los hechos que ante su vista aparecen desnudos.

3. Las marcas externas de una religiosidad tienen muy poco valor. Gálatas 6:15. Lo realmente importante es la renovación espiritual de la naturaleza humana obrada por el Señor. La religión es vista por muchos como una serie de reglas y estatutos que es necesario cumplir puntillosamente. En Cristo Jesús, lo primero que tiene que ocurrir es una renovación de la naturaleza interior del pecador.

Prueba

1. ¿Cuáles de las siguientes actitudes caracterizan la vida de un hermano espiritualmente maduro? Márquelas con una X.
   ___ Solicitar la expulsión de alguno que ha caído en pecado.
   ___ Contribuir para la restauración de aquel que ha pecado.
   ___ Invertir tiempo en restaurar al pecador.
   ___ Criticar juntamente con otros el pecado de algún hermano.
   ___ Orar por el caído espiritual.

2. Posiblemente en su congregación se encuentra un hermano que ha caído en pecado. Propóngase en su corazón no contribuir a extender la "fama" de este hermano. Así mismo, ore diariamente por él hasta que su situación se arregle.

Lecturas bíblicas para el siguiente estudio

Lunes: Josué 1:1-6
Martes: Josué 1:7-9
Miércoles: Josué 1:10-18
Jueves: Josué 2:1-7
Viernes: Josué 2:8-14
Sábado: Josué 2:15-24

Unidad 4

Preparativos para entrar a la tierra prometida

Contexto: Josué 1:1 a 2:24
Texto básico: Josué 1:1-3, 8, 9; 2:1-4, 12-14
Versículo clave: Josué 1:9
Verdad central: La manera como Dios guió a Israel para entrar a la tierra prometida nos enseña cómo trabaja Dios para llevar a cabo su soberana voluntad.
Metas de enseñanza-aprendizaje: Que el alumno demuestre su conocimiento de los preparativos que los israelitas tuvieron que hacer para entrar a la tierra prometida, y su disposición de prepararse para cumplir el plan que Dios tiene para su vida.

Estudio panorámico del contexto

En el canon, Josué es el primero de un total de doce libros históricos que se encuentran en nuestra Biblia. En la división que los judíos hacen de los libros del A.T., Josué encabeza la división llamada "los profetas" (esta división está subdividida en profetas anteriores y posteriores. Josué forma parte de los profetas anteriores).

Es posible que el libro haya sido escrito, en una buena porción por Josué mismo (8:32; 24:26, por ejemplo); por testigos oculares de los eventos relatados (5:1, 6). Otras partes del libro fueron escritas con posterioridad a la muerte de Josué (24:29, 30). Su nombre significa "Jehovah salva o Jehovah es salvación".

Es el sucesor de Moisés, quien había muerto y había dejado al pueblo "al otro lado del Jordán", es decir, a las puertas de entrar a la tierra prometida por Dios a su pueblo. Josué era el hombre escogido por Dios para conducir al pueblo en la conquista de la tierra. El éxito de esta empresa dependía del apego irrestricto a los mandatos de Dios.

Israel, a su vez, tenía una responsabilidad y ésta radicaba en su obediencia al líder y en una preparación responsable para el logro del objetivo. Eran imprescindible la obediencia y la unidad ya que con ambas se aseguraban de responder con lo que Dios esperaba de parte de ellos. Lo otro estaba en manos de Dios.

El propósito del libro de Josué es dar un relato oficial del cumplimiento histórico de la promesa divina dada a los patriarcas. "A la tierra que te mostraré" (Gén. 12:2, 3); "y a tu descendencia, para siempre" (13:15);

"desde ...hasta" (15:18); "pacto ratificado a Isaac" (26:4); "pacto confirmado a Jacob" (28:13). Se puede dividir fácilmente en dos partes, a saber, la conquista de la tierra (1-12) y la distribución de la tierra según las tribus (13-24).

───────────── *Estudio del texto básico* ─────────────

Lea su Biblia y responda

1. Lea Josué 1:1-3; 8, 9 y responda las siguientes preguntas:
   a. ¿Con quién habló Jehovah Dios? ¿Por qué? _____
   _____

   b. ¿Según el texto, quién era Josué? _____
   _____

   c. ¿Cuál es la misión de Josué? _____
   _____

   d. Brevemente explique la frase "como lo había prometido a Moisés".
   _____
   _____

   e. ¿A cuál libro de la ley hace referencias Dios? _____
   _____

   f. ¿Cuál es el propósito de "no apartarse" y la consecuencia de "meditar" en la ley del Señor? _____
   _____

   g. En los versículos leídos, escriba todos aquellos que tienen la fuerza de un mandato: _____
   _____

   h. ¿Cuál es la promesa para Josué? _____
   _____

2. Lea Josué 2:1-4. Responda (V)erdadero o (F)also:
   _____ a. La comitiva enviada fue de doce personas.
   _____ b. La misión consistía en reconocer la tierra y la ciudad de Jericó.
   _____ c. Se distrajeron de su misión y se divirtieron en casa de la ramera Rajab.
   _____ d. Cuando le fue dado aviso al rey de Jericó, éste les preparó una recepción de dignatarios.
   _____ e. El rey molesto por la presencia de los israelitas, ordenó a Rajab que los entregara porque eran espías.
   _____ f. Rajab, obedeciendo las órdenes del rey, los entregó.

3. Lea Josué 2:12-14 y complete las frases:
   a. Como he mostrado misericordia para con vosotros _____ con la _____
   b. Ellos respondieron: _____ sea por la vuestra.

70

c. Cuando Jehovah nos haya dado la tierra, mostraremos _____

_____

Lea su Biblia y piense

1 Las órdenes de Dios a Josué, Josué 1:1-3, 8, 9.

V. 1. Las palabras *después de la muerte de Moisés* unen el libro de Josué con Deuteronomio (lea Deut. 34:1-9). Josué ya había sido elegido sucesor de Moisés (Núm. 27:15-23; Deut. 3:21, 22; 31:1-8), y por muchos años había sido su siervo (Exo. 24:13, 33:11; Núm. 11:28). Josué pertenecía a la tribu de Efraín (Núm. 13:8), y vivió 110 años (Jos. 24:29).

Vv. 2, 3. En la ribera del río Jordán, Josué escuchó la voz de Dios. Tres cosas Dios le declara a Josué: (a) es consciente de la muerte de su siervo Moisés; (b) que Josué, como líder escogido, es el responsable de seguir con el plan de Dios para su pueblo; (c) que la promesa divina es segura. *Ahora, levántate,* significa poner fin a la espera en el campamento en las llanuras de Moab. *Pasa el Jordán*, es una orden de Dios que requería la obediencia de Josué y del pueblo.

Vv. 8, 9. Estas órdenes entregadas giran en torno a la poderosa palabra de Dios. Es una exhortación con una fuerza extraordinaria, indicando que se requería una fuerza de carácter superior para obedecer la palabra de Dios fiel y completamente. Este es el secreto para ser prosperado en todo lo que se emprenda. La promesa *Jehovah tu Dios estará contigo,* hace la diferencia. No minimiza la tarea de Josué sino que le fortalece en su interior para que se decida a comenzar las acciones.

2 La misión de los espías, Josué 2:1-4.

V. 1. El objetivo era la tierra "al otro lado del Jordán". Su primer blanco era la amurallada ciudad de Jericó, clave en esa región llamada el Valle del Jordán. La misión de los dos espías era recoger la mayor información posible sobre esta ciudad y fortaleza (fuerza militar, torres de vigilancia, puertas de acceso y el estado de la moral de su pueblo).

Vv. 2, 3. Cómo llegaron los espías a la casa de Rajab no se nos dice. Los habitantes de Jericó sabían del campamento de Israel y estaban alertas. Alguien detectó a los espías y los siguió hasta la casa de Rajab, dando aviso al rey. Al ser informado de la situación, el rey ordenó a Rajab que los expulsara de su casa, sin embargo ella los escondió entre los manojos de lino que allí tenía sobre la azotea (2:6).

V. 4. Rajab se hizo la desentendida aceptando el hecho que allí habían estado pero que desconocía su origen. La historia recuerda el nombre de Rajab, una prostituta de Jericó, quien actuó con inteligencia como resultado de su temor al Dios de Israel, aunque ha olvidado el nombre del rey de Jericó y aun de los dos espías.

3 La promesa hecha a Rajab, Josué 2:12-14.

Vv. 12, 13. El testimonio del Dios Israel había llegado hasta estos lugares (2:8-11) y sobre esta base hace un pacto con los espías. Lo solicitado es mostrar, en el momento de la conquista, la misma lealtad y firmeza con la que ella actuó. Después específicamente menciona a su padre, a su madre, a sus hermanos, a sus hermanas y a los suyos (siervos y parientes en la casa).

V. 14. La respuesta fue inmediata y decisiva, aunque la resolución final estaría en las manos de Josué y no de ellos. El pacto de misericordia se mantendría siempre que ella guardara silencio. Este pacto es sellado con el juramento: *nuestra vida sea por la vuestra.* Los espías y Rajab convienen en establecer la señal del "cordón rojo en la ventana" (v. 18), que ella cuelga inmediatamente (v. 21).

────────────── *Aplicaciones del estudio* ──────────────

1. Los planes de Dios siempre se llevan a cabo. Si ese plan divino va mas allá del tiempo cronológico de vida de uno de sus líderes, el proveerá de otro hasta ejecutar su voluntad. Los planes de Dios no están limitados a la vida o capacidad de un dirigente en particular.

2. El cumplimiento de las promesas de Dios nos habla de un Dios que cumple su palabra. Dios no deja que sus promesas se las lleve el viento, aunque a nosotros muchas veces así nos parece cuando pasan los años y las circunstancias adversas, pero Dios levanta en nuestro corazón una fe segura y firme.

────────────────── *Prueba* ──────────────────

1. Según el pasaje estudiado, identifique aquellas expresiones dichas por Dios a Josué y que tienen la fuerza de un mandato: _____
   _____
   _____

2. Ubique en el mapa bíblico el lugar donde estaban acampando los hijos de Israel y marque en el espacio el río Jordán y la ciudad de Jericó _____

3. ¿Qué requiere Dios de nosotros cuando da órdenes? _____
   _____

4. ¿Por qué es importante la palabra de Dios para nosotros? _____
   _____

Lecturas bíblicas para el siguiente estudio

Lunes: Josué 3:1-13   **Jueves:** Josué 5:1-9
Martes: Josué 3:14-17   **Viernes:** Josué 5:10-12
Miércoles: Josué 4:1-2   **Sábado:** Josué 5:13-15

Unidad 4

Israel entra a la tierra prometida

Contexto: Josué 3:1 a 5:15
Texto básico: Josué 3:3-5, 14-17; 4:21-24
Versículo clave: Josué 4:24
Verdad central: El ingreso de Israel a la tierra prometida nos enseña que Dios guía y bendice al pueblo cuando le obedece.
Metas de enseñanza-aprendizaje: que el alumno demuestre su conocimiento de los eventos que ocurrieron cuando Israel ingresó a la tierra prometida, y su disposición de responder a las oportunidades que Dios le presenta.

───────── *Estudio panorámico del contexto* ─────────

Josué es un hombre de acción. Los espías habían regresado de su misión y han entregado su informe. Los líderes han comenzado los preparativos para cruzar el Jordán e invadir Canaán. El peregrinaje se hace desde Sitim hasta la ribera oriental del Jordán. Se descansa por tres días y se reciben instrucciones relacionadas con el cruce del río que, para esos días era torrentoso debido al derretimiento de las nieves del invierno que se habían acumulado en el Monte Hermón que se encontraba al norte (3:15).

Ni la columna de nube de día, ni la columna de fuego por la noche serían su guía. Ahora el Arca del Pacto debía ser seguida. No serían los soldados quienes irían al frente sino los sacerdotes que llevaban el Arca (3:11). El Arca del Pacto es el símbolo de la presencia de Jehovah y sería Jehovah mismo quien guiaría a su pueblo a la conquista y posesión de la tierra de Canaán.

Tras lo anteriormente dicho, encuentra una justa explicación el llamado de Josué al pueblo de santificarse y consagrarse a Jehovah. No es posible de otra manera la acción gloriosa del Eterno en favor de su pueblo. Israel necesitaba estar preparado para tan magna manifestación. La generación que quedó en el desierto tuvo el privilegio de ver la majestuosa revelación del Señor cuando entregó la Ley (Ex. 19:10-13). Esta generación, la de Josué, tenían el testimonio de aquello. Ahora, en la conquista y posesión de la tierra prometida tenían la oportunidad de ver a Dios obrando poderosamente, de manera que había expectación.

Y el milagro ocurrió: Israel pasó en seco (3:17). Era importante que Israel no lo olvidara. Para ello, por mandato de Dios, se erigió un monumento memorial de doce piedras tomadas del lecho del río Jordán, las cuales celebraban el milagro ejecutado por Jehovah en favor de su pueblo, a saber, permitirles pasar el río en seco (4:1-7).

La voz de lo sucedido corrió rápido. Los reyes y habitantes de "este lado del Jordán" (5:1) colapsaron ante una antigua y dos recientes nuevas: (a) Dios había secado el mar Rojo (2:10); (b) que los israelitas habían derrotado a los reyes poderosos de los amorreos (2:10); (c) que Jehovah nuevamente ha secado las aguas, ahora las del Jordán, para que su pueblo pase en seco y lleguen a Canaán (4:24; 5:1).

Así como corrieron estas noticias así se expandió el temor. Pero antes de la conquista era necesario la consagración y ésta se daría en tres experiencias básicas: (a) la renovación de la circuncisión (5:1-9), (b) la celebración de la Pascua (5:10), y (c) la apropiación del fruto de la tierra (5:11, 12). Si el pueblo había tenido su tiempo de edificación espiritual, también era necesaria para el líder del pueblo, y la tuvo (5:13-15).

Cuán confortable experiencia para Josué. El no estaba solo en esta delicada tarea de conducir a Israel. Al remover el calzado de sus pies, reconoció que esta batalla y la conquista de Canaán eran de Dios y que él sólo cumplía una simple función de ser siervo de Jehovah.

——————————— *Estudio del texto básico* ———————————

Lea su Biblia y responda

1. Josué 3:3-5. Responda a las siguientes preguntas:

   a. ¿Qué simboliza el Arca del Pacto? _____

   b. ¿Qué había dentro del Arca? (Deut. 10:1, 2) _____

   c. ¿Qué distancia aproximada debía haber entre el Arca y el pueblo? _____

   d. ¿Cuál sería su equivalencia en nuestros días?_____

   e. ¿Qué significa "santificaos"? _____

   f. ¿Por qué es importante la santificación? _____

2. Josué 3:14-17. Más preguntas para responder:

   a. ¿En qué momento se detuvieron las aguas del río Jordán? _____

   b. ¿Qué sugiere la expresión "el Jordán suele desbordarse por todas sus orillas"? _____

   c. ¿En qué dirección iba el pueblo de Israel? _____

3. Josué 4:21-24: Complete la frase:
   a. Cuando mañana _____ vuestros _____ a sus _____, y dijeren: _____

declararéis a vuestros hijos, diciendo : _____
_____

b. Porque _____ vuestro Dios _____ las aguas del
_____ delante de vosotros, _____
a la manera que Jehovah vuestro Dios lo había hecho _____
_____, el cual secó delante de nosotros hasta que _____;
c. para que _____ los _____ conozcan
que la _____; para que temáis a
_____ todos los días.

Lea su Biblia y piense

1 Instrucciones para cruzar el Jordán, Josué 3:3-5.
V. 3. La primera instrucción recibida es salir y marchar en pos del arca del pacto.
V. 4. El arca será la guía *para que sepáis el camino por donde habéis de ir; porque vosotros no habéis pasado antes por este camino.* Además se les instruye a mantener una distancia de 900 metros del arca. La razón responde a un recordatorio al pueblo de la naturaleza sagrada del arca y la santidad de Dios que ella representaba.
V. 5. La última instrucción es *purificaos*, es decir, comprometerse a ser diferentes o consagrarse a Dios para estar en condiciones de ver a Dios actuar. Esta orden era necesaria ya que Dios se habría de manifestar en medio de Israel a través de un portento extraordinario al día siguiente.

2 Los israelitas ingresan a Canaán, Josué 3:14-17.
Vv. 14, 15a. Ha llegado el momento de cruzar el río y entrar a la tierra prometida. Esto ocurre el 10 del mes de Nisán (marzo-abril), que es el primer mes del año, y es tiempo de la siega. ¿Avanzarían con fe o se desesperarían en lo que ven? ¿Qué ven? Un río torrentoso y caudaloso cuyo cruce a pie es imposible. Como un símbolo, el arca, declaraba que Dios mismo iba delante de Israel, abriendo paso y conquistando terreno.
Vv. 15b-17. Muchas cosas sobrenaturales ocurren: (a) el paso de los israelitas según lo predicho (3:13-15); (b) el momento del milagro fue exacto, es decir, *en cuanto los pies de los sacerdotes se mojaron en la orilla del agua*; (c) cuando las aguas fueron divididas, el pueblo pasó en seco; (d) ¿cuánto tiempo estuvieron divididas las aguas para que pasara todo el pueblo? Muchas horas, posiblemente todo el día; (e) el lecho del río Jordán estaba seco, no barroso ni húmedo; (f) las aguas retornaron a su cauce normal cuando todo el pueblo cruzó (4:18).

3 ¿Qué significan estas piedras? Josué 4:21-24.
Vv. 21-23. El propósito del monumento memorial era eminentemente pedagógico: recordar a las generaciones venideras que Jehovah Dios, quien había prometido una tierra a los patriarcas, era el mismo quien les había conducido hasta esa tierra prometida haciéndoles cruzar el Jordán (4:6, 7), en la misma forma como la generación de Moisés cruzó el Mar Rojo.

V. 24. Este monumento memorial no sólo sería para Israel sino que *para que todos los pueblos de la tierra conozcan que la mano de Jehovah es poderosa.* Doce piedras que postrarían el corazón del pueblo en temor reverente ante la magnífica presencia de Jehovah Dios. El evento quería decir dos cosas: en primer lugar, mostrar el poder de Jehovah a los cananeos. En segundo lugar, aumentar la fe de los hebreos en Jehovah.

─────────── *Aplicaciones del estudio* ───────────

1. Dios está actuando hoy. La manifestación de Dios en medio de su pueblo hoy, también requiere de nosotros que hagamos del testimonio de Dios nuestra guía "porque no hemos pasado por este camino".

2. ¿Por qué purificarnos? Santificarse es comprometerse a ser diferentes a los demás porque nos consagramos a Dios y deseamos que Dios haga maravillas en medio de nosotros.

3. ¡Cuidado! Nunca olvidemos la naturaleza santa de Dios. "Mantengamos la distancia correspondiente."

4. Esperemos que un milagro ocurra hoy. No importa que las corrientes de la vida sean caudalosas y torrentosas, si hemos oído la palabra de Jehovah, la creemos y la actuamos, es decir procedemos según dice, entonces esperemos el milagro de "cruzar el río en seco".

5. Recordemos que en nuestras manos está el testimonio de Dios. Que siempre esté en alto para que los hijos que por gracia nos han sido dados lo conozcan por nuestros labios.

─────────── *Prueba* ───────────

1. ¿De qué manera puede hacer del testimonio de Dios una guía para su vida?_____
_____

2. ¿Cuál considera usted sea la clave del discipulado cristiano? ¿Por qué?
_____

3. ¿Qué es fe? y ¿cuál es el obstáculo principal de ella? _____
_____

4. ¿Por qué es importante transmitir el testimonio de los hechos poderosos de generación en generación? _____
_____

5. Escriba dos maneras de hacer "visible" el testimonio de Dios. _____
_____
_____

Lecturas bíblicas para el siguiente estudio

Lunes: Josué 6:1-6	**Jueves:** Josué 7:1-5
Martes: Josué 6:7-21	**Viernes:** Josué 7:6-21
Miércoles: Josué 6:22-27	**Sábado:** Josué 7:22-26

Unidad 4

Exito y fracaso en Jericó

Contexto: Josué 6:1 a 7:26
Texto básico: Josué 6:2-5, 23, 24; 7:11-13, 24, 25
Versículo clave: Josué 7:13
Verdad central: El éxito y el fracaso de Israel en Hai nos enseñan que el pueblo de Dios debe obedecerlo a fin de lograr los propósitos que él tiene y evitar las consecuencias de la desobediencia.
Metas de enseñanza-aprendizaje: Que el alumno demuestre su conocimiento del significado del éxito y las razones del fracaso de Israel en Jericó, y su actitud de hacer las correcciones que sean necesarias en su vida a fin de cumplir con la voluntad de Dios.

─────────── *Estudio panorámico del contexto* ───────────

La estrategia divina para la conquista de Canaán estaba basada en factores geográficos. Desde Gilgal se podían ver las alturas en el oeste. Jericó controlaba el camino de ascenso a esas alturas, y Hai, la otra ciudad y fortaleza, estaba ubicada al principio de ese ascenso. Conquistar ambas ciudades le significaba a Israel tener el control de la zona central poniendo una "punta de lanza" entre el norte y el sur de Canaán. Cualquier estrategia de guerra obligaba a la conquista de Jericó primero; esto dependía de que Josué y el pueblo siguieran fielmente el plan de acción de Dios.

La estrategia de Dios para la caída de Jericó no era muy razonable. Siete sacerdotes, siete trompetas, siete días, siete vueltas a la ciudad el séptimo día, no parecen hablar de una estrategia militar, parece algo fuera de lo normal.

Josué siendo un experimentado líder militar respondió con una incuestionable obediencia al plan de Dios. Sin pérdida de tiempo, llamó a los sacerdotes y soldados y les entregó las instrucciones que Jehovah Dios le había dado.

Así resultó la caída de Jericó, con una estrategia "no tradicional". Tres cosas eran necesarias respetar: (a) que la ciudad sería anatema a Jehovah; (b) que el pueblo se guardara de tocar o tomar el anatema; (c) cumplir con el juramento hecho a Rajab.

La última se cumplió (6:25) pero las dos anteriores resultaron ser "muy tentadoras" como para ser obedecidas al pie de la letra. El "pero" del 7:1 habla de la condicionante que cambió la historia, tristemente, en este caso, sería negativa. La alegría de la victoria muy pronto se transformó en la tristeza de la derrota. ¿Por qué? Porque la obediencia es la clave para seguir el liderazgo del Señor.

Acán era responsable de semejante tristeza. ¿Ocultar el pecado de la presencia de Dios? Imposible, tomó su tiempo y el camino fue doloroso pero el pecado fue revelado y castigado. Esa tierra era la tierra prometida; nada frustraría los planes de Dios.

Estudio del texto básico

Lea su Biblia y responda

1. Josué 6:2-5. De una respuesta breve, pero completa.
   a. Mencione lo que Dios entregó en manos de Josué: _____
   _____
   b. Describa en sus propias palabras las instrucciones dadas por Dios a Josué para la toma de Jericó: _____
   _____
   _____

2. Josué 6:23, 24. Responda (V)erdadero o (F)also:
   _____ a. Los espías entraron y saquearon a Rajab, a su padre a su madre, a sus hermanos y todo lo que era suyo.
   _____ b. La ciudad de Jericó fue consumida por el fuego.
   _____ c. La plata y el oro fueron puestos en el tesoro de Jehovah Dios.

3. Josué 7:11-13. Responda las siguientes preguntas:
   a. ¿Cómo ve Dios el pecado de Acán? _____
   _____
   b. ¿Cuál son las consecuencias de este pecado? _____
   _____
   c. ¿Qué entiende por anatema? _____
   _____

4. Josué 7:24, 25. Más preguntas a responder:
   a. ¿Cómo fue castigado el pecado de Acán? _____
   _____
   b. ¿Dónde ocurrió el castigo del pecado de Acán? ¿Qué significa su nombre? ¿Por qué ese nombre? _____
   _____
   _____

Lea su Biblia y piense

1 La destrucción de Jericó, Josué 6:2-5.

V. 2. La ciudad de Jericó está en estado de sitio (6:1), y sin embargo, el Señor mismo promete la victoria a Josué. Es interesante que Dios dice: *Yo he entregado en tu mano a Jericó,* es decir, un hecho que ya está consumado antes que suceda. La victoria de la primera batalla no se iba a lograr por la fuerza humana, sino por el plan y presencia de Dios. El Señor deseaba que todo el pueblo comprendiera que esta victoria era posible gracias a su intervención directa.

Vv. 3-5. El plan mas inusual sería usado. Las armas de guerra habituales no serían usadas. Sólo después del séptimo día, cuando el pueblo diera la séptima vuelta y los sacerdotes tocaran las bocinas y el pueblo gritara a gran voz, entonces las murallas caerían. El pueblo de Israel conquistó y destruyó Jericó porque fue obediente a las instrucciones de Dios. Este relato nos demuestra que es mejor seguir el plan divino, aunque nos suene ilógico, que seguir la mejor lógica del hombre.

2 Rajab y su familia son rescatados, Josué 6:23, 24.

V. 23. Antes que la ciudad fuese consumida con el fuego, Josué mantuvo la promesa hecha por los dos espías (2:12-21; 6:22) y envió a esos mismos hombres a la casa de Rajab. Ella junto a toda su familia fueron guiados al lugar designado y *los pusieron fuera del campamento de Israel.* Así tenía que ser, puesto que eran gentiles. Es evidente que Rajab llegó a ser un símbolo de alguien que mostró su fe en Dios a través de sus obras a favor de los espías (Stg. 2:25), y llega a ser una heroína y ejemplo de la fe (Heb. 11:31).

V. 24. La ciudad era "anatema" a Jehovah. El término *"herem"* significa "dedicado o consagrado". El contexto de este término, en este pasaje, sugiere la idea de que la totalidad de la ciudad y su contenido fueron entregados (*herem*) al Señor para su total destrucción. Por eso la ciudad fue consumida por el fuego. Todos los utensilios de bronce y hierro, mas el oro y la plata, pasaron a formar parte de los tesoros de la casa de Jehovah.

3 El pecado descubierto, Josué 7:11-13.

V. 11. Animado por este triunfo, el pueblo va a la conquista de Hai, pero solamente para enfrentar la derrota. Josué expresa al Señor su desconcierto. El Señor responde a su siervo Josué (7:6-9) y lo hace con malestar (7:10). La causa del desastre y de la derrota no es Dios, es Israel; *Israel ha pecado. Han quebrantado mi pacto que yo les había mandado. Han tomado del anatema, han robado, han mentido, y lo han escondido entre sus enseres.*

V. 12. El pecado es la causa de no tener la capacidad suficiente para hacer frente al enemigo. Esa capacidad es la presencia de Dios la cual ya no estará más con ellos, a menos que el anatema sea destruido. En otras palabras, el pecado tenía que ser juzgado y el anatema destruido.

V. 13. La solución al problema es la purificación por medio de separar el pecado y el pecador de Israel. Los pasos a seguir son los siguientes: (a) levantarse; (b) consagrar al pueblo; (c) identificar la ofensa que es causa del fracaso; (e) identificar al ofensor (7:14 y 15); (f) castigar al pecador.

4 El pecado castigado, Josué 7:24, 25.

V. 24. El procedimiento se siguió (7:16-23). El ofensor pertenecía a la tribu de Judá (7:16), era de la familia de Zéraj (7:17), descendiente de Zabdi, hijo de Carmi y su nombre era Acán (7:18). Al ser descubierto, confesó su pecado, declaró lo que había tomado y donde lo había ocultado (7:20, 21). Josué lo verificó y, al constatarlo siguió las instrucciones que el Señor le había dado (7:15). Llevaron a Acán y todas sus posesiones al Valle de Acor.

V. 25. Posesionándose de aquello que Dios había dicho que sería dedicado a destrucción (6:17), Acán y todo lo suyo, se contaminó y se condenó a destrucción. Murieron apedreados y posteriormente quemados. Según Deuteronomio 24:16 los hijos no morirían por el pecado de los padres. Esto nos hace pensar que Acán, sus hijos e hijas fueron cómplices. No se menciona a su mujer.

───────────────── *Aplicaciones del estudio* ─────────────────

1. Las razones del Señor. Hay momentos en que las estrategias de Dios no nos parecen lógicas, y sin embargo logran sus objetivos.

2. Obedezcamos sin preguntar. Es importante hacer lo que Dios dice sin cuestionamiento alguno porque en sus resultados siempre nos regocijaremos.

3. ¿Cuánto vale? Si hay una cosa que el hombre nunca debe perder es el valor de sus palabras. Cuando vivimos en un mundo de palabra poco confiable, es un imperativo que la palabra de los hijos de Dios sea segura.

4. Tarde o temprano se sabrá. Nunca acepte la sutileza del enemigo que le susurra al oído que el pecado se puede ocultar. Siempre engendrará fracaso y derrota.

5. ¡Mejor no! Hay más honra en pecar y confesar, que en pecar, ser descubierto y tener que confesar. Mejor es no pecar, ni desobedecer a lo que Dios ha prohibido.

───────────────────────── *Prueba* ─────────────────────────

1. Escriba con sus propias palabras, sin mirar el relato, la estrategia usada por Dios para la conquista de Jericó._____
_____
_____

2. ¿Por qué Rajab escapó de la destrucción de Jericó? _____
_____

3. ¿Qué lección recibe de la experiencia de Acán? ¿Hay una experiencia que se le parezca en el libro de Los Hechos? _____
_____

4. ¿Cuál es el valor de la obediencia? _____
_____
_____

Lecturas bíblicas para el siguiente estudio

Lunes: Josué 8:1-16	**Jueves:** Josué 9:1, 2
Martes: Josué 8:17-29	**Viernes:** Josué 9:3-15
Miércoles: Josué 8:30-35	**Sábado:** Josué 9:16-27

La caída de Hai y los gabaonitas

Contexto: Josué 8:1 a 9:27
Texto básico: Josué 8:1, 2, 32, 33; 9:22-27
Versículo clave: Josué 9:25
Verdad central: Las experiencias que tuvo Israel en Hai y con los gabaonitas demuestran que Dios da la victoria a aquellos que confían en sus promesas.
Metas de enseñanza-aprendizaje: Que el alumno demuestre su conocimiento de los eventos que ocurrieron a Israel en Hai en relación con los gabaonitas, y su actitud hacia las promesas que encuentra en la Palabra de Dios.

―――――――― *Estudio panorámico del contexto* ――――――――

El "no temas ni desmayes" de Jehovah a Josué nos enseña que el líder de Israel también estaba afectado por lo sucedido. Sin embargo, con el pecado de Acán juzgado, el favor de Dios hacia Israel fue restaurado y le aseguró a Josué que él no le había olvidado ni tampoco al pueblo. El plan de Dios implicaba usar toda la "gente de guerra" que tenía Israel. Si la causa primaria de la derrota en Hai fue el pecado de Acán, la segunda fue la subestimación del enemigo (7:3, 4). Era necesario corregir ambos errores. Dios le promete a Josué que el lugar de la derrota se transformaría en el lugar de la victoria (8:1).

La estrategia de conquista usada fue diferente a aquella usada en Jericó: (a) 30.000 hombres serían usados en una emboscada, los cuales prenderían fuego a la ciudad; (b) el segundo contingente de hombres de guerra, que era el resto del ejército, sería el elemento distractor para sacar a los defensores de la ciudad de Hai fuera de ella; (c) un grupo de 5,000 hombres harían otra emboscada para evitar el reforzamiento que desde Betel podía salir en favor de las fuerzas de Hai.

El plan trabajó a la perfección (8:9-29), Israel había sido restaurado al favor de Jehovah y la victoria fue alcanzada. Sin demora, y sin asegurar la zona conquistada (que habría sido lo mas sensato) Josué condujo al pueblo a un peregrinaje espiritual (Jos. 8:30-35; comparar Deut. 27:1-8) en la región entre los montes Ebal y Gerizim (Jos. 8:33). El acto religioso tuvo tres etapas: (a) Josué erigió un altar de piedras enteras, ofreciéndose sobre éste holocaustos y ofrendas (8:31); (b) sobre unas piedras escribió una copia de la ley de Moisés (8:32); (c) Josué leyó la ley al pueblo (8:34). Desde este momento en adelante, la historia de Israel descansa en su actitud hacia la ley, si obedece recibirá bendición, si desobedece entonces recibirá maldición (Deut. 28).

Lo realizado hasta aquí se expandía rápidamente, incluso se aliaban nuevos reyes y pueblos para pelear contra Israel (9:1, 2). Los Gabaonitas no pensaron así. Con astucia procuraron la alianza con Israel (9:4, 15, 24-27), su vida les fue perdonada y habitaron entre los israelitas como leñadores y portadores de agua (9:27).

─────────── *Estudio del texto básico* ───────────

Lea su Biblia y responda

1. Lea Josué 8:1, 2. Responda a las siguientes preguntas:
   a. Escriba las órdenes entregadas por Dios a Josué: _____
   _____
   _____
   _____

   b. ¿Cuál es la promesa de Dios? _____

   c. Fue la ciudad de Hai puesta bajo anatema al igual que la ciudad de Jericó? ¿Por qué? _____
   _____

   d. ¿Qué estrategia debía usar Josué para conquistar la ciudad? _____
   _____
   _____

2. Lea Josué 8:32, 33 y escriba:
   a. ¿Qué escribió Josué? _____
   ¿En qué lo escribió?_____
   ¿Y delante de quiénes lo escribió?_____
   b. Mencione los grupos humanos que se mencionan en el pasaje. _____
   _____

   c. Mencione los lugares de ubicación de los grupos humanos menciona-dos en el pasaje. _____
   _____

   d. Ubique la cita bíblica en la que está registrado el mandato de Moisés a Josué._____

3. Lea Josué 9:22-27. Preguntas a responder:
   a. ¿Cómo es considerado, por Josué, la astucia usada por los gabaonitas para ser aceptados por los israelitas? _____
   _____

b. ¿En qué consiste el castigo impuesto sobre los gabaonitas a causa de su engaño? _____

c. ¿Cuál es la explicación gabaonita al engaño utilizado? _____

d. ¿Cómo reaccionaron al castigo implantado? _____

Lea su Biblia y piense

1 La victoria sobre Hai, Josué 8:1, 2.

V. 1. Con el pecado de Acán castigado, la relación del pueblo con Dios ha sido restaurada. Josué es reafirmado. Hay temor en su corazón. Se hacía necesario escuchar con atención las órdenes de Dios y seguirlas al pie de la letra: (a) no temas, (b) ni desmayes, (c) toma contigo toda la gente de guerra, (d) levántate, y (e) sube a Hai. Es tuyo, lo he entregado en tus manos.

V. 2. Qué ironía. Si tan sólo Acán hubiese esperado "unos metros más" habría tenido todo lo que su corazón deseaba y aún la bendición de Dios. El sendero de la obediencia y la fe siempre es mejor.

2 Todos escuchan la Palabra de Dios, Josué 8:32, 33.

V. 32. Luego de levantar un altar en el monte Ebal y ofrecer sacrificios y ofrendas, Josué escribió una copia de la Ley de Moisés. ¿Qué se escribió? Posiblemente los Diez Mandamientos, o quizás el contenido comprendido entre los capítulos 5 al 26 del libro de Deuteronomio. El texto no nos dice.

V. 33. Todo el pueblo fue testigo. Observe los grupos humanos que son mencionados: (a) todo Israel, (b) sus ancianos, (c) oficiales, (d) jueces, (e) sacerdotes levitas y (f) extranjeros y naturales. También se nos dice dónde estaban ubicados: (a) de pie a los lados del arca del pacto, (b) la mitad del pueblo hacia el monte Ebal y la otra mitad hacia el monte de Gerizim. Todo este acontecimiento fue ordenado por Moisés con anterioridad (Deut. 27:12-26) y es por ello que es ejecutado. Acto seguido vendría la lectura de la ley.

3 El castigo para los gabaonitas, Josué 9: 22-27.

Vv. 22-27. Josué y los principales de Israel eran hombres de integridad, hombres de palabra. No había intención de traer nuevas desgracias sobre el pueblo ni menos desobedecer a Dios. Era necesario que el engaño cometido fuese castigado. Josué, por lo tanto, se dirigió a los gabaonitas, enrostrándoles su deshonestidad y condenándolos a una esclavitud perpetua. Esta esclavitud les transformaría en leñadores y acarreadores de agua para el pueblo de Israel y para el altar de Dios, en donde serían expuestos a la adoración de un verdadero Dios. Lo que ellos quisieron ser, lo perdieron. Deseaban ser hombres libres y terminaron siendo esclavos. Sin embargo, el castigo se transformó en bendición (ver 10:10-14; 2 Crón. 1:3; Neh. 3:7).

───────────────── *Aplicaciones del estudio* ─────────────────

1. La obediencia siempre es recompensada. Se hace necesario que cada día el pueblo de Dios desarrolle una actitud de obediencia hacia lo que Dios ordena; de esa manera se logrará prosperar.

2. Cuando los errores son rectificados, Dios se encarga de transformar los fracasos en victorias.

3. La Palabra de Dios debe ser tomada como tal. La Palabra de Dios puede ser analizada, estudiada y sometida a cuidadosos estudios, sin embargo, en última instancia debe ser obedecida sin "peros" de ninguna clase. El pueblo le debe reverencia, atención y obediencia sin restricciones.

4. Quien busca favorecerse a sí mismo con engaños, termina por perder lo que busca, mientras que, quien habla con veracidad y actúa con honestidad logrará sus propósitos.

───────────────── *Prueba* ─────────────────

1. ¿Por qué Dios insiste en decirle a Josué "no temas ni desmayes"?_____
_____

2. ¿Qué indujo a los gabaonitas a engañar a Josué? _____
_____

3. ¿Qué lección aprendemos de la experiencia de los gabaonitas? _____
_____
_____

4. ¿Cómo podemos mostrar reverencia y respeto hacia la Palabra de Dios?_____
_____
_____

Lecturas bíblicas para el siguiente estudio

Lunes: Josué 10:1-15   **Jueves:** Josué 11:1-15
Martes: Josué 10:16-27   **Viernes:** Josué 11:16-23
Miércoles: Josué 10:38-43 **Sábado:** Josué 12:1-24

Unidad 5

Conquista de la tierra prometida

Contexto: Josué 10:1 a 12:24
Texto básico: Josué 10:6, 8-13; 11:18-20
Versículo clave: Josué 10:8
Verdad central: La conquista de Canaán por parte de Israel es una evidencia de que el poder de Dios es suficiente para satisfacer las necesidades de quienes le obedecen.
Metas de enseñanza-aprendizaje: Que el alumno demuestre su conocimiento de cómo Israel conquistó la tierra prometida, y su decisión de someter su vida al control del Señor.

─────────── *Estudio panorámico del contexto* ───────────

La presencia conquistadora de Josué y los israelitas trajo temor a la región (10:1, 2) y eso obligó a la formación de una confederación militar de cinco reyes amorreos (10:3, 5). ¿Triunfarían? La estrategia usada por Josué hasta este instante, fue la de conquistar una ciudad a la vez, esto le ponía un nuevo desafío ya que sería una nueva modalidad estratégica. Jehovah Dios era el aliado de Josué y sus ejércitos, y él le aseguró que marchara con confianza porque ya los había entregado en sus manos (10:8). Tras un ataque sorpresivo, provocó consternación, los hirió con gran mortandad y a quienes huyeron los persiguieron por el valle de Ajalón en donde encontraron la muerte por grandes piedras que el Señor arrojó desde los cielos.

La oración de Josué fue una solicitud inusual (10:12, 13). ¿Cuál sería el motivo de ella? Era necesario disponer de más tiempo para terminar con el enemigo. La oración fue contestada por el Señor en forma inmediata. Ese día fue un día de casi 48 horas (10:13). La pregunta es, ¿por qué fueron llamados el sol y la luna a detenerse siendo que ambos eran dioses para los cananitas? El hecho que se sujetaran en obediencia a la orden dada, hablaba de la grandeza y superioridad de la deidad de los israelitas. Sin lugar a dudas Jehovah Dios era un aliado invencible al lado de Josué y sus ejércitos. El estaba en la batalla con los suyos (10:14).

Derrotados los reyes enemigos, el paso conquistador continuó. Nada lo impedía y de esa manera: Maqueda, Libna, Laquis, Gezer, Eglón, Hebrón, Debir, la región del Neguev y aquella que se encontraba entre Cades-barnea y Gaza, la tierra de Gosén hasta Gabaón, todo fue entregado por Dios en las manos de Josué, porque él peleaba con Israel (10:43).

La zona norte de Canaán estaba alarmada, una nueva confederación se forma con un ejército mayor y armamento más avanzado (11:4, 5). Una vez más se oye la voz del Señor: "No temas, yo los entregaré delante de los hijos de Israel" (11:6). Todo fue arrasado y destruido, ni siquiera las armas de guerra fueron conservadas (11:9, ver Salmo 20:7). El secreto de la victoria estaba en seguir, al pie de la letra, lo que Dios había ordenado (11:15). Todo este proceso de victorias dio formal término a la conquista de la tierra. Si bien quedaba tierra por conquistar (13:2-6) y nuevas batallas que enfrentar (11:18-23), Dios guiaría a su pueblo en el momento oportuno para hacerlo.

Estudio del texto básico

Lea su Biblia y responda

1. Lea Josué 10:6, 8-13. Responda (V)erdadero o (F)also.

_____ a. Los gabaonitas enviaron un mensaje a Josué con urgencia hasta el campamento en Gilgal.
_____ b. Los enemigos que amenazaban con atacarlos eran los heteos.
_____ c. Jehovah Dios no estaba de acuerdo que Josué defendiera a quienes les habían engañado.
_____ d. Los amorreos fueron aniquilados con piedras de granizo.
_____ e. Josué oró para que el día fuera más largo.
_____ f. Dios no respondió a la oración de Josué por considerarla arrogante.

2: Lea Josué 11:18-20. Conteste brevemente:
a. ¿Con qué reyes Josué continuó teniendo guerras? _____
_____
_____

b. ¿Quiénes hicieron la paz con los hijos de Israel? _____
_____

c. ¿Cuál es la causa del endurecimiento del corazón de estos pueblos?
_____
_____

Lea su Biblia y piense

1 La Batalla de Gabaón, Josué 10:6, 8-13.
V. 6. Los gabaonitas enviaron un mensajero a Josué acerca de la confederación formada, en su contra, por cinco reyes amorreos. "No niegues ayuda a tus siervos", era la apelación. ¿Por qué se levantaban aquellos reyes en contra de los gabaonitas? Por traidores a la causa cananea. Para salvar su vida se habían unido al ejército invasor. ¿Por qué Josué debía responder con ayuda a quienes le habían engañado? Total, de esa manera Israel era liberado

de un evidente fracaso. Sin embargo, para Josué no fue una opción y eso es evidente por su reacción. Dio órdenes al ejército y rápidamente tuvieron que subir los 35 kilómetros desde Gilgal hasta Gabaón sobre un terreno difícil.

V. 8. El "no temas" de Dios a Josué responde a una nueva estrategia a utilizar. Hasta aquí sólo se habían conquistado ciudades. Ahora es una confederación de cinco reinos. El Señor estaba con los suyos y una vez más actuaría en favor de ellos. Motivado por la promesa de Dios, Josué lanzó un ataque sorpresivo, hiriéndoles con gran mortandad, persiguiendo y destruyendo a quienes huían.

Vv. 9-11. ¡Nadie imaginó lo que Dios iba a hacer! Los amorreos no fueron capaces de escapar. Usando las fuerzas de la naturaleza para pelear en favor de Israel, el Señor hizo caer desde los cielos grandes piedras de granizo con mortal precisión que fueron más los que murieron por este acto divino que los que los israelitas mataron a filo de espada. La persecución del enemigo era larga y ardua y es posible que el día no sería suficiente. En un acto de fe, Josué oró para que el día se prolongara hasta que su gente se vengara de sus enemigos. Dios respondió a esa fe y así ocurrió. Con esta conclusión, el autor desea recordar al pueblo que las victorias obtenidas eran la obra y acción de Dios.

Vv. 12, 13. En estos versículos encontramos uno de los enigmas más profundos de toda la Biblia. Todos los hebreos llegan a ser testigos del evento. Josué después de un diálogo con el Señor se dirige al sol y a la luna y les ordena: "¡deténganse!" Una orden atrevida, increíble desde la perspectiva humana, pero dada como resultado de una profunda confianza en Dios. Imaginemos, después de una noche de caminar para cubrir los 35 kilómetros de distancia entre Gilgal hasta Gabaón, de todo un día de luchar con la espada en la mano, de ver el granizo caer del cielo como grandes piedras, y de la ya prolongada batalla: Jehovah escuchó la voz de un hombre, la voz de Josué, y el sol se detuvo "casi un día entero" porque Jehovah combatía a favor de su pueblo hasta derrotar a todos sus enemigos.

2 Sumario de las áreas conquistadas, Josué 11:18-20.

Vv. 18-20. El período de la conquista de la tierra prometida se prolongó por mucho tiempo. Algunos estudiantes de la historia bíblica calcula que estas luchas duraron alrededor de siete años. La victoria no venía ni fácil ni rápida. En todas las confrontaciones militares sólo Gabaón buscó la paz con Israel. El resto de las ciudades fueron tomadas en batallas. ¡Total: 31 reyes derrotados! ¿Por qué se endurecían esos reinos aunque veían que los hebreos iban a conquistarlos? Por un lado, era debido a sus corazones que ya estaban duros debido a su mucha inmoralidad. Por otra parte, porque Dios los endureció aún más para que fuesen destruidos sin que se les tuviera misericordia. Literalmente fueron "desarraigados" porque no habían respondido favorablemente a la evidente intervención divina. Así es el pecado, nos quita las cosas más preciosas en nuestras vidas, familia, hogar, tierras y trabajo. Josué fue un líder con mucho coraje y audacia. El hombre había dado lo mejor de su vida. Parecía que era tiempo de descansar, pero no, Josué quería continuar, pero Dios tenía otra tarea, tanto o mucho más difícil, que el guerrero debía cumplir: la distribución de la tierra prometida. Ese será el asunto del cual aprenderemos en el siguiente estudio.

Aplicaciones del estudio

1. No importa qué tan poderoso sea el enemigo. Lo importante es saber que, si el Señor ha prometido estar con nosotros, saldremos victoriosos. Con toda tranquilidad podemos esperar que él cumplirá sus promesas.

2. Todo tiempo es del Señor. Cuando nos ponemos en sus manos descubriremos que él siempre se glorifica. Muchas veces sus maneras de actuar nos parecen extrañas y confunden nuestra manera de pensar, pero el Señor tiene señorío sobre el tiempo y lo controla para cumplir sus propósitos.

3. Recordarnos a nosotros mismos que la oración eficaz del justo puede mucho. Por fuera de lógica que la oración de Josué nos parezca: ¡Pedir que el sol y la luna se detuvieran! No lo es tanto cuando escuchamos al Señor Jesús diciendo que todo lo que pidamos en oración al Padre celestial y creyendo que lo recibiremos, nos será dado. Entonces bien podemos pedir hoy que Dios nos conceda "ese milagro" por el cual estamos dispuestos a glorificarle.

4. En los planes de Dios está la participación de los suyos. Se hace necesario que, al igual que Josué y los hijos de Israel lucharon y Dios les dio la victoria, nosotros nos armemos del mismo pensamiento: tenemos que hacer nuestra parte, pues Dios ya ha hecho la suya.

5. Su consecuencia final es fatal. El endurecimiento del corazón es resultado de una respuesta negativa a la revelación de Dios.

Prueba

1. ¿Qué nos dice la frase "Jehovah peleaba por Israel"? _____
_____

2. Refiérase a una aplicación práctica de su fe. ¿Cómo resultó? ¿Cuáles fueron sus consecuencias? ¿Qué aprendió? _____
_____
_____
_____

Lecturas bíblicas para el siguiente estudio

Lunes: Josué 13:1-33
Martes: Josué 14:1-15
Miércoles: Josué 15:1-63

Jueves: Josué 16:1 a 17:18
Viernes: Josué 18:1-28
Sábado: Josué 19:1-51

Distribución de la tierra prometida

Contexto: Josué 13:1 a 19:51
Texto básico: Josué 13:1, 6-8; 14:10-13; 18:1
Versículo clave: Josué 14:12
Verdad central: La manera como Dios guió la distribución de la tierra prometida demuestra su interés por las necesidades materiales de su pueblo.
Metas de enseñanza-aprendizaje: Que el alumno demuestre su conocimiento de cómo se distribuyó la tierra prometida, y su actitud de aceptación de las maneras cómo Dios provee para las necesidades materiales de su pueblo.

Estudio panorámico del contexto

Habiendo removido, en forma exitosa, todas aquellas amenazas militares que ponían en peligro la sobrevivencia de Israel en Canaán, corresponde a Josué, el experimentado soldado, actuar como administrador. La tierra conquistada y que había implicado la pérdida de muchas vidas tenía que ser distribuida y asignada a las diferentes tribus. Josué vigilaría tan importante transacción. Esta sección es importante en la vida de esta naciente comunidad. Después de siglos de esclavitud en Egipto, de décadas de peregrinación en el desierto, de años de duras luchas en Canaán, la hora ha llegado cuando los israelitas finalmente podían asentarse para construir sus casas, cultivar la tierra, formar a su familia y vivir en paz en su propia tierra. Los días de la repartición de la tierra era un tiempo feliz para Israel.

Para estos días, Josué estaba avanzado en años, más o menos cien años, (13:1; 24:29). Su misión no sólo consistía en conducir al pueblo a la conquista de la tierra prometida, sino que también su responsabilidad era repartir la tierra (1:6). Había tierra que quedaba por conquistar y, según el relato lo describe, desde el sur hacia el norte, incluyendo el territorio de los filisteos, Fenicia (13:4) y el Líbano (13:5, 6). Toda esta tierra debía ser distribuida entre nueve tribus y la media tribu de Manasés. Las tribus de Rubén, Gad y la otra mitad de Manasés recibieron la tierra prometida por Moisés, al oriente del Jordán (Núm. 32). La tribu de Leví no recibió territorio específico (13:33; 14:3, 4; 18:7), sólo 48 ciudades con pastizales para sus rebaños y ganados (Núm. 35:1-5; Jos. 14:4; 21:41).

Caleb, viejo amigo de Josué y compañero en la tarea de espionaje que les fuera asignada por Moisés, es introducido como quenezeo, tribu de Canaán en los días de Abraham (Gén. 15:19). Es posible que los quenezeos se unieran a la tribu de Judá en un tiempo previo al éxodo. Por lo tanto, su fe en el Dios de Israel no es "hereditaria" sino el resultado de convicciones. Dios le había prometido una porción de la tierra, y eso es lo que está solicitando en la presencia de su amigo (13:6-14).

La distribución de la tierra fue como sigue: (1) Rubén, recibió la tierra previamente ocupada por Moab, al este del mar Muerto; (2) Gad, la tierra de Galaad; (3) la media tribu de Manasés, las llanuras de Basán; (4) Judá, una gran porción de tierra que va desde el sur del mar Muerto hasta el mar Mediterráneo, y desde el norte del mar Muerto hasta el mar Mediterráneo; (5) Efraín y la otra mitad de Manasés recibieron la zona central de Canaán; (6) Benjamín recibió la tierra que está entre los hijos de Judá y los hijos de José; (7) Simeón recibió la sección sur de la tierra dada a Judá; (8) Zabulón, la zona costera de la baja Galilea; (9) Isacar ocupó el hermoso valle de Jezreel; (10) Aser se le asignó la zona costera que comprende desde el monte Carmelo hasta Tiro y Sidón; (11) Neftalí ocupó la zona que conocemos como la Galilea de Jesús; (12) Dan recibió la porción más pequeña en el sur hacia la costa del mediterráneo, no siendo suficiente, conquistó en el norte la ciudad de Lesem la cual tomándola y habitándola le pusieron por nombre Dan.

─────────── *Estudio del texto básico* ───────────

Lea su Biblia y responda

1. Lea Josué 13:1, 6, 7 y responda estas preguntas:
   a. Después de la conquista de la tierra prometida, ¿cuál era la nueva responsabilidad de Josué? _____
   _____

   b. ¿Cómo se haría la repartición de la tierra? _____
   _____

2. Lea Josué 13:8. Responda las siguientes preguntas:
   a. Mencione las tribus que ya habían recibido porción de tierra:
   _____
   b. ¿Quién les había dado la tierra? _____
   c. ¿Dónde estaba ubicada la tierra ya entregada? _____
   _____

3. Lea Josué 14:10-13. Escriba (V)erdadero o (F)also según corresponda:

   _____ a. Caleb tenía cuarenta y cinco años cuando repartió la tierra.
   _____ b. Después de la jornada conquistadora, Caleb se sentía cansado y fatigado.

_____ c. El monte asignado a Caleb fue Hebrón.

4. Lea Josué 18:1 y complete el versículo:
Toda la _____ de los _____ se reunió en
Silo, y erigieron allí el _____ después
que la _____ les fue _____.

Lea su Biblia y piense

1 Dios guía la distribución de la tierra prometida, Josué 13: 1, 6, 7.

V. 1. Dios guió a Josué en la división de la tierra que estaba al oeste del río Jordán en este tiempo porque Josué estaba avanzado en años (24:29). Es como si el Señor tuviese que escoger entre dos estrategias: una era seguir conquistando y la otra, repartir la tierra. Josué tenía el espíritu del conquistador, para seguir avanzando; también tenía la sabiduría y respeto del pueblo como para servir en la distribución de la tierra de tal manera que las doce tribus quedaran contentas.

Vv. 6, 7. La comisión de Dios a Josué no sólo era la conquista sino también la distribución de la tierra (Jos. 1:6). La tierra que quedaba y que debía ser conquistada era la tierra a distribuir. Esta comprendía de sur a norte: la tierra de los filisteos, Fenicia (tierra de los cananeos) que era la zona costera de los Siro-Palestinos y el Líbano. Toda esta tierra estaba destinada a los hijos de las restantes nueve y media tribus de los hijos de Israel. Dios había prometido derrotar a los moradores de estas tierras. Dios decide que lo mejor es asignar a Josué la distribución de la tierra y esperar el momento oportuno para conquistar las tierras restantes.

2 Tribus que recibieron el territorio oriental, Josué 13:8.

Una vez que Dios le dio la orden de distribuir la tierra, Josué, inmediatamente reconoció y confirmó lo que su antecesor había asignado a Rubén, Gad y a la mitad de la tribu de Manasés (hijo de José). Ellos recibieron tierras ricas en pastizales en la Trasjordania por poseer muchos rebaños y ganados (Núm. 32).

3 Caleb reclama las montañas de Hebrón, Josué 14:10-13.

Vv. 10, 11. El testimonio de Caleb es una evidencia más de la fidelidad del Señor: (1) le ha hecho vivir 45 años como lo prometió; (2) le prometió "en aquel día" la tierra que con valor había espiado, Hebrón. Caleb tenía una fe firme en las promesas de Dios. Le sostuvieron en todo tiempo. Por otro lado, a pesar de su edad (85 años), se sentía tan fuerte como en el día en que Moisés le asignó la misión de espiar la tierra prometida.

Vv. 12, 13. Caleb concluye su solicitud reclamando aquello que le había sido prometido. Sin descansar en sus habilidades físicas y confiando en la presencia de Dios, está dispuesto a conquistar las grandes ciudades fortificadas y derrotar a los cananeos sus habitantes. Josué, varón temeroso de

Dios y fiel a su compañero de jornada, respondió en dos formas: (1) bendijo a Caleb y (2) le dio Hebrón por heredad.

4 Exploración del resto de la tierra, Josué 18:1.

Antes que la tierra fuera totalmente distribuida, Israel se movió unos 40 kilómetros hacia el noroeste, desde Gilgal a Silo. ¿Por qué? Probablemente porque Silo, ubicado en el centro de la tierra de Canaán, era el lugar ideal donde el tabernáculo de reunión recordaría a Israel que el secreto de la prosperidad y bendición era la adoración y servicio a Jehová. Erigido allí el tabernáculo, se repartió entre las tribus restantes habiéndose asignado a expertos la tarea de estudiar la tierra y traer el informe (18:4-6).

───────────────── *Aplicaciones del estudio* ─────────────────

1. Como parte del pueblo de Dios debemos tener la firme convicción que nuestro Dios es fiel y que sus promesas son fieles. Ellas deben sostener nuestro peregrinaje hasta que lleguemos a la "nueva tierra prometida".

2. Cada uno de nosotros debemos entender que Dios es sabio, tiene sus estrategias, tiene a sus siervos, tiene su tiempo, y tiene abundantes bendiciones para los suyos. No nos desesperemos, él no se adelanta ni llega tarde.

3. Es muy importante que nuestra fe siempre sea resultado de nuestras convicciones. Para ello hay que estar en el camino, batallando en la jornada y no sentados en el balcón como simples espectadores.

───────────────── *Prueba* ─────────────────

1. En el mapa de la tierra de Israel que viene en su libro (p. 10), ubique tres de las tribus de Israel según la distribución señalada.

2. Escriba una experiencia en que Dios mostró su provisión en el tiempo preciso y si desea, compártala con sus compañeros en la clase. _____
   _____
   _____
   _____
   _____

Lecturas bíblicas para el siguiente estudio

Lunes: Josué 20:1-9   **Jueves:** Josué 21:27-33
Martes: Josué 21:1-8   **Viernes:** Josué 21:34-40
Miércoles: Josué 21:9-26   **Sábado:** Josué 21:41-45

Unidad 5

Ciudades de refugio

Contexto: Josué 20:1 a 21:45
Texto básico: Josué 20:1-8; 21:1-3, 41
Versículo clave: Josué 20:4
Verdad central: Las instrucciones que Dios dio para la creación de las ciudades de refugio y las ciudades para los levitas muestran su deseo de que exista un trato justo para todos.
Metas de enseñanza-aprendizaje: Que el alumno demuestre su conocimiento de las instrucciones que Dios dio para la creación de las ciudades de refugio y las ciudades para los levitas, y su actitud hacia el deseo de Dios de que exista un trato justo para todos.

─────────── *Estudio panorámico del contexto* ───────────

La designación de las ciudades de refugio era una nueva ordenanza de Dios para Josué, era algo que ya había ordenado por medio de Moisés (Exo. 21:12, 13; Núm. 35:6-34; Deut. 19:1-14). Su propósito era ofrecer asilo o refugio para quienes sin intención alguna hiriesen de muerte a otro y su permanencia en el lugar sería hasta que se tuviera juicio público. Este juicio se realiza entre la congregación y el vengador de la sangre de quien ha muerto. Si la sentencia es "muerte sin intención", al individuo le será permitido regresar a la ciudad de refugio y habitar hasta la muerte del sumo sacerdote. Después de esto podría regresar a la tierra de su posesión. ¿Por qué? porque la muerte del sumo sacerdote simbolizaba una cancelación o remisión del pecado cometido por aquel que mató sin intención.

¿Qué hay detrás de todo esto? Una materia de gran importancia. Dios desea hacer conciencia en Israel de la santidad de la vida humana. Poner término a la vida de un hombre que mató sin intención, es un asunto serio, y las ciudades de refugio subrayan el respeto a la vida humana.

Por otro lado, la designación de ciudades para los levitas, también era algo que Dios había ordenado por medio de Moisés. Eran un total de 48 ciudades incluidas las seis ciudades de refugio (Núm. 35:1-8). Estas ciudades tenían pastizales para los ganados, las cuales fueron donadas por cada una de las tribus de Israel (21:3-8).

Esta dispersión de los levitas entre las tribus de Israel es cumplimiento de los oráculos de Jacob sobre sus hijos (Gén. 49:5-7) a causa del apresuramiento en matar a los moradores de Siquem (Gén. 34:25-31). Se hace necesario aclarar que los levitas permanecieron con Moisés en tiempos críticos (Exo. 32:26) y vindicaron el justo nombre de Jehovah Dios en las llanuras de Moab (Núm. 25:10-13). En la bendición final de Moisés sobre Leví dijo: "ellos enseñarán tus juicios a Jacob, y tu ley a Israel; pondrán el incienso delante de ti, y el holocausto sobre tu altar" (Deut. 33:10). Qué privilegio y que alta responsabilidad, instruir al pueblo y mantener el conocimiento de la ley de Jehovah entre ellos, y servir como una barrera impenetrable contra la idolatría de las naciones vecinas.

Estudio del texto básico

Lea su Biblia y responda

1. Lea Josué 20:1-8. Conteste las siguientes preguntas:
   a. Cite el pasaje donde se encuentra el mandato de Dios a Moisés referente a las ciudades de refugio: _____

   b. ¿Cuál era el propósito de las ciudades de refugio? _____

   c. ¿Por qué debía presentarse en la puerta de la ciudad? _____

   d. ¿Hasta cuándo permanecería en la ciudad de refugio? _____

   e. Nombre los lugares donde se establecerían dichas ciudades._____

2. Lea Josué 21:1-3, 41 y conteste estas preguntas:
   a. ¿Ante quiénes vinieron los jefes de los padres de los levitas? _____

   b. ¿Dónde hablaron y de qué hablaron? _____

   c. ¿Cuál fue la actitud del pueblo hacia lo solicitado? _____

   d. ¿Cuántas ciudades les fueron asignadas a los levitas? _____

Lea su Biblia y piense

1 Las ciudades de refugio, Josué 20:1-8.
Vv. 1-3. Se establece una clara distinción entre uno que mata con intención y motivado por enemistad, y uno que mata accidentalmente o sin intención (Núm. 35:9-15, 16-21). En el caso de uno que mató accidentalmente se le proveía de un refugio en una de las seis ciudades designadas para estos propósitos. De esa manera se le daba protección de la venganza del pariente más cercano del difunto hasta que se tuviera un juicio público en el cual se comprobara su culpabilidad o inocencia.

Vv. 4-6. Al llegar a la puerta de la ciudad de refugio, debía presentar su caso a los ancianos de la ciudad los que formaban una especie de corte legal. Ellos decidían otorgar asilo provisional hasta el momento en que se celebrara el juicio formal. Definida la sentencia, en presencia de la asamblea de los hijos de Israel y del vengador, y si ésta lo declaraba "culpable accidentalmente o sin intención", entonces le era permitido regresar a la ciudad de refugio hasta el día en que muriera el sumo sacerdote que había oficiado la causa. Sólo entonces estaba en condiciones de regresar a su tierra. No era permitido entregar en manos del vengador la vida de un hombre que estaba en los límites de la ciudad de refugio gozando de ese beneficio.

Vv. 7, 8. Las ciudades fueron: Cades en Galilea, tierra de Neftalí; Siquem en la tierra de Efraín; Hebrón en la tierra de Judá. Estas tres primeras ciudades de refugio se encontraban en la tierra prometida conquistada por Israel bajo el liderazgo de Josué. Las ciudades de Beser en la tierra de Rubén, Ramot en la tierra de Gad y Golán en la tierra de Manasés eran ciudades que estaban al otro lado del Jordán, es decir, al oriente del Jordán.

2 Las ciudades para los levitas, Josué 21:1-3, 41.

Vv. 1-3. El último acto de distribución de la tierra es descrito en estos pasajes. Los líderes de la tribu de Leví se presentaron ante los líderes del pueblo y reclamaron la promesa de Dios para ellos dada por boca de Moisés (Núm. 35:1-8). Los líderes y los hijos de Israel estuvieron de acuerdo, sin causar dificultades y conforme al mandato de Jehovah y el tamaño de sus familias, entregaron las ciudades pertinentes a los levitas.

V. 41. Un total de cuarenta y ocho ciudades fueron entregadas por las tribus de Israel a los levitas. De esas cuarenta y ocho ciudades, seis estaban destinadas para ser ciudades de refugio. (Coat, Gerson y Merari eran las tres ramas principales de descendencia de Leví. Vea los detalles de cómo se distribuyeron las ciudades a los levitas en 21:4-42).

——————Aplicaciones del estudio ——————

1. La santidad de la vida es una orden no una opción. En medio de los tremendos desafíos contemporáneos se hace un imperativo para el pueblo de Dios proclamar la santidad de la vida humana. Además de decir que la vida debe ser respetada, los creyentes debemos hacer nuestros mejores esfuerzos para que también sea digna y por lo mismo buscar que cada persona tenga los recursos básicos para que pueda vivir con dignidad.

2. Hacer la justicia por uno mismo puede ser peligroso. Siempre hay la posibilidad de castigar al inocente o de tomar venganza en exceso ante una falta. Por lo mismo, Dios ordena que se provea la oportunidad de celebrar un juicio en el cual se establezca el grado de culpabilidad o la inocencia de quien es acusado. Es bueno escuchar la causa y someterse al veredicto que se ha dictaminado, después de haber escuchado con imparcialidad todo lo que ocurrió y los motivos que inspiraron a los actores.

3. Es saludable para el pueblo de Dios tener cuidado de los siervos.

Proveer de todo lo necesario para aquellos que, respondiendo al llamado de Dios para servirlo de una manera especial y de tiempo completo, no tienen herencia. Los siervos de Dios deben ser atendidos y cuidados por el pueblo de Dios.

4. Los siervos de Dios deben reconocer el alto privilegio y la gran responsabilidad que recae en su hombros: instruir al pueblo en la ley del Señor, mantener el conocimiento de la Palabra entre el pueblo de Dios y preservarlo de la idolatría.

Prueba

1. Explique con sus palabras el propósito de las ciudades de refugio.

_____

_____

_____

2. ¿Cuántas ciudades de refugio habían? _____

¿En la tierra de cuáles tribus estaban ubicadas? _____

_____

_____

_____

3. ¿Cómo aplicaría el principio de "ciudades para los levitas" en el contexto del pueblo de Dios en el día de hoy? _____

_____

_____

_____

_____

Lecturas bíblicas para el siguiente estudio

Lunes: Josué 22:1-34
Martes: Josué 23:1-16
Miércoles: Josué 24:1-13

Jueves: Josué 24:14, 15
Viernes: Josué 24:16-28
Sábado: Josué 24:29-33

Unidad 5

Despedida de Josué

Contexto: Josué 22:1 a 24:33
Texto básico: Josué 22:16, 21-24; 24:14-18, 23, 24.
Versículo clave: Josué 24:24
Verdad central: Los eventos que ocurrieron al final de la vida y liderazgo de Josué demuestran que necesitamos reconocer lo que Dios hace por nosotros y comprometernos con él como nuestro único Dios.
Metas de enseñanza-aprendizaje: Que el alumno demuestre su conocimiento del significado de los eventos que ocurrieron al final de la vida y liderazgo de Josué, y su actitud de reconocimiento de lo que hace Dios por nosotros y la necesidad de comprometerse a tenerlo como su único Dios.

Estudio panorámico del contexto

¡Bravo por la tribu de Rubén, Gad y la mitad de la tribu de Manasés! Cumplieron la palabra dada a Moisés (Núm. 32:16-33). Durante largo tiempo lucharon con y a favor de las tribus hermanas y se cuidaron de guardar los mandamientos de Jehová. Ahora es tiempo de regresar a su tierra y ocuparse de sus propios asuntos. Una sola recomendación les fue hecha: no olvidar a Jehovah Dios (22:5).

¿Hasta dónde pueden llegar los celos? ¿Quién puede entender la actitud de los hijos de Israel contra sus propios hermanos? El temor mayor estaba fundamentado en falsas suposiciones (22:16-20). Este movimiento de los israelitas hacia al otro lado del Jordán no era muestra evidente de rebelión en contra de Jehovah Dios, sino el retorno a los suyos y a sus tierras. El altar levantado era testimonio de que los israelitas del otro lado del Jordán eran hermanos de los israelitas que vivían en la tierra conquistada (22:23-29).

El libro de Josué termina con la despedida de un "viejo soldado" al retirarse de los suyos. Su discurso expresa su profunda preocupación por una complacencia y conformismo hacia los residuos cananitas que permanecían aún entre los israelitas (23:6-16).

Después de hablar a los ancianos, príncipes, jueces y oficiales del pueblo, Josué le habló a toda la congregación de Israel. Su objetivo era confirmar la fe de ellos y llevarlos a una renovación de su compromiso con Aquel que había peleado por ellos. El lugar es Siquem, lugar donde Dios se le apareció a Abraham y le diera la promesa de la tierra que hoy Israel posee (Gén. 12:6, 7). Siquem es el lugar donde se recuerda la historia y el peregrinaje de Israel (24:2-13); es el lugar para reconocer el favor de Jehovah sobre ellos y renovar el pacto por parte de pueblo hacia Dios (24:14, 15, 19, 20, 22, 23).

¡Qué solemne momento! ¡Cuánta emotividad! La palabra está dicha: "A Jehovah nuestro Dios serviremos, y su voz obedeceremos" (24:24). De aquí en adelante era cuestión que el pueblo cumpliera lo dicho. El evento estaba escrito y serviría de testigo de lo sucedido (24:26, 27). En esa convicción el pueblo fue despedido, cada uno a su posesión (24:28).

Finalmente, se mencionan la muerte y sepultura de Josué en Timnat-séraj que era la heredad que le correspondió (19:49, 50). También se menciona la sepultura de José quien solicitó ser enterrado en la tierra prometida (Gén. 50:24-26), y que Moisés se preocupó de que así fuera (Exo. 13:19). Finalmente se hace referencia a la muerte de Eleazar, hijo y sucesor de Aarón. El estuvo asociado con Josué en todo el proceso de conquista, distribución y posesión de la misma (Núm. 34:17; Jos. 14:1; 19:51). Durante este período crucial se encargó de dirigir el ministerio de la adoración en el tabernáculo.

───────────────── *Estudio del texto básico* ─────────────────

Lea su Biblia y responda

1. Después de leer Josué 22:16, 21-24, conteste:

    a. ¿Por qué Israel pensó que era una transgresión lo que estaban haciendo las tribus de Rubén, Gad y la mitad de la tribu de Manasés?

    _____

    _____

    _____

    b. ¿Cuál fue la explicación que ellos le dieron al resto del pueblo?

    _____

    _____

2. Lea Josué 24:14, 15 y responda si es (V)erdadero o (F)also:

    _____ a. El quitar los dioses paganos de en medio del pueblo habla de la seriedad del compromiso que Israel tomaba.

    _____ b. El escoger daba la opción de una posición intermedia.

    _____ c. El compromiso de Josué y el de su familia era con el Dios de Israel.

3. Según Josué 24:16-18, 23, 24:

    a. ¿Cómo respondió el pueblo ante el desafío planteado por Josué?

    _____

    b. ¿Qué razones dan para no actuar en infidelidad para con Dios?_____

    _____

    _____

c. ¿Cuál era la evidencia de su compromiso con Dios? _____

_____   _____

Lea su Biblia y piense

1 Rubén, Gad y Manasés vuelven a casa, Josué 22:16, 21-24.
V. 16. Ante el nuevo e imponente altar que las tres tribus habían edificado como testimonio para las siguientes generaciones, las diez tribus acusan a los israelitas orientales (Rubén, Gad y la mitad de la tribu de Manasés) de apartarse del Señor (v.16, 18) y de estar en rebelión contra él (16, 18, 19), cosa que no es verdad, según la explicación que se da a los representantes de las casas paternas enviados para establecer los hechos y presididos por Fineas, hijo del sacerdote Eleazar.
Vv. 21-24. Las razones que están detrás de la construcción de este magnífico altar son reveladas: (1) Juran por los tres nombres de Dios (El, Elohim, Yahveh) que su acto no es uno que debe ser interpretado como rebelión o infidelidad en contra de Dios; (2) tampoco ha sido erigido este altar para presentar ofrendas u holocaustos; (3) que la única motivación es por la natural separación geográfica (el río Jordán) de estas tribus en relación al resto del pueblo y los efectos que esto podía tener sobre las generaciones futuras (22:24-29).

2 Josué invita a la renovación, Josué 24:14, 15.
Las estipulaciones de la renovación del compromiso del pueblo con Dios son declaradas con toda claridad: (1) temed a Jehovah, (2) servidle con integridad y con fidelidad; (3) quitad de en medio de vosotros todos los residuos de los dioses paganos que aún permanecen. Es posible que las demandas fueran demasiado fuertes, pero el pueblo debía escoger a quién habría de servir. ¿Qué implicaba esta renovación del compromiso con Dios? Eliminar todo tipo de alianza con dioses extraños (las deidades del otro lado del río, las deidades de los amorreos en la tierra de Canaán) y consagrarse exclusivamente a Jehovah. Josué como líder tenía muy claro el curso de su decisión: *Yo y mi casa serviremos a Jehovah.*

3 La respuesta del pueblo a Josué, Josué 24:16-18, 23, 24.
Vv. 16-18. El pueblo respondió inmediata y positivamente, movido por la fuerza de los argumentos presentados por Josué y la firmeza de su decisión. Su decisión tenía como fundamento que Jehovah: (1) nos sacó de la tierra de Egipto; (2) ha hecho estas grandes señales; (3) nos ha guardado; y (4) arrojó a los pueblos de delante de nosotros. La respuesta fue: *Nosotros también serviremos a Jehovah porque él es nuestro Dios.*
Vv. 23, 24. Para que lo prometido sea efectivo es necesario que los dioses paganos sean quitados de en medio de la congregación de Israel y de esa manera se postraran sólo delante de Jehovah Dios. El pueblo se declara a sí mismo testigo contra ellos de lo que han decidido (24:22) y han declarado:

¡A Jehovah nuestro Dios serviremos, y a su voz obedeceremos!

―――――――――――― *Aplicaciones del estudio* ――――――――――――

1. Cuán importante es el valor de la palabra. Jesús nos enseña a que nuestro "sí" sea sí, y que nuestro "no" sea no. Cuando vivimos en un mundo tan relativo, se hace un imperativo que el pueblo del Señor sea veraz como lo es Dios.

2. El ambiente presiona mucho sobre nosotros. Josué conocía bien la tendencia natural de los hebreos para acomodarse fácilmente a las costumbres y estilos de adoración de los pueblos que los rodeaban. Por eso llama a su pueblo a tomar una decisión definitiva sobre bases firmes. Por su parte él ha decidido servir al Señor, y les anima a hacer lo mismo.

3. Tenemos que tomar una decisión hoy. Para nosotros tampoco es opcional hacer la decisión en cuanto a quién va a recibir nuestra lealtad y nuestra adoración. El Dios de Israel, que se nos ha acercado por medio de Jesucristo, pide la dedicación de todo lo que somos y tenemos solamente a él. No esperemos mucho. Tenemos que tomar la decisión hoy.

―――――――――――――――― *Prueba* ――――――――――――――――

1. Explique, en sus palabras, el mal entendido que causó la construcción del altar por las tribus de Rubén, Gad y Manasés.

   _____
   _____
   _____

2. ¿Cuáles son sus razones para ser fiel al Señor? _____
   _____
   _____
   _____

Lecturas bíblicas para el siguiente estudio

Lunes: Jueces 1:1 a 2:5   **Jueves:** Jueces 4:1-10
Martes: Jueces 2:6 a 3:6   **Viernes:** Jueces 4:11-23
Miércoles: Jueces 3:7- 31   **Sábado:** Jueces 5:1-31

Unidad 6

Apostasía y aflicción

Contexto: Jueces 1:1 a 5:31
Texto básico: Jueces 2:18-22; 4:1-4, 14, 15
Versículo clave: Jueces 4:14
Verdad central: La manera como Dios trató a Israel a pesar de su infidelidad nos enseña que él es misericordioso, pero que también disciplina a sus hijos cuando no le obedecen.
Metas de enseñanza-aprendizaje: Que el alumno demuestre su conocimiento de la falta de constancia del pueblo de Israel entre sus votos de fidelidad y sus prácticas, y su actitud hacia los métodos que utiliza Dios para disciplinar a sus hijos cuando no le obedecen.

─────────── *Estudio panorámico del contexto* ───────────

El tono de preocupación que Josué mostró en su discurso de despedida, en el sentido de la complacencia y conformidad por la morada de extraños entre los hijos de Israel, se hace evidente en el relato de Jueces 1:27 al 36. ¿Qué sucedería con las generaciones venideras? Nos dice la Escritura que la generación de Josué fue reunida con sus padres (murió) y se levantó otra generación que desconocía no sólo a Jehovah sino la obra que Jehovah había realizado con Israel (2:10). ¿Cuál fue el resultado? Esa generación hizo lo malo ante los ojos de Dios.

Hay muchas preguntas que formularse. ¿Se olvidó el pueblo de transmitir los hechos portentosos de Dios a sus hijos? ¿Dónde está la obra de los levitas? ¿Qué del compromiso que habían hecho con Dios? (ver Jos. 24:16-18, 21, 22, 24). Si bien podemos encontrar toda clase de respuestas a estas preguntas, lo cierto es que la "nueva generación" dejaron a Jehovah para servir a dioses paganos (Baal, Astarot, Asera).

Dios les había advertido que ellos no habían atendido a su voz y como resultado, esos mismos pueblos paganos serían instrumentos de azote para Israel y esos dioses paganos se transformarían en tropiezo a su fidelidad para con Jehovah Dios (2:1-5).

Con esta conducta rebelde de Israel comienza un nuevo ciclo que se puede resumir así: (1) Israel hace lo malo ante los ojos de Dios; (2) son entregados en manos enemigas que los sujetan a esclavitud; (3) Israel, resiente la esclavitud, se arrepiente y clama a Jehovah Dios; (4) Dios, oye la oración de su pueblo, levanta a un libertador (juez) que lo libra de la esclavitud; (5) muerto el libertador (juez), Israel vuelve a hacer lo malo ante los ojos de Dios. Y el ciclo se repite.

Los siguientes hombres fueron levantados por Dios como libertadores (jueces) para Israel:

Opresores	Años de opresión	Juez de turno	Sirvió
Arameos	8 años	Otoniel	40 años
Moabitas	18 años	Aod	80 años
Filisteos		Samgar	
Cananeos	20 años	Débora	40 años
Madianitas	7 años	Gedeón	40 años
		Tola	23 años
		Jair	22 años
Amonitas	18 años	Jefté	6 años
		Abdón	8 años
Filisteos	40 años	Sansón	20 años

Estudio del texto básico

Lea su Biblia y responda

1. Lea Jueces 2:18-22 y conteste si es (V)erdadero o (F)also:

_____ a. Los jueces eran resultado de que Jehovah Dios era movido a misericordia.
_____ b. Israel permanecía fiel después de que el juez había muerto.
_____ c. La corrupción de esta generación israelita era mayor que la de sus padres.
_____ d. Por causa de su obstinación, Dios no arrojó a ninguna nación que habitaba entre los israelitas.
_____ e. Estas naciones paganas se transformaron en instrumentos de castigo para Israel.

2. Lea Jueces 4:1-4 y escriba brevemente:

a. ¿Como resultado de qué surge la figura de Débora? _____
_____
b. ¿En manos de quién y por cuánto tiempo estaba sometido a esclavitud?
_____

3. Responda después de leer Jueces 4:14, 15.
a. ¿Cómo se llamaba el individuo que estaba al frente de los ejércitos de Israel? _____
b. ¿Qué le dijo Débora a Barac? _____
_____

c. ¿Con cuántos hombres salió a la batalla? _____

d. ¿A qué pueblo derrotó? _____

e. ¿Quién era el capitán de ese ejército? _____

Lea su Biblia y piense

1 Apostasía y surgimiento de los jueces, Jueces 2:18-22.

Vv. 18, 19. Dios levantó a los jueces con una doble función: una era impartir la justicia entre el pueblo hebreo, y la otra, servir como libertador de la mano de los que oprimían a Israel. Es interesante que la libertad duraba todo el tiempo que vivía aquel juez y era a causa de la compasión de Dios por su pueblo. Muerto el juez, nuevamente Israel caía en una corrupción idolátrica que era peor que la de sus antepasados.

Vv. 20-22. Encontramos cuando menos cuatro razones por las cuales Dios dejó permanecer a los pueblos en medio y alrededor de Israel: (1) para usarlos como un medio de castigo por la apostasía de Israel expresada en idolatría y en darse en casamiento con esos pueblos; (2) como un instrumento para probar la fidelidad de Israel hacia su verdadero Dios; (3) como un recurso para que los hijos de Israel se entrenaran para la guerra (3:2); y (4) para que la tierra no se quedara desierta antes que Israel fuera capaz de habitarla, cultivarla y cuidarla completamente (Deut. 7:20-24).

Dios había prometido que él no arrojaría a las naciones de delante de los hijos de Israel si ellos no obedecían (Jos. 23:12, 13). Cada generación tenía la oportunidad de andar en los caminos de obediencia (2:17) o decidir transitar por los caminos de rebelión de sus antepasados.

2 Débora y Barac, Jueces 4:1-4.

V. 1. Que los israelitas vuelvan a hacer lo malo ante los ojos de Dios indica una constante inestabilidad en su conducta (2:19, 3:7, 12). Esta inconstancia e infidelidad espiritual aparece de nuevo después de la muerte de Ehud, juez que precede a Débora.

Vv. 2-4. Por cuanto Israel persistía en esta actitud de infidelidad, el Señor lo entregó en manos de los cananeos en castigo por su pecado (2:14, 3:8; 1 Sam. 12:9). Veinte años de esclavitud y severa opresión hicieron reaccionar a Israel. Clamaron a Jehovah en angustia porque la opresión era cruel. Dios responde usando a una mujer cuyo oficio era el de profetiza, mujer de Lapidot, que gobernaba en esos días a Israel. Su nombre era Débora que significa: abeja.

3 La derrota de Sísara, Jueces 4:14, 15.

Vv. 14, 15. Dos cosas son importantes para Barac: (1) la orden de Débora de "levántate" y (2) el estímulo de saber que "este es el día en que Jehovah ha entregado a Sísara en tus manos". Con ello, comandó el ejército de diez mil hombres y descendiendo del monte Tabor derrotó los poderosos ejércitos cananeos, hasta que no quedó hombre alguno. El escritor tiene el cuidado de anotar que esta fue otra victoria del Señor sobre los cananeos y su dirigente

Sísara quien trató de huir a pie a su ciudad Haroset-goím, pero en el camino murió por la mano de una mujer llamada Jael (21, 22).

--------------------- *Aplicaciones del estudio* ---------------------

1. Recordemos que somos de naturaleza frágil. Muchas veces los creyentes nos vemos a nosotros mismos como fuertes y competentes para enfrentarnos a las tentaciones. ¡Qué tragedia! Separados de la mano del Señor caemos fácilmente, y somos llevados a situaciones de las cuales no podemos salir, a menos que el Señor venga en nuestro auxilio. Recordemos que así lo dijo Jesús: "Separados de mí, nada podéis hacer".

2. Cada día, cuando amanece, traigamos a la memoria aquellos actos de gracia que el Señor ha hecho con nosotros. Sólo así y dependiendo de él mantendremos nuestra fidelidad hacia el Señor. También los que viven en nuestra casa aprenderán por el ejemplo de esas obras maravillosas de Dios y serán enseñados a dar gracias junto con nosotros.

3. Nuestro pasado como un recurso en las manos de Dios. A veces aquellos residuos negativos del pasado que hay en nuestras vidas son usados por Dios para disciplinarnos y probar nuestra fidelidad hacia él. No menospreciemos la disciplina del Señor, siempre es restauradora.

--------------------- *Prueba* ---------------------

1. Explique, con sus palabras, el proceso del ciclo que se produjo en Israel en el tiempo de los jueces. _____
   _____
   _____

2. Traiga a su memoria dos actos misericordiosos de Dios. _____
   _____
   _____

3. ¿Cómo le ha dicho "gracias" el día de hoy al Señor por esos actos de misericordia para con usted? _____
   _____
   _____

Lecturas bíblicas para el siguiente estudio

Lunes: Jueces 6:1 a 7:25   **Jueves:** Jueces 9:7-21
Martes: Jueces 8:1-35   **Viernes:** Jueces 9:22-49
Miércoles: Jueces 9:1-6   **Sábado:** Jueces 9:50-57

Unidad 6

Llamamiento y victoria de Gedeón

Contexto: Jueces 6:1 a 9:57.
Texto básico: Jueces 6:12-14, 25-27; 7:2, 7, 19-21
Versículo clave: Jueces 6:12
Verdad central: La manera como Dios llamó a Gedeón para librar a
Israel de los madianitas nos enseña que Dios llama a ciertas personas
para cumplir con sus propósitos.
Metas de enseñanza-aprendizaje: Que el alumno demuestre su
conocimiento de cómo Dios llamó a Gedeón para librar a Israel de los
madianitas, y su actitud de obediencia para cumplir con el propósito
de Dios para su vida.

Estudio panorámico del contexto

El ciclo de apostasía de Israel se cumple una vez más. Han hecho lo malo
ante la presencia del Dios santo, por lo tanto, han sido entregados en las
manos de los madianitas. Cuarenta años de paz (5:31) son interrumpidos por
invasiones durante las temporadas de cosecha (6:3-6) y de esta manera Israel
se empobreció. Esta situación les llevó a clamar a Dios. Este clamor no era
resultado de un arrepentimiento por sus pecados porque aparentemente no se
daban cuenta de las causas morales que había detrás de la opresión que el
enemigo les infligía. Vinieron a darse cuenta sólo en el momento en que el
Señor envió su profeta.

El mensaje del ángel del Señor en Boquim (2:1-5) contiene los mismos
elementos que el mensaje del profeta enviado a Israel (6:7-10). El tema del
Señor es el mismo: "no habéis obedecido mi voz."

Por medio de su ángel, el Señor trata con Gedeón. Hay un diálogo muy
rico en contenido. Por un lado están los planteamientos del Señor, por otro
lado, los argumentos de Gedeón. Al final, Gedeón pide que se le conceda
una señal, que le es dada para confirmar que verdaderamente es el Señor
(6:17-24). De ahí para adelante, se fue confirmando la presencia de Dios con
él en todo lo que hacía. Al enfrentar la batalla contra los madianitas, debió
reducir su ejército de treinta y dos mil hombres a sólo trescientos. Es interesante que por boca de un enemigo, Gedeón, entendió que el Señor había
entregado en sus manos a los madianitas (7:9-15). La victoria no demoró en
llegar (7:17-25).

Gedeón fue criticado fuertemente por los hombres de Efraín, pero con
mucha diplomacia logró aplacar su enojo (8:1-3). Su viaje por la
Trasjordania era a causa de la persecución de los dos reyes madianitas,
Zébaj y Zalmuna. Los hombres de Sucot y Peniel rehusaron a proveer de

comida para Gedeón y los hombres que, ya cansados, lo acompañaban (8:5-9). En retribución a su evidente hostilidad, Gedeón respondió que volvería con juicio para ellos. Los reyes de Madián, con lo que quedaba de su ejército, unos quince mil hombres, fueron alcanzados y sometidos (8:10-12). Gedeón, antes de matar a los reyes, cumplió su palabra para con los habitantes de Sucot y Peniel (8:13-17). Luego mató a los reyes porque ellos habían matado a sus propios hermanos (8:19).

Dos grandes errores cometieron los hijos de Israel: (1) pedir que Gedeón señoreara sobre ellos; a lo que Gedeón se negó (8:22, 23); y (2) con el efod que Gedeón hizo del oro recogido, hicieron un ídolo (8:27). Así nuevamente se prostituyeron en pos de los dioses paganos, incluyendo a Gedeón y a su familia (8:27).

Esa prostitución les condujo a decisiones erradas y una de ellas fue la elección de Abimelec como rey. Abimelec fue coronado por los hombres de Siquem. Tras una serie de conspiraciones y éxitos en sus intervenciones militares, Abimelec, tuvo un fatal final en retribución a su propio pecado (9:52-57).

───────────── *Estudio del texto básico* ─────────────

Lea su Biblia y responda

1. Lea Jueces 6:12-14, 25-27 y responda las siguientes preguntas:
   a. ¿Cómo Dios llamó a Gedeón?_____
   _____

   b. ¿Quién es el ángel de Jehovah? _____
   _____

   c. ¿Cuál fue su primera misión? _____
   _____

2. Después de leer Jueces 7:2, 7, escriba:
   a. ¿Cuál era la razón del por qué Dios no deseaba un ejército numeroso?
   _____
   _____

   b. ¿Cuántos fueron los hombres elegidos para formar el ejército que derrotaría a los madianitas? _____
   _____

3. Escriba un sencilla respuesta después de leer Jueces 7:19-21.
   ¿Qué debía hacer el ejército de Israel para conseguir la derrota de los madianitas? _____
   _____
   _____

1 Dios llama a Gedeón, Jueces 6:12-14, 25-27.

Vv. 12-14. El ángel de Jehovah, que es Jehovah mismo (6:14), se le apareció a Gedeón, quien es descrito como hombre y valiente guerrero, y le afirmó diciendo: *Jehovah está contigo*. Gedeón, ignorando la forma del pronombre singular "contigo", responde *Si Jehovah está con nosotros* (usando el pronombre en plural), *¿Por qué nos ha sobrevenido todo esto?* Así, audazmente, cuestiona la promesa divina a la luz de las circunstancias que el pueblo vive (6:3-6), y correctamente concluye que, Jehovah los ha entregado en las manos de los madianitas. El Señor responde a Gedeón comisionándolo para que libere a Israel de la mano de los madianitas.

Vv. 25-27. Esta primera misión es una prueba de obediencia. Si iba a libertar a Israel de mano de los madianitas, no sólo debía lograr una victoria militar sino también debía remover la causa de la idolatría que llevó al Señor a entregar a Israel en manos sus actuales opresores. La presencia de altares a Baal y Asera habla de esa situación espiritual. Era necesario abandonar el paganismo y restaurar la adoración a Jehovah. Gedeón puso manos a la obra. Destruyó un altar a Baal y un árbol simbólico de la diosa Asera. Luego construyó un altar a Jehovah con la misma leña del árbol, símbolo de Asera, y ofreció un holocausto de reconocimiento que Jehovah es superior a aquellos dioses. Aquel también fue un acto de consagración. Al conocerse los hechos, la gente quiso emprenderla contra Gedeón, el padre interviene, declarando que Baal puede defenderse por sí solo si es el verdadero dios. A partir de este momento Gedeón recibe el nombre de Jerobaal, porque estuvo dispuesto a luchar contra Baal (v. 32).

2 Dios prepara a Israel para la batalla, Jueces 7:2, 7.

V. 2. El ejército que Gedeón iba a usar era de treinta y dos mil hombres (7:3) contra el ejército madianita que era de ciento treinta y cinco mil hombres (8:10), sin embargo Dios consideró que eran muchos. Ni la fuerza ni la liberación está en el número, y con ello Dios nuevamente les daría una lección, a saber, la victoria la da sólo el Señor.

V. 7. *Os libraré y entregaré a los madianitas en tu mano.* Una afirmación soberbia de parte de Jehovah Dios. Si en algún momento hubo sorpresa porque el ejército era numeroso, con mayor razón ahora el pensar que con trescientos hombres lograría vencer a un ejército de ciento treinta y cinco mil. La verdad era simple: Dios hace las imposibles en victorias maravillosas.

3 Dios da la victoria a Israel, Jueces 7:19-21.

Vv. 19-21. La estrategia usada por Dios fue simple. Dividió los trescientos hombres en tres compañías, cuyas armas eran trompetas y jarros vacíos con antorchas encendidas adentro. El sonido producido por las trompetas y el ruido al quebrar los jarros, más el grito de los israelitas fue terrible y creó pánico y confusión en el campamento madianita. Asustados los soldados madianitas echaron a correr gritando y huyendo, pues no sabían lo que estaba pasando. Dios guió los eventos para que los madianitas se atacaran entre sí y dar una victoria sin igual a los hebreos.

--------------------- *Aplicaciones del estudio* ---------------------

1. Dios, al igual que ayer, sigue llamando a siervos que ejecuten su voluntad en favor de su pueblo. Es importante que en el día de hoy seamos sensibles a la voz del Señor y que respondamos en obediencia a su llamado. Nunca sabemos en qué momento o circunstancia de nuestra vida, Dios se acerca a nosotros con una sola palabra: "sígueme". El secreto de éxito está en saber escuchar y responder en obediencia.

2. Dios usa herramienta limpia. Si hemos de ver nuestras vidas transformadas en instrumentos útiles en las manos de Dios para ejecutar su voluntad, es indispensable que la "limpieza" comience en nuestra propia casa. Sólo así hay autoridad para hacer el mismo llamado a otros y juntos obedecer al Señor.

3. Bueno que recordemos. Cuando menos dos cosas: (1) que el rey no se salva por la multitud del ejército, y (2) que para Dios no hay diferencia alguna en dar ayuda al poderoso o al que no tiene fuerzas, siempre que sea en cumplimiento de su voluntad.

4. Parece absurdo. Usar trompetas, teas y cántaros por tres cientos hombres contra un ejército numeroso y bien armado puede ser que parece absurdo. Sin embargo, los métodos o las estrategias que parecen absurdas, si son de Dios usémoslas y disfrutemos de sus resultados.

--------------------- *Prueba* ---------------------

1. ¿Por qué es importante ser sensibles a la voz de Dios?_____
_____

2. ¿Qué lección le deja la estrategia usada por Dios para derrotar a los madianitas? _____
_____
_____

Lecturas bíblicas para el siguiente estudio

Lunes: Jueces 10:1-5   **Jueves:** Jueces 11:29-40
Martes: Jueces 10:6-18   **Viernes:** Jueces 12:1-7
Miércoles: Jueces 11:1-28 **Sábado:** Jueces 12:8-15

La crisis y el voto de Jefté

Contexto: Jueces 10:1 a 12:15
Texto básico: Jueces 10:10-16; 11:30-32, 34, 35
Versículo clave: Jueces 10:15
Verdad central: Los dieciocho años de opresión que sufrió Israel y el voto de Jefté demuestran el peligro de rechazar a Dios y de basar la vida en conceptos equivocados acerca de él.
Metas de enseñanza-aprendizaje: Que el alumno demuestre su conocimiento de las razones que pusieron a Israel bajo la opresión de los amonitas, su arrepentimiento, el desafortunado voto de Jefté, y su actitud para revisar sus conceptos acerca de Dios a fin de saber en qué está basando su vida.

———————— *Estudio panorámico del contexto* ————————

Tola y Jaír son conocidos como jueces menores que gobiernan en Israel por espacio de veintitrés años el primero, y por veintidós el segundo. La información que tenemos de ambos es muy poca. Además, no se nos dice quiénes fueron los adversarios de los hebreos durante esos años.

Aparecen en la escena los filisteos y los amonitas, los instrumentos de Dios para castigar a Israel. La idolatría estaba en "estado grave" todos los hebreos *abandonaron a Jehovah y no le sirvieron* (10:6, 7). Fueron oprimidos por los amonitas, un pueblo de Trasjordania, por espacio de dieciocho años. Entonces se produce el diálogo entre Israel y Dios. Israel quiso mostrar arrepentimiento declarando su pecado de dejar a Jehovah para servir a baales. Dios les responde con sus argumentos y les declarara cuál ha sido su conducta. Les invita a que ahora rueguen a aquellos dioses que han servido en su obstinada actitud. Israel procura enmendar su conducta y Dios reacciona, el autor bíblico parece ver la expresión del Señor y dice: *Y él no pudo soportar más la aflicción de Israel* (10:11-16).

Aparece en la escena Jefté un hombre que, a pesar de su virtud de ser guerrero y valiente, tenía dificultades por las cuales es desechado. Se unió a una banda de hombres aventureros de la cual fue su caudillo en la tierra de Tob (un lugar de Siria). Por causa de la aflicción, Israel va en busca de Jefté quien acepta el desafío después de algunos temores.

La razón principal para la guerra por parte de los amonitas era la tierra que Israel había tomado de ellos: "devuélvela ahora en paz" (11:13) es la solicitud. Jefté no atendió esos argumentos, más bien movido por el Espíritu de Dios, desarrolla la batalla, haciendo un voto a Jehovah. Ese voto le pesó

(11:30-39). Debe entenderse que este voto jamás lo demandó Dios de Jefté. El voluntariamente lo ofreció.

Efraín, nuevamente se siente postergado. Como resultado de ello pelea contra Jefté no prosperando su gestión. Una simple palabra, para quienes cruzaban el Jordán se transformó en identificación de muerte (12:4-60), muriendo cuarenta y dos mil hombres efrateos (de la tribu de Efraín). Por seis años Jefté gobernó a Israel. Cuando murió lo sepultaron en Mizpa.

Ibzán gobernó a Israel siete años, Elón gobernó diez años y Abdón lo hizo por ocho años; al igual que Tola y Jaír (10:1-5) se desconocen quienes fueron los pueblos opresores.

───────────── *Estudio del texto básico* ─────────────

Lea su Biblia y responda

1. Jueces 10:10-16. (V)erdadero o (F)also:

_____ a. Israel se arrepintió de sus malos caminos.

_____ b. Jehovah respondió de inmediato levantando a Jefté como libertador.

_____ c. Israel había dejado a Jehovah por dioses paganos.

_____ d. Dios les sugiere que invoquen aquellos dioses a los cuales han servido.

_____ e. Israel muestra su arrepentimiento quitando a los dioses ajenos y sirviendo a Jehovah.

_____ f. Jehovah se angustió a causa de la aflicción de Israel.

2. Jueces 11:30-32, 34, 35. Conteste las siguientes preguntas:

a. ¿Cuál fue el voto de Jefté? _____
_____
_____

b. ¿Quién fue la persona que salió a su encuentro después de regresar victorioso? _____

Lea su Biblia y piense

1 Los amonitas oprimen a Israel, Jueces 10:10-16.

Vv. 10. En ocasiones anteriores, el clamor de Israel a Dios no era resultado de su auténtico arrepentimiento. Sin embargo, en esta ocasión, había arrepentimiento; claramente se dice que confesaron sus pecados, y reconocieron que después que Dios les reprendió, insistieron en su condición de pecado.

Aceptaban el hecho de que habían mezclado la adoración a los dioses Baal, Astarte, Dagón, Quemós y otros. Se declararon a sí mismos: ¡culpables!

Vv. 11-14. Jehovah responde a los clamores de su pueblo con palabras duras. Les dice que ahora que están en apuros vayan a los dioses extraños que habían adorado y les pidan su ayuda. Les hace recordar a siete grupos que los habían oprimido y de los cuales él los había librado siempre que le habían pedido su ayuda.

Vv. 15, 16. Los hebreos siguen insistiendo. El Señor parece no escucharlos hasta que *quitaron de en medio de ellos los dioses extraños y sirvieron a Jehovah.* Al ver la legitimidad de su arrepentimiento y su deseo de hacer la paz con Dios, literalmente, el alma del Señor se partió en dos al ver la aflicción de Israel y por su misericordia levantó a Jefté como libertador.

2 El desafortunado voto de Jefté, Jueces 11:30-32, 34, 35.

Vv. 30, 31. ¿Qué inspiró a Jefté a hacer este voto? El voto de Jefté parece ser una acción de gracias anticipada por la victoria providencial que Dios le daría sobre los amonitas o puede ser una manera de comprometer formalmente a Dios, esto es lo que parece indicar la expresión: *Si de veras entregas en mi mano a los hijos de Amón.* Dios le había asegurado la presencia de su Santo Espíritu y eso era todo lo que necesitaba para realizar la tarea que Jehovah le había puesto en sus manos. Sin embargo, Jefté sintió la necesidad de hacer un voto: *cualquiera que salga de las puertas de mi casa a mi encuentro... será de Jehovah y lo ofreceré en holocausto.*

Vv. 32, 33. Dios hizo como había dicho a Jefté que haría: le entregó, en sus manos, a los amonitas. Con gran estrago conquistó veinte ciudades amonitas, sometiéndolas a los israelitas.

Vv. 34, 35. Su única hija sale al encuentro con panderos y danzas, cuando Jefté regresa victorioso a su casa en Mizpa. ¡Qué tragedia! La única esperanza de tener descendencia estaba en su hija, pues no tenía otro hijo ni hija; ahora se cerraba esa oportunidad (11:35). Jefté no sabía cuando menos dos cosas: (1) que podía redimir a su hija con plata (Lev. 27:1-8); y (2) que la ley de Moisés prohibía los sacrificios humanos (Lev. 18:21; 20:2-5; Deut. 12:31; 18:10). Esta situación revela cuán olvidada estaba la Ley del Señor aun por los dirigentes y jueces de Israel que se suponía la deberían conocer, meditar y enseñar al pueblo. Una vez más se hace evidente la tragedia de ignorar lo que dice la Palabra escrita de Dios en cuanto a los asuntos básicos de la vida diaria.

——————————— *Aplicaciones del estudio* ———————————

1. El arrepentimiento debe ser verdadero. El arrepentimiento no sólo debe ser de palabras, también debe mostrarse en acciones. Juan el Bautista les dijo a sus contemporáneos "haced, pues, frutos dignos de arrepentimiento" (Mat. 3:8).

2. Los que lloran alcanzan misericordia. El autor del libro de Jueces recuerda que Jehovah no pudo soportar más las lágrimas de arrepentimiento, contrición, confesión y deseos de encontrar el perdón que expresó el pueblo hebreo. Otro autor bíblico asegura que Dios no rechaza al corazón contrito y humillado. Jesús dijo que podían acercarse a él, para encontrar descanso, todos los que se sientan cargados y cansados. Nuestra miseria espiritual siempre conmueve a Dios, y le lleva a actuar en misericordia.

3. Cuide sus palabras. Por muy entusiasmado que uno se encuentre, siempre debe meditar primero lo que va a decir o prometer al Señor. Una vez que la palabra está empeñada, no hay manera de retractarse (Ecl. 5:1-6).

4. El peligro de ignorar la Palabra de Dios. Si Jefté hubiese recordado lo que está escrito en la Ley de Jehovah se habría ahorrado mucho sufrimiento y tristeza. También habría disfrutado de la felicidad de su hija. Es importante que la Palabra de Dios siempre esté presente en la mente, el corazón y la vida de los hijos de Dios; sólo de esa manera se logra ser sabio y actuar con prudencia y gracia delante del Señor y de los hombres (Jos. 1:8).

Prueba

1. Haga una lista de "frutos dignos de arrepentimiento" que el pueblo del Señor puede hacer para mostrar que es genuino en su arrepentimiento y la confesión de sus pecados._____
   _____
   _____

2. ¿Por qué considera importante el rol de las Escrituras en la vida de los hijos de Dios? _____
   _____
   _____

Comparta su respuesta con sus compañeros cuando el profesor(a) se lo pida.

Lecturas bíblicas para el siguiente estudio

Lunes: Jueces 13:1-25	**Jueves:** Jueces 15:18-20
Martes: Jueces 14:1-20	**Viernes:** Jueces 16:1-22
Miércoles: Jueces 15:1-17	**Sábado:** Jueces 16:23-31

Sansón, mayordomo irresponsable

Contexto: Jueces 13:1 a 16:31
Texto básico: Jueces 13:1-5, 8, 24; 16:18-21, 28-30.
Versículo clave: Jueces 13:8
Verdad central: La actuación de Sansón como mayordomo irresponsable nos enseña que no usar, o usar mal los dones y talentos que Dios nos ha dado resulta en tragedia.
Metas de enseñanza-aprendizaje: Que el alumno demuestre su conocimiento de la actuación de Sansón como mayordomo irresponsable, y su actitud hacia el uso de los dones y talentos que Dios le ha entregado.

―――――――― *Estudio panorámico del contexto* ――――――――

Al igual que Isaac y Samuel, Sansón tiene un nacimiento especial. El ciclo una vez más se repite en la vida de Israel. Los filisteos oprimen a los israelitas por espacio de cuarenta años. Sansón es el hombre elegido para ser el libertador (13:5). Su irresponsabilidad hacia la tarea para la cuál había nacido no se concretó, pues, después de sus veinte años de gobierno, Israel permanecía en la idolatría. La vida y el servicio de Sansón fueron pobres. Esa pobreza en su vida se revela en sus casamientos, motivados al dejarse llevar por sus pasiones (14:1-3; 16:1-3; 16:4-22). En el primer caso, la mujer de Timnat (filistea) le daría a conocer la naturaleza de los filisteos. En su rima preparada, cuya respuesta era difícil de encontrar, está la primera manifestación de enojo en contra de los filisteos. Paga su apuesta matando treinta hombres de Ascalón y despojándoles de sus vestidos.

Al querer regresar a su mujer y descubrir el engaño se vengó atando por la cola a trescientas zorras con teas encendidas que provocaran la destrucción de las mieses recogidas. La reacción de los filisteos es hacer la guerra contra los de Judá quienes, al darse cuenta de lo sucedido, enviaron tres mil hombres para prender a Sansón y entregarlo a los filisteos. El Señor estaba con Sansón quien lo libró de las amarras y le permitió encontrar una quijada de asno y con ella matar a mil filisteos. Sansón murmura contra Dios diciendo: "Tú has dado esta grande salvación por mano de tu siervo: ¿moriré yo ahora de sed, y caeré en manos de los incircuncisos?" Dios le provee de agua y eso le permitió recobrar su espíritu y animarse.

La segunda mujer, fue una prostituta filistea que vivía en Gaza (16:1-3). El hecho habla de la facilidad con que la sensualidad arrastraba a Sansón. Los filisteos asechaban en su contra y buscaban oportunidad para matarlo, pero sin éxito.

Dalila, la tercera mujer de Sansón, vivía en el valle de Sorec (16:4-22). Ella fue la causa de la decadencia de aquel hombre físicamente fuerte, pero moralmente débil. Después de revelar la razón aparente de su fuerza, cae en manos de los filisteos. Sin darse cuenta que el Espíritu del Señor lo abandonó, descubre que había perdido su fuerza; fue capturado, le sacaron los ojos, y fue llevado en cadenas a la ciudad de Gaza. Con Sansón encadenado, los filisteos celebran a su deidad, Dagón, y hacen mofa del hebreo burlándose y divirtiéndose a sus expensas. En medio de ese triste espectáculo, Sansón solicitó a un joven que le acercara a las columnas. Pide ayuda a Jehová "por esta vez" para vengarse de los filisteos a causa de que sacaron sus ojos. Echando su peso sobre las columnas e inclinándose con fuerza derribó la casa muriendo con ellos.

Estudio del texto básico

Lea su Biblia y responda

1. Conteste las siguientes preguntas despúes de leer Jueces 13:1-5, 8, 24.
   a. ¿Qué pueblo tenía sometido a Israel y por cuántos años? _____
   _____

   b. ¿Cómo se llamaba el padre de Sansón y a qué tribu pertenecía? _____

   c. ¿Qué órdenes le dio el ángel a la madre de Sansón y cuál es la razón de ellas? _____
   _____

   d. ¿Qué pide Manoa en su oración al Señor? _____
   _____

   e. ¿Cómo puso por nombre Manoa a su hijo? _____
   _____

2. Ahora lea Jueces 16:18-21 y escriba:
   a. ¿Cómo se llama la mujer a quien Sansón reveló el secreto de su fuerza?
   _____

   b. ¿Cuándo desapareció la fuerza de Sansón? _____
   _____

   c. ¿De qué no se había dado cuenta Sansón? _____
   _____

   d. ¿Qué fue lo más doloroso que le hicieron los filisteos a Sansón?
   _____

3. Después de leer Jueces 16:28-30, responda brevemente:
   a. ¿Qué le solicitó Sansón en su oración a Dios antes de vengarse de los filisteos? _____
   _____

b. ¿Cómo se vengó de ellos? _____

_____

Lea su Biblia y piense

1 El nacimiento de Sansón, Jueces 13:1-5, 8, 24.

V. 1. La frase *los hijos de Israel volvieron a hacer lo malo ante los ojos de Jehovah,* parece monótona al lector del libro de los Jueces, pero así fue con Israel. Siete veces se registra su apostasía. Por cuarenta años los filisteos oprimieron a los israelitas. El nombre "filisteos" era el adjetivo común que se daba a los pueblos que estaban en Canaán cuando llegaron los hebreos. Eran un grupo que habitaba cerca de la costa del Mediterráneo y una de las tres agrupaciones más poderosas de Canaán. Efectivamente, el nombre "Palestina" que se usa hasta el día de hoy, se deriva de la forma griega para designar a los descendientes de los filisteos: esa voz es *palestinoi.*

Vv. 2-5. Manoa, de la tribu de Dan, cuyo nombre significa "descanso" y su mujer, que era estéril, fueron bendecidos con la presencia de Jehovah. Se les anuncia que, a pesar de su condición de estéril, a la mujer de Manoa se le dará el privilegio de ser madre de un hijo muy especial. Tres cosas le son ordenadas observar: (1) no beber ni vino ni sidra; (2) no comer cosa inmunda; (3) no pasar navaja sobre la cabeza del niño. Las razones de estas órdenes son dos: (1) el niño sería nazareo a Dios desde su nacimiento (Núm. 6:1-21) y (2) él comenzaría a salvar a Israel de la mano de los filisteos.

V. 8. Cuando la mujer de Manoa le contó la aparición de Aquel a quien ella describe como "un varón de Dios", cuyo aspecto era como el de un ángel, Manoa oró a Dios para que ese varón volviera a aparecer con el fin de enseñarles cómo debían proceder con aquel niño que habría de nacer.

V. 24. En cumplimiento a las palabras del ángel, la mujer de Manoa dio a luz a Sansón, cuyo nombre significa "del sol", quien creció con la bendición de Dios. Muy pronto comienza a sentir la presencia del Espíritu Santo mientras está entre Zora y Estaol. Hasta aquí la historia de Sansón es tan noble y hermosa como la de otros varones de Dios, sin embargo, el hombre no aprendió nunca cómo controlar sus emociones. En tres oportunidades se enamoró de mujeres filisteas y las tres veces fracasó.

2 La indiscreción de Sansón, Jueces 16:18-21.

Vv. 18-21. Para estas alturas, Sansón está fascinado con las actuaciones de Dalila. Tres veces Sansón le miente, pero ella tiene una misión que cumplir y persevera. Cuando finalmente siente que Sansón le ha dicho la verdad, mientras él dormía sobre sus rodillas, un hombre le *rapó* el cabello de su cabeza, y en el acto su fuerza se apartó de él. No había nada mágico en su cabello, éste era solamente un símbolo del compromiso entre él y el Señor; compromiso que lamentablemente Sansón había pisoteado. Al grito de Dalila, Sansón, descubrió su triste realidad causada por su necedad y desobediencia a Dios. ¿Qué tan miserable era su condición? El autor del libro de Jueces dice que él *no sabía que Jehovah ya se había apartado de él.* Totalmente indefenso y sin nada que pudiera hacer, los filisteos le prendieron, le sacaron los ojos, le llevaron hasta la cárcel de Gaza y allí le encadenaron a un molino.

3 La muerte de Sansón, Jueces 16:28-30.

Vv. 28-30. Todo era fiesta y celebración entre los filisteos, ofreciendo sacrificios a Dagón deidad filistea. Sansón se transformó en el centro de la diversión sirviendo como juguete delante de ellos. Ante tanta vejación, Sansón le pidió a un joven que lo llevara a las columnas con el pretexto de descansar en ellas. Allí oró a Dios por un fortalecimiento,"sólo esta vez", fue su solicitud. Samsón deseaba venganza por sus ojos. Asiéndose de las columnas, inclinándose sobre ellas, echó todo su peso y derribó el templo. Tres mil hombres y mujeres murieron ese día junto con Sansón. En esta ocasión mató más personas que las que mató cuando vivía.

———————— *Aplicaciones del estudio* ————————

1. Cuando Dios tiene planes provee de todo aquello que es necesario. Lo importante, de parte nuestra, es reconocer en humildad su bendición y ser buenos mayordomos de las bendiciones que él nos ha dado.

2. Bueno sería que como padres buscáramos siempre la dirección del Señor cuando se trata de la crianza de nuestros hijos. No siempre nuestra experiencia en la vida es suficiente para proveer la mejor orientación a la nueva generación.

3. Tanto la sexualidad como todo aquello que la rodea fueron creadas por Dios, y son buenas. El pecado ha distorsionado la función que ellas tienen en nuestra vida. Sólo con el Espíritu del Señor es posible mantenerlas bajo el control del señorío de Cristo y así ser sabios en el deleitarse de todo el lenguaje del amor.

4. ¡Qué tragedia puede ser! La tragedia más grande en la vida de un ser humano es ignorar o menospreciar, por intereses egoístas, las instrucciones del Señor. Su destino siempre es la desgracia.

———————————— *Prueba* ————————————

1. ¿Cuáles son las características especiales del nacimiento de Sansón?
_____
_____
_____

2. ¿Qué lección personal le deja la vida de Sansón? _____
_____

Lecturas bíblicas para el siguiente estudio

Lunes: Jueces 17:1-13
Martes: Jueces 18:1-10
Miércoles: Jueces 18:11-31

Jueves: Jueces 19:1-30
Viernes: Jueces 20:1-48
Sábado: Jueces 21:1-25

Unidad 6

Cuando faltó dirección en Israel

Contexto: Jueces 17:1 a 21:25
Texto básico: Jueces 17:1, 5, 6; 20:2-8, 48; 21:6, 7, 12-14.
Versículo clave: Jueces 21:13
Verdad central: Las consecuencias que sufrió Israel por la falta de dirección nos demuestran que sin una adecuada dirección espiritual el pueblo cae en pecados cada vez más serios.
Metas de enseñanza-aprendizaje: Que el alumno demuestre su conocimiento de las consecuencias que sufrió el pueblo de Israel por la falta de dirección adecuada, y su actitud hacia la importancia de tener dirigentes que sean temerosos de Dios y competentes.

Estudio panorámico del contexto

El epílogo del libro de Jueces nos da una ilustración de la apostasía y la degradación social que caracterizó en esos días a Israel. Una verdadera anarquía se desarrolló y prevaleció cuando Israel no tuvo rey (17:6; 18:1; 19:1; 21:25). Nuestro último estudio comienza con el establecimiento de un trono apóstata y un sacerdocio ilegal, los que fueron establecidos por Micaías, un hombre de la tribu de Efraín, cuyo corazón estaba inclinado a la idolatría. Su apostasía le llevó a tener un verdadero santuario pagano, violando así la voluntad de Dios expresada en los Diez Mandamientos (Exo. 20:4).

La influencia supersticiosa de los cananeos se ve reflejada en dos actitudes de Micaías: (1) cuando supo que su madre había maldecido el dinero que le habían robado, (2) cuando establece como sacerdote en su santuario pagano a su hijo y más tarde al varón que venía de Belén de Judá. Cuánta ignorancia se revela en estos hechos: todo sacerdote debía ser de la tribu de Leví, pero no todo levita era sacerdote. Moisés prohibió que extraños asumieran dicha función (Núm. 3:10).

Como los de la tribu de Dan no tenían tierra, porque habían sido incapaces de echar a los filisteos del lugar que originalmente estaban ocupando, decidieron explorar hacia el norte. En el camino se encontraron con la casa de Micaías, de quien tomaron sus ídolos y al levita de Belén, el cual se llamaba Jonatán, nieto de Moisés, llevándolo con ellos para así poder establecer la idolatría en la nueva tierra que esperaban conquistar.

"Cada cual hacía lo que quería." La corrupción en los habitantes de Gabaa (19:22-28) y la acción del levita sobre su concubina ya muerta (19:29) son muestra del poco valor que se daba a la vida. El hecho de despedazar en doce partes el cuerpo de la concubina, era una manera de llamar a la venganza por lo que había sucedido (20:1-20). "Subid contra ellos" es la orden de Dios cuando fue consultado (20:18, 23, 28). Casi fue exterminada la tribu de Benjamín, pero se proveyó para los 600 sobrevivientes por parte de los hijos de Israel (21:1-25).

────────────── *Estudio del texto básico* ──────────────

Lea su Biblia y responda

1. Jueces 17:1, 5, 6. Responda las siguientes preguntas:
   a. ¿Cómo se caracterizaba el tiempo en que vivía Micaías? _____
   _____
   b. ¿Cuál era el sentimiento religioso de Micaías? _____
   _____

2. Lea Jueces 20:2-8, 48 y escriba la respuesta:
   a. ¿Contra quiénes se juntaron las tribus de Israel? _____
   _____
   b. ¿Por qué causa se juntaron las tribus de Israel? _____
   _____

3. Jueces 21:6, 7, 12-14. (V)erdadero o (F)also:
   _____ a. Las tribus de Israel se alegraron de lo que habían realizado.
   _____ b. Su preocupación era proveer mujeres para los sobrevivientes.
   _____ c. Su juramento era: no darle sus hijas por mujeres a los sobrevivientes de la tribu de Benjamín.
   _____ d. Proveyeron cuatrocientas doncellas vírgenes de otra región para los sobrevivientes de Benjamín.
   _____ e. Los sobrevivientes de Benjamín no quisieron responder al llamado de paz porque creían que era una emboscada para terminar con ellos.

Lea su Biblia y piense

1 El santuario de Micaías, Jueces 17:1, 5, 6.
V. 1. Micaías, de la tribu de Efraín, es un personaje extraño porque, por un lado, roba a su madre mil cien siclos de plata, por otro lado, constituye a su hijo en sacerdote, luego levanta un santuario a diferentes dioses, y además consagró a un levita forastero para tener su sacerdote privado.
   Vv. 5, 6. Su aberrante práctica idolátrica le hace tener una "casa de dioses" o santuario, efod, ídolos, y consagró para estas actividades religiosas a su hijo como sacerdote. ¿Quién le iba a detener, cuando no había autoridad, en la tierra de Israel?

2 La condenación del crimen, Jueces 20:2-8, 48.

Vv. 2-8. Cierto levita viaja con su concubina desde Belén y pasa por Gabaa, una aldea de Benjamín. Al llegar la noche busca albergue en la casa de un anciano. Los moradores de aquella aldea abusan de la concubina del levita hasta dejarla muerta (19:1-30). En respuesta al llamado que el levita hace de una manera muy dramática al enviar a cada tribu un pedazo del cuerpo de la mujer, todos los israelitas desde Dan a Beerseba (de norte a sur) y de la tierra de Galaad (la zona de la Transjordania) se reunieron. Se congregaron ante el Señor en Mizpa, cuatrocientos mil hombres. Los hijos de Benjamín no estaban representados en Mizpa toda vez que los hombres que abusaron de la concubina fueron de Gabaa de la tierra de Benjamín. A la solicitud de saber lo que había ocurrido, el varón levita explicó las circunstancias del abuso y la muerte de su concubina. Tras haber oído el crudo relato, Israel llamó por un veredicto. Este veredicto fue unánime: todo el pueblo se levantó como un solo hombre contra el pueblo de Gabaa para darle lo que merecía. Así lo decidieron y así lo hicieron.

V. 48. Seiscientos hombres de la tribu de Benjamín fueron capaces de alcanzar la peña de Rimón, permaneciendo escondidos en el lugar por espacio de cuatro meses. Estos seiscientos hombres fueron los sobrevivientes de los ataques de los israelitas a Gabaa. Estos cuatro meses nos hablan de la fecha en que los israelitas finalmente les convocaron a la paz (21:13). Israel destruyó todo lo que había en cada ciudad y a éstas les prendieron fuego.

3 Israel provee para los sobrevivientes de Benjamín, Jueces 21:6, 7, 12-14.

Vv. 6, 7. La atrocidad de Gabaa había sido castigada, sin embargo, con la guerra y la destrucción detrás de ellos, los israelitas se dieron cuenta de un serio y doloroso problema: una de las doce tribus de Israel había sido casi exterminada, sólo seiscientos hombres le sobrevivían. El problema se complicaba toda vez que el restante de las tribus había hecho juramento que no darían sus hijas en casamiento a los hijos de Benjamín. ¿Con quién se casarían aquellos seiscientos varones, hijos de Benjamín? Era fuera de la Ley de Moisés que se casaran con paganos. Otro aspecto hacía más grave la solución, habían juramentado matar a todo aquel que no compareciera en Mizpa para ir a la guerra. El caso primario, la extinción de la tribu de Benjamín, resultó en otra reunión en Betel donde los israelitas se sentaron ante el Señor Dios hasta el atardecer, levantando sus voces y llorando amargamente. El contenido de su lamento era: *¡Una tribu ha sido cortada hoy de Israel!*

Vv. 12-14. Al resolver el segundo problema, es decir matar a quien no compareciera para la guerra en Mizpa, descubrieron que los de Jabes no respondieron al llamado. Entonces fueron enviados doce mil hombres de guerra a dar cumplimiento al juramento. Sólo se dejaron con vida a aquellas vírgenes que no habían conocido varón. Encontraron a cuatrocientas de ellas y las trajeron para los sobrevivientes de la tribu de Benjamín. Estas doncellas fueron su ofrendas de paz para con sus hermanos. Luego proponen que en una fiesta anual en Silo, se permita que los de Benjamín hagan una emboscada para tomar las otras doscientas mujeres que faltaban, así técnicamente, salvan a los padres de las jóvenes de la maldición contra la entrega de sus hijas a los hombres de Benjamín y se da base para el establecimiento de la tribu que estuvo a punto de ser extinguida como resultado de que *en aquellos días no había rey en Israel, y cada uno hacía lo que le parecía recto ante sus propios ojos* (21:25).

Aplicaciones del estudio

1. Cuando todo es clasificado como relativo. Entonces se pierden los valores fundamentales de una sociedad, los cuales tienen por finalidad el dar estabilidad a ese grupo humano. Es por ello que se hace necesario siempre observar la línea de lo que Palabra de Dios dice con respecto a la vida y a la conducta humanas.

2. Cuando el pecado hace presa del corazón humano lo corrompe en tal forma que lo hace insensible, tornando al hombre esclavo de sus pasiones y deseos. Es urgente, en la vida del hombre, la gracia redentora de Dios.

3. El castigo siempre deja una cierta amargura en el corazón de quien la aplica, porque aunque haya que proceder con firmeza hay amor en la ejecución. El hecho es que siempre es mejor corregir a tiempo y con la debida justicia que luego lamentar que nuestros hijos o los miembros de la sociedad tengan que sufrir aún más por la falta de la disciplina.

Prueba

1. Explique en sus palabras la necedad de Micaías. _____
_____
_____

2. ¿Qué lección le deja la actuación de las tribus de Israel en relación a su tribu hermana de Benjamín? _____
_____
_____

Lecturas bíblicas para el siguiente estudio

Lunes: Hebreos 1:1, 2   **Jueves:** Hebreos 1:6-9
Martes: Hebreos 1:3   **Viernes:** Hebreos 1:10-12
Miércoles: Hebreos 1:4, 5   **Sábado:** Hebreos 2:13-14

Jesús, la suprema revelación de Dios

Contexto: Hebreos 1:1-14
Texto básico: Hebreos 1:1-14
Versículos clave: Hebreos 1:1, 2
Verdad central: Dios se ha dado a conocer de muchas maneras al hombre, y la revelación máxima se dio en la persona de Jesucristo.
Metas de enseñanza-aprendizaje: Que el alumno demuestre su conocimiento de que Dios se ha revelado de una manera suprema en Jesucristo, y su actitud de buscar maneras de compartir con otros su conocimiento de la persona y obra de Jesucristo.

────────────── *Estudio panorámico del contexto* ──────────────

Un erudito escribió acerca de la carta a los Hebreos: "Es como el gran Melquisedec de la historia sagrada de quien trata su porción central. Como él, la carta a los Hebreos avanza con dignidad solitaria, real y sacerdotal, y como él es sin genealogía; no sabemos de dónde viene ni hacia dónde va." Esta cita hace referencia a dos problemas principales de la carta: el de su escritor y el de su destino.

En cuanto a su escritor, Hebreos no es una carta anónima en el sentido estricto de la palabra, simplemente el nombre del escritor no aparece en ella. El escritor pide que se ore por él para que pueda llegar a visitar a aquéllos a quienes está escribiendo (13:19), y expresa su esperanza de que juntamente con Timoteo pueda visitar a sus lectores (13:23). Como posibles candidatos para el autor, se ha citado a: (1) Bernabé. Se le considera como posible autor debido a que era levita (Hech. 4:36), y por lo tanto capaz de escribir un libro tan lleno del Antiguo Testamento y del sistema de sacrificios. (2) Apolos. Lutero lo sugirió basándose en la descripción que de él se da como "varón poderoso en la Escrituras" (forma de denominar el Antiguo Testamento) (Hech. 18:24). (3) Priscila y Aquila, acreditando a Priscila como la principal autora de la carta. Realmente no hay ninguna certeza de que esta pareja tuviera tan amplio conocimiento de las Escrituras. (4) Lucas y Silas. Ellos han recibido muy poco apoyo de los críticos. De esta forma, no hay forma de precisar quién la escribió. Algo que sí se puede precisar es que no fue Pablo quien la redactó. Entre las razones que se dan están las siguientes: (1) no se da su nombre. Esto es contrario a la costumbre de Pablo. (2) El autor se coloca fuera del círculo de los apóstoles (2:3). (3) El estilo es muy diferente al de Pablo. (4) Hebreos carece de las demandas éticas precisas que abundan en los escritos de Pablo.

En cuanto a sus destinatarios se piensa que eran hebreos judíos que estaban tentados a regresar a sus antiguas prácticas. Presos de la nostalgia, estos creyentes añoraban su pasado religioso y pretendían volver al judaísmo. Probablemente las persecuciones y el retraso de la segunda venida de Jesucristo habían contribuido más a este sentimiento y preocupación.

────────── *Estudio del texto básico* ──────────

Lea su Biblia y responda

1. Complete en cada caso la información solicitada.
   a. Antes del Señor Jesucristo, ¿quiénes participaron en el plan de revelación de Dios? (1:1) _____
   _____
   b. Dos aspectos que se destacan de Jesucristo en 1:2
   _____ y _____.
   c. Se establecen cuatro razones para afirmar que Jesucristo es superior a los ángeles, ¿cuáles son?
   v. 4 _____
   v. 5 _____
   v. 6 _____
   v. 13 _____

2. Marque con una **X** la declaración correcta. El pasaje de 1:10 presenta a Jesucristo como:
   _____ a. Redentor del hombre y del universo.
   _____ b. Dador y sustentador de la vida.
   _____ c. Creador de la tierra y del universo.
   _____ d. Preservador del orden mundial.

3. En el pasaje de 1:11-12, ¿qué verdad se afirma en cuanto a Jesucristo?
   _____

Lea su Biblia y piense

1 Dios habló por medio de los profetas, Hebreos 1:1.

V. 1. *Dios ha hablado.* Esta afirmación inicial es básica para el argumento general de la carta, y para toda la fe cristiana. El Dios de la Biblia es el Dios que ha querido darse a conocer. El está buscando al hombre para tener una relación íntima, personal y espiritual. Así que la pregunta que una vez hiciera a Adán, "¿Dónde estás tú?" (Gén. 3:9), sigue teniendo vigencia. El Señor no quiere permanecer oculto en medio de su santidad y santuario celestial, sino quiere tener una comunicación y relación con los hombres.

El instrumento divino de comunicación mencionado aquí son *los profetas*. Estos hombres eran impulsados por el Espíritu de Dios para "derramar" a través de sus bocas la palabra autorizada del Señor. Los profetas comunicaban la voluntad de Dios en su dimensión religiosa, ética o moral del presente. Relativamente poco de su ministerio tenía que ver con acontecimientos futuros. El profeta de Dios nunca fue un adivino al estilo de los pueblos paganos con prácticas mágicas. Más bien esto es reprobado por la misma Escritura. (Deut. 18:9-12)..

2 Dios habló por medio del Hijo, Hebreos 1:2a.

V. 2a. Ahora, el autor enfoca la atención sobre la reciente revelación en el Hijo de Dios. A tal grado llegó el deseo de comunicación de Dios, que él mismo vino al mundo en la persona del "Emanuel", "el Dios con nosotros" (Mat. 1:23) y "habitó entre nosotros" (Juan 1:14). Con el Señor Jesucristo vino la palabra final de la voluntad de Dios para el hombre. Todo lo anterior a Jesucristo, en cuanto a revelación, es parcial y preparatorio, y todo lo subsiguiente es ampliación y aclaración de esa Palabra. La expresión *en estos postreros tiempos* parece haber sido una designación técnica para describir los tiempos mesiánicos.

3 Las exaltaciones de Cristo, Hebreos 1:2b, 3.

Vv. 2b, 3. En esta sección, el autor menciona por lo menos 7 características del Señor Jesucristo que lo autentifican como Hijo de Dios y como máxima revelación de Dios.

Heredero. Cuando se usa este término para describir al Señor, se piensa en la primogenitura en el contexto hebreo. Así, Jesucristo es el poseedor legal de todo el universo.

Hacedor del *universo*. Se describe al Señor Jesucristo como la causa inicial de todo cuanto existe. Absolutamente todo cuanto existe fue creado por el Señor Jesucristo.

Resplandor de la *gloria* de Dios. Como tal, Jesucristo revela perfectamente la majestad de Dios.

Expresión de la naturaleza de Dios. También se traduce "imagen". En el pensamiento oriental se pensaba que la imagen participaba de la realidad de la cosa representada. En la imagen se presenta la esencia misma de la cosa. El Hijo es la presentación perfecta de Dios.

Sustenta todas las cosas. El Hijo no solamente es agente de la creación, sino también lo es de la providencia de Dios. Para esto solamente le basta su palabra hablada.

Purificador *de nuestros pecados*. El término "purificar" habla de una limpieza cultual, es decir, habla de aquello que es aceptable delante de Dios.

Sentado *a la diestra de la Majestad*. Con esta afirmación se establecen dos cosas en cuanto al Hijo: (1) Participación de la autoridad y dignidad divina. (2) Consumación de su obra.

4 Cristo, superior a los ángeles, Hebreos 1:4-14.

V. 4. El término *superior* describe aquello que es mejor o de más calidad que otra cosa, y tan sólo en Hebreos aparece 12 veces. Así, Jesucristo es superior a lo ángeles, pues como recompensa a su obra ganó el derecho de ocupar el lugar de privilegio.

Vv. 5-14. Se establece que los ángeles son como una mera *llama de fuego* (v. 7); pero en agudo contraste, el Hijo reina sobre un *trono* y tiene en su mano un *cetro* (v. 8). Dios, a ninguno de sus ángeles ha denominado su hijo (v. 5), ni lo ha sentado a su derecha (13); sin embargo al Hijo le ha ungido (v. 9), y él está a la derecha de Dios (v. 3).

Aplicaciones del estudio

1. **El deseo de nuestro Dios es darse a conocer entre los hombres. El no quiere permanecer oculto, Hebreos 1:1.** Nuestro Señor, a lo largo de la historia se ha servido de diferentes medios de revelación. El Señor ha usado sueños, su voz audible, símbolos, profetas, sabios, etc. Su propósito: que el hombre le conozca. Debemos apreciar esta iniciativa de Dios en hacerse presente, y debemos responder.

2. **Dios mismo, en la persona de Jesucristo, es la máxima manifestación de su interés en que le conozcamos, Hebreos 1:2a.** En muchas otras religiones, el dios o los dioses que viven en medio de la santidad o la pureza, nunca pueden tener relación con el hombre. Los dioses del oriente son infinitos por definición, pero no pueden relacionarse con el hombre. El Dios de la Biblia, quiere darse a conocer y tener una relación con nosotros.

3. **Sobre todo lo creado está nuestro Señor Jesucristo, Hebreos 1:2b-3.** La presencia y la autoridad del Señor Jesucristo está por encima de todo lo imaginable. Sometiéndonos a su voluntad le permitimos ser en nuestro corazón lo mismo que es en el universo.

Prueba

1. En Hebreos 1:1 se menciona que Dios se reveló a los padres por medio de los profetas. ¿Quién es un profeta bíblico? _____

    ¿Por qué en la Biblia son divididos en "mayores" y menores"? _____
    _____

    ¿Por qué Jesús es la suprema revelación de Dios? _____
    _____

2. ¿Cómo puede usted compartir con otros su conocimiento de la personas y obra de Jesucristo? Mencione dos maneras: _____
    _____
    _____

Lecturas bíblicas para el siguiente estudio

Lunes: Hebreos 2:1-4   **Jueves:** Hebreos 2:11, 12
Martes: Hebreos 2:5-8   **Viernes:** Hebreos 2:13-15
Miércoles: Hebreos 2:9, 10   **Sábado:** Hebreos 2:16-18

Unidad 7

Jesús provee gran salvación

Contexto: Hebreos 2:1-18
Texto básico: Hebreos 2:1-18
Versículo clave: Hebreos 2:1
Verdad central: La salvación es importante y es necesario cuidarla.
Metas de enseñanza-aprendizaje: Que el alumno demuestre su conocimiento de la exhortación que hace el escritor de la Epístola a los Hebreos de cuidar la salvación, y su decisión de examinar su vida y determinar en qué áreas debe reforzar su cuidado de la salvación.

―――――――――― *Estudio panorámico del contexto* ――――――――――

La revelación es esencialmente revelación de Dios. ¿Qué queremos decir con esto? La revelación no es la comunicación por parte de Dios de conceptos e ideas ocultos para el hombre; "la revelación es el acto por el cual Dios se da a conocer a sí mismo." Al cristianismo se le ha dado el título de una religión revelada y manifestada no porque contiene verdades que han sido comunicadas en una forma sobrenatural, que las tiene, sino porque, a diferencia de otras religiones, se basa en el completo descubrimiento de Dios. Dios se muestra tal como él es.

Esta revelación tuvo un desarrollo. No en el sentido de que algo previo fuera cambiado por algo nuevo, ni porque lo primero fue equivocado y lo postrero correcto. Tuvo un desarrollo en el sentido de que el Señor iba acumulando nuevo material revelatorio al que antes había dado. Es por esto que algunos estudiosos han visto que el término "promesa" habla perfectamente de este desarrollo. Dicen: "la promesa envuelve una serie de resultados que debemos conectar cada uno de ellos, que son acumulables y tienen una meta." Así, cada palabra dada por Dios, cada acontecimiento histórico, cada profeta iba acumulando material al que él había recibido. A esto llamamos "revelación progresiva de Dios."

De esta forma, la revelación progresiva de Dios tuvo un punto climático: Jesucristo. El es la más clara, completa y perfecta revelación de Dios. Dios mismo morando con su pueblo. Con Jesucristo, el velo de separación entre Dios y el hombre fue quitado. ¿Era la encarnación una necesidad? Atanasio de Alejandría que vivió en el siglo IV d. de J.C. dijo al respecto: "Dios se hizo hombre, para que los hombres participen de Dios. Tomó un ser caduco y mortal, para que los mortales podamos conquistar la perennidad y la inmortalidad." Esta afirmación de Atanasio destaca dos elementos importantes que pertenecen a la revelación: (1) el hombre tiene la necesidad de participar de Dios. En Jesucristo, esta necesidad espiritual es absolutamente satisfecha. (2) El hombre necesita la inmortalidad. El Dios de la Biblia tiene propósitos redentores en su revelación. La revelación no es solamente saber algo acerca de Dios, es conocerle, amarlo y entregarse a su voluntad.

—————————— *Estudio del texto básico* ——————————

Lea su Biblia y responda

1. Complete en cada caso la información solicitada.

a. De no atender debidamente al Señor, ¿qué nos puede suceder? (2:1)
_____

b. ¿Quiénes fueron intermediarios en las palabras habladas antes del Hijo? (2:2) (Deut. 33:2, "millares de santos")
_____

c. ¿Qué propósito tuvieron las señales y prodigios? (2:4)
_____

d. ¿Por qué fue coronado Jesús con gloria y honra? (2:9)
_____

e. ¿Cómo llama Jesús a los que creen en él? (2:11)
_____

f. Según 2:14, ¿cuál fue el propósito de la encarnación?
_____

2. Marque (**F**)also o (**V**)erdadero en las siguientes afirmaciones.

( ) a. Jesús socorrió únicamente a los ángeles.
( ) b. En la encarnación, Jesús adquirió un cuerpo humano.
( ) c. Jesucristo fue tentado en todo.
( ) d. El mundo venidero está bajo la autoridad de los ángeles.

Lea su Biblia y piense

1 Una exhortación necesaria, Hebreos 2:1.

V. 1. En este pasaje, el autor está advirtiendo a sus lectores que han oído y aceptado el evangelio, que mantengan una férrea estabilidad, pues de caer en la tentación de abandonar su profesión, su comportamiento carece de esperanza. La exhortación se enfatiza por dos elementos: (1) una necesidad de permanencia y crecimiento. La expresión *es necesario* en griego es una sola palabra. Esta palabra describe una necesidad de obligatoriedad de cualquier tipo. Lucas describe el ministerio de Jesús bajo esta palabra; así, él no realizó su ministerio en forma casual sino que la voluntad de su Padre era una necesidad (Luc. 2:49; 4:43; 11:42; 13:14, etc.). De igual forma, la permanencia del cristiano en la fe es una necesidad. (2) Una advertencia del peligro. Para esto, el autor utiliza el término *deslizarse*. Este verbo describe "un movimiento suave", y por su forma gramatical significa "ser llevado más allá", como cuando un viento contrario lleva un barco más allá del puerto, provocando un desastre. Así, se advierte a los lectores que los vientos de la apostasía los pueden llevar más allá del puerto de la salvación.

2 Dios cumple sus advertencias, Hebreos 2:2-4.

Vv. 2, 3a. Aquella palabra que Dios pronunció en el Sinaí a Moisés (Exo. 20:1; Deut. 5:22) y que tuvo como intermediarios a ángeles (vea Hech. 7:53; Gál. 3:19), fue *firme*. En la ley, el Señor estableció que no tendría por inocente al culpable (Exo. 34:7). Así, y a pesar de haber tenido ángeles como mediadores en esa revelación, Dios castigó *toda transgresión y desobediencia*. De esta forma, se puede decir que el Señor cumple todo lo que promete, sea para bien o sea para mal. Entonces, si la desobediencia a aquella revelación fue castigada, *¿cómo escaparemos nosotros si descuidamos una salvación tan grande?*

Vv. 3b, 4. Hay tres razones por las cuales la salvación en Cristo es superior a la ley: (1) *Fue declarada por el Señor.* Dios mismo, hecho carne y habitando entre los hombres, anunció esta salvación. Para el autor, la ley es inferior por haber sido dada por intermediarios. (2) *Confirmada por los que oyeron.* Aquí se está refiriendo a los apóstoles, quienes dan testimonio de la veracidad de esta salvación. (3) *Dando Dios testimonio,* es decir, fue ratificada por Dios. La participación de Dios en esta salvación ratifica su validez y superioridad a la ley.

3 El Autor de la salvación, Hebreos 2:5-10.

V. 5. A partir de aquí hay una nueva exposición de la persona y el propósito de Jesús, cuyo énfasis no es su condición de Hijo de Dios (1:2-14), sino el significado y propósito de la encarnación. Al decir que *no fue a los ángeles a quienes Dios sometió el mundo venidero.* Algunos piensan que los lectores estaban tentados a creer que el mundo venidero estaría bajo el control de ángeles. Algunos escritos del mar Muerto reflejan la expectación de que el arcángel Miguel sería la figura suprema en el reino mesiánico. Otros ven que el autor está tratando de disuadir a sus lectores de regresar al judaísmo, presentando a Jesucristo como portador de una mayor revelación que la traída por los ángeles en Sinaí.

Vv. 6-8a. La cita del Salmo 8:4-6 revela el lugar del hombre en el plan de Dios. A pesar de la pequeñez física y la transitoria inferioridad del hombre, Dios lo corona *de gloria y honra* y todo lo sujetó *debajo de sus pies*. Pero para el autor, estas palabras encajan a la perfección en Jesús, Hijo de Dios. Esto le vino seguramente por la expresión *hijo de hombre* (v. 6). Parece que en la mente del autor hay una huella de la designación mesiánica de Jesús procedente de Daniel 7:13.

Vv. 8b-10. La humillación de Jesucristo parece más patente que su exaltación, pero llegará el tiempo en que *todas las cosas* le sean *sometidas a él* (v. 8b). Jesús, quien sufrió la muerte ha sido exaltado al lugar de mayor honor, y desde allí reina (v. 9). El propósito de esta humillación es *la salvación* del hombre. En su encarnación, Jesucristo ha puesto el fundamento de la acción salvífica de Dios mediante su sacrificio propiciatorio.

4 **Hermanos de Cristo por la salvación, Hebreos 2:11-18.**
Comenzando con el versículo 10, este pasaje nos dice por qué y cómo Jesús se identifica con nosotros.
a. Porque así convenía a Dios (v. 10).
b. Para establecer una unión indisoluble entre el Hijo y los hijos (vv. 11, 14).
c. Para que el Hijo comprenda las experiencias y aflicciones del pueblo (vv. 10, 17).
d. Para reunir a una familia espiritual (vv. 11-13).
e. Para morir por ellos y librarlos con victoria (vv. 14, 15).
f. Para ser fiel sacerdote (vv. 17, 18).

──────────────── *Aplicaciones del estudio* ────────────────

1. La palabra de nuestro Señor es fiel, Hebreos 2:2-4. Por lo tanto es fiel para cumplir sus preciosas promesas, pero del mismo modo, cumple sus advertencias. Ninguna palabra de la boca de nuestro Señor es ociosa; todas tendrán su cumplimiento. Esto es una espada de dos filos, pues por el lado de las promesas es una bendición, pero por el lado de las advertencias, es una sentencia devastadora.

2. En nuestro Señor Jesucristo, la salvación preparada por Dios tiene su realización plena, Hebreos 2:10. Toda la obra de salvación tiene su punto central en la persona de Jesucristo. Todo lo mencionado antes de él fue preparatorio, todo lo dicho después de él es aclaratorio. Sin Jesucristo no hay salvación.

──────────────── *Prueba* ────────────────

1. ¿Por qué es importante que cuidemos nuestra salvación? Responda con las razones que da el autor de Hebreos. _____
_____

2. Hacer un inventario personal siempre resulta muy provechoso. De las siguientes áreas de la vida del cristiano, analizar su condición.

Vida devocional	Bien ( ); Regular ( ); Poco ( ); Mal ( )
Relación familiar	Bien ( ); Regular ( ); Poco ( ); Mal ( )
Relación con la iglesia	Bien ( ); Regular ( ); Poco ( ); Mal ( )
Obra en la iglesia	Bien ( ); Regular ( ); Poco ( ); Mal ( )
Obra evangelística	Bien ( ); Regular ( ); Poco ( ); Mal ( )

Lecturas bíblicas para el siguiente estudio

Lunes: Hebreos 3:1-6   **Jueves:** Hebreos 3:16-19
Martes: Hebreos 3:7-11   **Viernes:** Hebreos 4:1-7
Miércoles: Hebreos 3:12-15   **Sábado:** Hebreos 4:8-13

Jesús, superior a Moisés

Contexto: Hebreos 3:1 a 4:13
Texto básico: Hebreos 3:5-15; 4:1, 2, 11, 12
Versículo clave: Hebreos 3:6
Verdad central: La superioridad de Jesús sobre Moisés muestra la importancia de la obra de Cristo y la necesidad de ser fieles hasta el fin para poder entrar en el reposo de Dios.
Metas de enseñanza-aprendizaje: Que el alumno demuestre su conocimiento de los aspectos en los cuales Cristo es superior a Moisés, y su decisión de renovar su fidelidad a Cristo.

─────────── *Estudio panorámico del contexto* ───────────

La base del pensamiento del autor está fundamentada en que la plena y suprema revelación de Dios viene a través de Jesucristo. A Jesús se le ha definido como mayor a los profetas (1:1), mayor que los ángeles (1:5-14), y ahora responderá la pregunta, ¿qué posición guarda Jesucristo en relación con Moisés? Para los judíos, así como para los cristianos, Moisés ocupa un lugar absolutamente singular. El fue el libertador de Israel de la esclavitud en Egipto, habló "cara a cara" con el Señor, pudo ver el reflejo de la gloria de Dios, fue mediador del pacto que imprimió a Israel su sello teocrático, llegó a ser símbolo del Salvador de Jehovah y legislador del pueblo de Israel. La misma opinión del Señor sobre él es singular: "aquel varón Moisés era muy manso, más que todos los hombres que había sobre la tierra" (Núm. 12:3). El autor de la carta no duda en afirmar y demostrar que Jesucristo es superior a Moisés.

Al pensar en Moisés, el autor exhorta a sus lectores a que no se acarreen un destino peor que el de la generación israelita que salió de Egipto. El período comprendido desde Sinaí (Exo. 32) hasta su llegada a Cades-barnea (Deut. 1:2), de unos treinta nueve años, fue muy triste. El pueblo se volvió incrédulo y rebelde, anhelando su pasado en Egipto y perdiendo la confianza en el Señor. La desconfianza y desobediencia de Moisés le cerraron la entrada a la tierra de la promesa. En base a esta experiencia del pueblo, el autor invita a sus lectores a confiar y a obedecer al Señor, pues es mayor que Moisés. Los rebeldes de los días de Moisés perdieron la bendición prometida, así una rebelión ahora impedirá las bendiciones más grandes de la nueva era. El autor utiliza la palabra *reposo* en tres diferentes sentidos: (1) como la comprendida en la frase "la paz de Dios"; (2) con el significado de la tierra prometida (3:12); y (3) con referencia al descanso de Dios después del sexto día de la creación. El significado de ese reposo no se agotó en la Canaán terrenal, a la que entraron los israelitas, sino a la Canaán espiritual que es la meta para el pueblo de Dios. A este *reposo* se entra con fe, creyendo en la palabra de Dios que debe ser obedecida. La palabra de Dios debe ser tomada seriamente y buscar así su reposo.

───────────── *Estudio del texto básico* ─────────────

Lea su Biblia y responda

1. Complete en cada caso la información solicitada.

   a. ¿Qué títulos se le dan a Jesús en 3:1?
   _____ y _____
   b. Según 3:3, ¿por qué es mayor Jesús que Moisés?
   _____
   c. ¿Cómo se identifica a Moisés en 3:5 y a Jesús en 3:6?
   Moisés es _____ y Jesús es _____
   d. ¿Qué término se repite en 3:8, 13, 15; 4:7?
   _____
   e. ¿A qué exhorta el autor en 3:13?
   _____

2. Responda falso (**F**) o verdadero (**V**) a lo siguiente:

   ____ a. El pueblo entró a la tierra prometida a pesar de su desobediencia.
   ____ b. Los cuerpos de los desobedientes quedaron en el desierto.
   ____ c. A la luz de este pasaje, la palabra es descrita como martillo que desmenuza la piedra.
   ____ d. El Señor puede ver todas las cosas tal como son.

Lea su Biblia y piense

1 Moisés es siervo del Señor Jesús, Hebreos 3:5, 6.
En el pensamiento hebreo, la voz de Moisés había llegado a ser virtualmente la voz de Dios. Los devotos de Moisés podían referir las maravillas que había hecho durante su vida, mientras que de Jesús sólo se podían mencionar milagros locales. Moisés murió con dignidad y fue sepultado por ángeles (Deut. 34:9; Jud. 9); Jesús murió clavado en una vergonzosa cruz. Sin embargo el autor llama a Jesús *apóstol y sumo sacerdote*. El término *apóstol* se aplica al representante personal de uno que envía, y mediante este envío se crea una estrecha relación entre el que envía y el que recibe. Jesús es enviado personal de Dios a través de quien hace oír su mensaje. El oficio de *sumo sacerdote* tenía como acto cumbre la celebración del Día de la Expiación. En

ese día entraba en el lugar santísimo, lugar de la presencia de Dios, y rociaba el propiciatorio con la sangre del sacrificio. Jesús entró en la presencia de Dios y ofreció su propia sangre derramada en la cruz. Fue Dios mismo quien constituyó a Jesús en estos importantes oficios.

Vv. 5, 6. La fidelidad de Moisés como siervo de Dios es equivalente a la de Jesús (v. 2), entonces la grandeza de Jesús respecto a Moisés no depende de esto. En fidelidad, se concede igual honor a Moisés y a Jesús, pero no en posición. La *casa de Dios* mencionada no es "el tabernáculo" sino el pueblo de Israel (Núm. 12:7), y Moisés fue hecho siervo de este pueblo. Pero la relación de Jesús con el pueblo no es de siervo sino de "constructor" (v. 3); y por "constructor" no se entiende solamente albañil; sino se incluye: propietario, arquitecto y financista; todo en una persona. Por lo tanto, Jesús es digno de mayor gloria que Moisés.

2 El peligro de no creer, Hebreos 3:7-15.

Vv. 7-11. En esta sección, el autor hace una referencia al Salmo 95:7-11, el cual hace una síntesis de los hechos de rebeldía del pueblo en su travesía por el desierto. En esta cita, tres períodos de tiempo están envueltos: el tiempo del éxodo, el del salmista y el del autor a los Hebreos. Este ejemplo del pueblo bajo el liderazgo de Moisés fue usado por el salmista para advertir contra la incredulidad y la desobediencia a los israelitas de su tiempo. En una forma similar, el autor a los Hebreos aplica la advertencia del salmista a sus lectores. El corazón de la advertencia es: "ustedes honran a Moisés, así como sus padres lo honraron, pero a pesar de esto, sus padres se apartaron de él y consecuentemente se apartaron de Dios; por esto Dios los rechazó y sus huesos quedaron en el desierto. Ahora ustedes están en peligro de repetir el mismo pecado. Han seguido a Cristo, pero están tentados a dejarlo. Si lo hacen, están rechazando a Dios, y Dios los rechazará."

Vv. 12-15. En los versículos 8, 13, 15 aparecen las palabras *endurezcáis*, y *endurezca*. Estas palabras son un término médico que en forma pasiva significa "hacerse duro." En el Antiguo Testamento, el relato principal donde aparece es en el relato de faraón (Exo. 4). A toda palabra de Moisés y a cada plaga sigue la frase: "pero el corazón del faraón siguió endurecido." Por lo tanto, el autor anima a sus lectores a que estén atentos y que se alienten unos a otros para permanecer en la fe. Es interesante notar que la recomendación del autor es una exhortación "comunitaria", *los unos a los otros,* pues un cristiano aislado es más propenso a sucumbir.

3 El reposo del pueblo de Dios, Hebreos 4:1, 2, 11, 12.

Vv. 1, 2. La salvación aún está disponible. El *reposo* no se refiere únicamente al ofrecido al pueblo en Canaán. El reposo temporal y geográfico obtenido por Josué (Jos. 1:13) apuntaba a uno espiritual y eterno. El reposo espiritual es la meta del pueblo de Dios, por lo tanto una actitud casual, super optimista o indiferente está fuera de lugar en la vida del creyente. Los judíos del éxodo oyeron la promesa pero no la creyeron, y por lo tanto no la recibieron. La aplicación del autor es clara: escuchar el evangelio no salva, sino apropiarse de él por la fe.

Vv. 11, 12. En el versículo 11 vuelve a aparecer la exhortación del versículo 1, pero esta va apoyada con renovadas referencias a la permanencia. Así el autor urge a sus lectores para que se empeñen lo más posible para obtener el hogar eterno del pueblo de Dios. Invita a creer esa palabra de Dios que no es impotente como la humana, sino que es *viva y eficaz*.

Aplicaciones del estudio

1. Podemos estar confiados que en Jesucristo tenemos un fiel sumo sacerdote delante de Dios, Hebreos 3:1. Esta afirmación debe traer a nuestras vidas la seguridad de que nuestro intercesor delante de Dios realiza un trabajo perfecto en favor de nosotros.

2. Siendo miembros de una comunidad eclesiástica local, debemos exhortarnos "unos a otros" a permanecer en la verdad del evangelio, Hebreos 3:13. Seguramente sabemos de algún miembro de nuestra iglesia local que no ha permanecido fiel a las enseñanzas del evangelio, por lo tanto, es responsabilidad y compromiso de la iglesia animarlo a que vuelva a la verdad del evangelio.

3. No debemos conformarnos con oir las promesas de Dios, sino debemos apropiarnos de ellas por la fe, Hebreos 4:1, 2. Recordemos: escuchar el evangelio no es lo que salva, sino apropiarse de él por la fe.

Prueba

1. ¿En qué aspectos Cristo es superior a Moisés? Mencione dos:
   a. _____
   b. _____

2. Mencione cuatro hechos portentosos realizados por Dios a través de Moisés.

   a. _____
   b. _____
   c. _____
   d. _____

3. ¿Cómo puede renovar su fidelidad a Jesucristo hoy?
   _____
   _____

Lecturas bíblicas para el siguiente estudio

Lunes: Hebreos 4:14-16
Martes: Hebreos 5:1-6
Miércoles: Hebreos 5:7-10

Jueves: Hebreos 5:11-14
Viernes: Hebreos 6:1-12
Sábado: Hebreos 6:13-20

Jesús, nuestro gran sumo sacerdote

Contexto: Hebreos 4:14-6:20
Texto básico: Hebreos 4:14-16; 5:7-10; 6:1-6, 17-20
Versículos clave: Hebreos 4:15, 16
Verdad central: La posición de Jesús como nuestro gran sumo sacerdote nos enseña que podemos confiar plenamente en él para crecer en el camino de la vida cristiana.
Metas de enseñanza-aprendizaje: Que el alumno demuestre su conocimiento del ministerio de Jesús como nuestro gran sumo sacerdote, y su actitud de confiar plenamente en la tarea intercesora de Cristo para crecer cada día más en la vida cristiana.

—————— Estudio panorámico del contexto ——————

El sumo sacerdocio fue un cargo hereditario que quedó en manos de los descendientes de Aarón, quien fue el primer sumo sacerdote designado por Dios como jefe espiritual de su pueblo (Lev. 8). El puesto era ejercido por el representante de mayor edad de la familia de Eleazar, hijo de Aarón, y tenía la tarea de velar por la correcta administración del culto. El sumo sacerdote era consagrado de la misma forma que los otros sacerdotes y compartía las obligaciones rutinarias. Sólo que él llevaba vestiduras especiales, el pectoral, la mitra y el vestido (Exo. 28) e interpretaba el Urim y Tumim, que en hebreo significa "luces" y "perfecciones." El acto cumbre de su oficio era la celebración anual del gran día del perdón en que ofrecía primero un sacrificio por sí mismo, y luego una ofrenda expiatoria por el pueblo (Lev. 16). Con la sangre expiatoria entraba al lugar santísimo, asiento de la presencia de Dios, y rociaba la sangre sobre la tapa del arca, llamada propiciatorio. Era la única persona que tenía este privilegio, y esto sólo una vez al año.

El autor a los Hebreos retoma estos hilos del sumo sacerdocio y con ellos confecciona una tela multicolor. En su intento de demostrar que la fe cristiana es superior al judaísmo, y que en realidad ha reemplazado a los modelos del Antiguo Testamento del culto, presenta a Jesucristo como sumo sacerdote. El autor insiste persistentemente en esta afirmación pues Jesús ha sido señalado por Dios (5:5-10) para ser el nuevo y verdadero sumo sacerdote que puede resolver la cuestión del pecado del hombre. El sumo sacerdocio de Jesucristo cumple con las disposiciones y obligaciones del antiguo sacerdocio. Jesucristo entró en la presencia de Dios (4:14), se identificó plenamente con la condición del hombre (4:15), fue constituido en favor de los débiles (5:1-2) y fue elegido por Dios mismo (5:5-6).

Esto debería ser ya bien conocido por los lectores de la carta, pero no es así, ellos aún permanecen en los rudimentos del evangelio El autor sorprende con sus palabras, pues amonesta a sus lectores afirmando que no son realmente capaces de asimilar la comida sólida que le gustaría darles. Así, no les proveerá de alimento ligero, sino los invita a abandonar y a superar las primeras cosas e ir en pos de la madurez cristiana.

Estudio del texto básico

Lea su Biblia y responda

1. Complete en cada caso la información solicitada.

    a. ¿Qué debemos hacer por cuanto Jesús es nuestro sumo sacerdote? (Heb. 4:14) _____

    b. ¿Cómo fue tentado Jesucristo? (Heb. 4:15) _____

    c. ¿Que bendiciones hay en acercarse confiadamente al trono de la gracia? (Heb. 4:16) _____

    d. ¿Por qué fueron oídas las súplicas de Jesucristo en su ministerio terrenal? (Heb. 5:7) _____

    e. ¿Qué aprendió Jesús por el sufrimiento? (Heb. 5:8) _____

2. Marque falso (**F**) o verdadero (**V**) a las siguientes afirmaciones.

    ___ a. Los hebreos son descritos como cristianos maduros.
    ___ b. El autor invita a los hebreos a dejar los rudimentos.
    ___ c. Es posible que los que gustaron del evangelio y recayeron sean renovados para arrepentimiento.
    ___ d. Quienes caen en apostasía glorifican al Señor.
    ___ e. La esperanza es descrita como ancla del alma.

Lea su Biblia y piense

1 El sacerdocio de Cristo, Hebreos 4:14-16.

V. 14. La exhortación del autor es a apresurarse y refugiarse en Jesucristo, quien es sumo sacerdote. La obra de Jesús es la base de la esperanza, por lo tanto, invita a que *retengamos nuestra profesión,* es decir, un público compromiso con Jesucristo.
    V. 15. Jesús nos comprende perfectamente, pues conoce nuestras *debili-*

dades. Esta palabra en Hebreos tiene una connotación moral, y describe no sólo una debilidad física o una limitación, sino una debilidad y temblor consciente en la tentación. Jesús entiende a los pecadores, pues él vivió con ellos; se interesa por los pecadores y siente como ellos. Un dios que permanece inmóvil ante su adorante es un ídolo.

V. 16. Los hebreos estaban tentados a abandonar la fe en Cristo, pero ahora son estimulados a ni siquiera dar la impresión de que retroceden, sino a acercarse *con confianza al trono de la gracia* para obtener la ayuda del Jesucristo que los entiende.

2 Jesús es el sacerdote perfecto, Hebreos 5:7-10.

V. 7. Habiendo demostrado que Jesús es sacerdote por designación divina (5:5, 6), ahora enfatiza sobre la compasión de Jesucristo, cualidad esencial de todo sacerdote. En este versículo hay una clara referencia a la oración de Jesús en Getsemaní, cuando en compañía de sus discípulos, presentaba a su Padre su sufrimiento con *ruegos y súplicas.*

Vv. 8, 9. Por medio de este padecimiento Jesús aprendió el verdadero significado de la obediencia, y no vaciló en cumplirla. Por esta obediencia, fue constituido *Autor de eterna salvación.* El que Jesús llegara a ser un salvador perfecto dependió de su perfeccionamiento personal mediante la obediencia. Este perfeccionamiento corresponde en el A. T. a la consagración de Aarón como necesaria calificación para la realización de su función sacerdotal.

V. 10. Una vez más, los lectores son alentados a perseverar en su lealtad a Cristo, el único en quien puede encontrarse la salvación eterna y quien es sumo sacerdote *según el orden de Melquisedec.*

3 Llamamiento a la madurez espiritual, Hebreos 6:1-6.

V. 1a. Ahora la exhortación es a dejar *las doctrinas elementales de Cristo.* Literalmente describe el acto de dejar en libertad algo. Lo elemental es lo rudimentario de la enseñanza de la vida cristiana, y ésta se debe caracterizar por un crecimiento constante. Por esto, ellos deben avanzar hacia la *madurez.* En Hebreos, esta palabra aparece 16 veces, y aquí tiene el sentido de aquello dirigido a los adultos.

Vv. 1b-3. El autor menciona una lista de rudimentos conocidos por él y sus lectores. Se exhorta a no volver al *arrepentimiento de las obras muertas,* es decir, obras cuyo fin es la muerte (Rom. 6:21). Hay una estrecha relación entre el arrepentimiento y la *fe en Dios,* y que se señala como esencial para la religión. La *imposición de manos* era una antigua práctica, asociada especialmente con el hecho de impartir el Espíritu. Ciertamente *la resurrección* de Jesucristo le dio importancia especial a esta doctrina en la iglesia, pero no era una innovación. Estas enseñanzas de la vida cristiana no deberían ser expuestas nuevamente.

Vv. 4-6. El autor describe al cristiano de cuatro formas: (1) Uno que ha sido iluminado. La luz del evangelio ha roto las tinieblas de la vida antigua, así ésta no se puede volver a vivir. (2) Uno que ha gustado el don celestial. Vivir la vida cristiana es probar algo del mundo que está por llegar. (3) Uno que ha participado del Espíritu Santo. Esto compromete al hombre en la totalidad de su existencia. (4) Uno que ha gustado de la palabra. Hubo quienes participaron de todo esto y *recayeron*. Según Hebreos 4:11 la caída es una consecuencia de la desobediencia y significa apostasía.

4 Confianza en la promesa de Dios, Hebreos 6:17-20.

V. 17. Ahora, los lectores tienen todos los incentivos para cobrar ánimo y continuar. Dios, por medio del juramento para confirmación, mostró la inviolabilidad de su propósito.

Vv. 18, 19. Las *dos cosas inmutables* son: la integridad de la propia palabra de Dios y la obligación legal impuesta por el juramento. La esperanza de creyente era penetrar los misterios detrás del velo del lugar santísimo.

V. 20. Esta esperanza tiene su cumplimiento en Cristo Jesús, quien entró *por nosotros como precursor* detrás del velo, por su sacerdocio según el orden de Melquisedec.

Aplicaciones del estudio

1. La comprensión de Jesucristo respecto a nuestra condición y nuestras debilidades es absoluta, Hebreos 4:15. Cuando pensemos en la absoluta majestad de Jesucristo, también debemos pensar en su plena identificación con nosotros. Cuando adquirimos este conocimiento de un Jesucristo que sufre con su pueblo, y que peregrina juntamente con él, mantenemos viva la esperanza de su auxilio.

2. La soledad de Jesucristo en Getsemaní se proyecta al Gólgota, y a través de esto él restablece las relaciones entre nosotros y Dios, Hebreos 5:7. Con el ruego de Getsemaní, al que no se da respuesta, comienza la verdadera pasión, angustia y pena de Jesucristo al experimentar el abandono de Dios. La reconciliación entre nosotros y Dios sólo se podía dar a través del abandono de Jesucristo.

Prueba

1. Explique en sus palabras el significado y la bendición de que Jesús sea nuestro sumo sacerdote.

_____

_____

2. ¿Por quién podría interceder esta semana? Tal vez haya alguien que está en medio de una necesidad. Escriba el nombre y ore por esa persona.

_____

Lecturas bíblicas para el siguiente estudio

Lunes: Hebreos 7:1-3   **Jueves:** Hebreos 7:11-17
Martes: Hebreos 7:4-7   **Viernes:** Hebreos 7:18-21
Miércoles: Hebreos 7:8-10   **Sábado:** Hebreos 7:22-28

Jesús, la superioridad de su sacerdocio

Contexto: Hebreos 7:1-28
Texto básico: Hebreos 7:1-3, 11-27
Versículos clave: Hebreos 7:23, 24
Verdad central: La superioridad del sacerdocio de Cristo declara que todas las personas pueden recibir completa limpieza de sus pecados iniciando así una relación personal con Dios.
Metas de enseñanza-aprendizaje: Que el alumno demuestre su conocimiento de la superioridad del sacerdocio de Cristo en contraste con el sacerdocio humano, y su actitud de aceptar a Jesús como salvador o renovar su compromiso con el Señor.

───────── *Estudio panorámico del contexto* ─────────

Melquisedec, cuyo nombre significa "rey de justicia" fue rey de Salem (probablemente Jerusalén) y sacerdote del "Dios Altísimo" que recibió a Abraham a su regreso de la batalla en que derrotó a Quedarlaomer y sus aliados. Le ofreció pan y vino a Abraham, lo bendijo en el nombre del Dios Altísimo, y recibió de él la décima parte del botín (Gén. 14:18). Se ha especulado sobre la identidad de Melquisedec. Al decir Hebreos 7:3 que no tiene genealogía, algunos han dicho que probablemente se trate de un ángel con disfraz humano; otros lo identifican con Sem, hijo de Noé, que de acuerdo con Génesis 11:11 sobrevivió al diluvio por cerca de 500 años, y es probable que haya vivido más que Abraham. Pero históricamente, Melquisedec es miembro de una dinastía de sacerdotes y reyes que tenía tanto predecesores como sucesores.

Cuando Abraham regresó de esta batalla, el rey de Sodoma le propuso a Abraham que le devolviera los cautivos pero que retuviera el botín. Abraham se negó debido a un juramento que había hecho a Dios, "poseedor del cielo y de la tierra." La relación entre Abraham y Dios se estableció en el marco del pacto, que describe las obligaciones legales de los contrayentes. En el Antiguo Testamento se registran por lo menos siete pactos. (1) Pacto de Edén. Su característica fue la obediencia que Dios pidió al hombre. (2) Pacto con Noé. Este se desarrolla en Génesis 9:1-17, y aquí la gracia de Dios no depende de una recta respuesta de los beneficiados. (3) Pacto con Abraham. En este se encuentra la expresión clásica del pacto divino. Las bendiciones prometidas incluyen: a. una descendencia numerosa; b. la posesión de Canaán; y c. la reconciliación con Dios. (4) Pacto de Sinaí. Este pacto constituía una renovación y desarrollo del pacto con Abraham. Esta es la primera vez que Dios establece su pacto con una nación. (5) Pacto Levítico. La promesa descansa en el dar de Dios al oficio sacerdotal, a este grupo limitado de Levitas (Núm. 25:13) y el privilegio de andar con Dios en paz (Mal. 2:6). (6) Pacto Davídico. Este pacto desarrolla la antigua promesa de una descendencia santa. Su esencia se encuentra en la promesa de salvación por medio del reino, prometiendo un hijo más grande que David (2 Sam. 7:12-16). (7) Nuevo Pacto. Este fue expuesto por Jeremías (31:31-34).

Estudio del texto básico

Lea su Biblia y responda

1. Complete en cada caso la información solicitada.
   a. ¿Qué oficios tenía Melquisedec? (Heb. 7:1)
   _____ y _____
   b. ¿Qué significa Melquisedec? (Heb. 7:2)
   _____
   c. ¿Cómo es el sacerdocio de Melquisedec? (Heb. 7:3)
   _____
   d. ¿Qué significa que Abraham le haya dado los diezmos a Melquisedec? (Heb.7:4)
   _____

2. Completar las siguientes oraciones con la lista de palabras de abajo.
   a. El sacerdocio según Melquisedec es superior al _____
   b. Cambiando el sacerdocio es necesario cambiar _____
   c. Los levitas fueron hechos sacerdotes sin _____

   1. la ley
   2. juramento
   3. levítico

Lea su Biblia y piense

1 El sacerdocio de Melquisedec, Hebreos 7:1-3.

Vv. 1, 2. Los pasajes en los que el autor funda su argumento son el Salmo 110:4 y Génesis 14:18-20. La figura de Melquisedec es extraña, casi misteriosa. Nada se dice de su vida, nacimiento, muerte y ascendencia. Simplemente llega. Melquisedec por nombre es "Rey de Justicia". La "justicia" habla de la conformidad a una norma ética o moral, describiendo a una persona "tiesa" en su forma de vivir. Por su dominio, Melquisedec es "Rey de Paz". "Shalom" es más que ausencia de guerra; es plenitud, totalidad y armonía. Es adecuada la colocación de la justicia y la paz, ambas en el orden natural y en forma preeminente en la explicación que hace el autor de Melquisedec en términos del evangelio, donde la paz con Dios está basada en la justicia de Dios.

V. 3. El autor encuentra tanto significado en lo que no se dice de Melquisedec como en lo que se dice de él. El dice que Melquisedec era *sin padre ni madre ni genealogía.* Este argumento es sacado del silencio de la Escritura. El Antiguo Testamento no proporciona su genealogía, cosa verdaderamente extraña en Génesis (ver 11:10-26), y mucho más importante es que es contrario a las reglas del sacerdocio. Bajo la ley nadie podía ser sacerdote si no podía exhibir su genealogía ininterrumpida hasta Aarón (vea Neh. 7:63-65). Por otro lado, no se dice nada de su nacimiento ni de su muerte, por lo tanto se afirma que *no tiene principio de días, ni fin de vida.* Simplemente aparece como un hombre vivo y como tal desaparece. En todo esto es un tipo adecuado de Cristo; de hecho, se le asemeja al *Hijo de Dios,* y Jesús, exaltado a la diestra de Dios, *permanece sacerdote para siempre.*

2 Contraste entre el sacerdocio de Aarón y el de Melquisedec, Hebreos 7:11, 12-19.

V. 11. La cuestión básica de este contraste está en la palabra *perfección,* que en este contexto se define como "comunión perfecta entre Dios y el adorador." En la medida en que cualquier orden sacerdotal no alcanza la perfección, es inadecuado y temporal. El levítico tenía limitaciones, como por ejemplo: (1) el día del perdón, el sacerdote primero ofrecía un holocausto por sí mismo, y luego la ofrenda expiatoria por el pueblo (Lev. 16); y (2) se tenía la necesidad de repetir año tras año el sacrificio expiatorio. Por lo tanto, el anuncio de un nuevo orden, diferente del levítico, probaba la insuficiencia de este.

V. 12. Pero este cambio de sacerdocio lleva consigo una consecuencia sorprendente, *es necesario que también se haga cambio de ley.* De esta manera, el autor de la carta llega a la misma conclusión que Pablo: la ley era una provisión temporaria. Así, se establece que la ley era una dispensación temporaria de Dios, válida solamente hasta que Cristo viniera a inaugurar la era de la gracia.

Vv. 13-19. Por todo esto, se establece que la ley fue impotente para hacer en el hombre lo que era más importante hacer: establecer una relación directa con Dios. Es por eso que con Jesús, como sacerdote según el orden de Melquisedec, *se introduce una esperanza mejor.*

3 La naturaleza superior del sacerdocio de Cristo,
Hebreos 7:20-27.

Vv. 20, 21. El escritor sigue sacando conclusiones del Salmo 110:4, acumulando pruebas de que el sacerdocio de Jesús es superior al sacerdocio levítico. En primer lugar, subraya el hecho de que la institución del sacerdocio de Melquisedec fue confirmada por *el juramento* de Dios. El hecho de que Dios haga esto es porque debe tratarse de algo de importancia extraordinaria.

Vv. 22-25. Una segunda prueba de la superioridad del nuevo sacerdocio es que es permanente, en contraposición al levítico que es temporal. En el levítico, la muerte sobrevenía y los que eran sacerdotes deberían ser reemplazados. El sacerdocio de Jesús es *perpetuo.*

Vv. 26, 27. Jesús llenó todos los requisitos para un sacerdocio semejante al de Melquisedec, por lo tanto *nos convenía.* Se establecen las características del carácter de tal sacerdote como: *santo, inocente y puro*; y se describe el cumplimiento perfecto de su función: *apartado de los pecadores y exaltado más allá de los cielos*. El autor incluye dos razones más para afirmar que el sacerdocio de Jesús es superior. (1) Jesús no tuvo que ofrecer primero un sacrificio por sí mismo; (2) el sacrificio de Jesús fue una sola vez, contrastando con las repeticiones del sistema levítico.

Aplicaciones del estudio

1. La función de sumo sacerdote desempeñada por Jesucristo es superior a cualquier orden sacerdotal establecido. Jesús es sumo sacerdote para siempre, Hebreos 7:11. Jesucristo es sumo sacerdote a favor nuestro delante de Dios el día de hoy. Su función no terminó en el Gólgota, sino que continua hasta nuestros días. Esto trae confianza al cristiano en su relación con el Padre.

2. Por medio de la observancia de la ley nadie será justificado, pues la ley, como medio de salvación es impotente para hacer algo. La obediencia y la observancia de las disposiciones de Dios dan como resultado la salvación, Hebreos 7:19. La vida cristiana no es un legalismo estéril, sino una vida plena de obediencia.

3. En la obra redentora de nuestro Señor Jesucristo no hubo la necesidad de un sacrificio por sí mismo, y además fue realizada una vez y para siempre, Hebreos 7:26, 27. La obra de salvación es perfecta y no hay necesidad de añadir nada a ella. Tampoco es necesario repetirla. No pensemos que es necesario añadir algo o repetir alguna cosa.

Prueba

1. Mencione tres de las formas en las cuales el sacerdocio de Jesucristo es superior al de Aarón.

    a. _____

    b. _____

    c. _____

2. ¿De qué manera puede usted aplicar la realidad del sacerdocio de Jesús en beneficio de otros miembros de la iglesia?

    _____

Lecturas bíblicas para el siguiente estudio

Lunes: Hebreos 8:1-7   **Jueves:** Hebreos 9:11-28
Martes: Hebreos 8:8-13   **Viernes:** Hebreos 10:1-7
Miércoles: Hebreos 9:1-10   **Sábado:** Hebreos 10:8-18

Jesús, ministro y ofrenda por nuestros pecados

Contexto: Hebreos 8:1 a 10:18
Texto básico: Hebreos 8:1, 2; 9:11-15, 24-28
Versículos clave: Hebreos 8:13, 14
Verdad central: El ministerio sacrificial de Jesús enfatiza que por su muerte expiatoria en la cruz, las personas llegan a ser salvas y capacitadas para servir al Dios vivo.
Metas de enseñanza-aprendizaje: Que el alumno demuestre su conocimiento del alcance de la obra sacrificial de Jesús, y su actitud de compartir las enseñanzas de este estudio.

——————— *Estudio panorámico del contexto* ———————

La ley de Dios consta de tres partes: la ley moral, la ley ceremonial y la ley civil. Está dividida así porque el pueblo de Dios debe ser considerado desde tres ángulos. Primero, como criaturas racionales, dependiendo de Dios como causa suprema y normando su conducta de acuerdo con principios morales divinos. Segundo, como pueblo ritual del Señor, el cual esperaba al Mesías que inauguraría el reino de Dios, y teniendo como evento central el sacrificio. Tercero, como pueblo redimido por Dios necesitaban una clase especial de gobierno, tan peculiar como ellos mismos, una teocracia.

La ley es como "una espada de dos filos." Por un lado, hace grandes demandas; por el otro, muestra la imposibilidad para alcanzarlas, pero la misma ley establece un elaborado sistema sacrificial para poder acercarse a Dios. Así, el sacrificio establecido por Dios es el medio por el cual su pueblo puede acercarse a él. Dios dijo: "Nadie se presentará delante de mí con las manos vacías" (Exo. 34:20).

Había varios tipos de sacrificio: (1) El holocausto, que literalmente significa "lo que sube al cielo como humo." Describe aquella ofrenda de ganado voluntaria (Lev. 1:3), donde la víctima era quemada en su totalidad. (2) Las ofrendas de paz prescritas en Levítico 3:1-17. Dos ideas se relacionan con estas: paz y compañerismo. Como señal de comunión, el sacerdote y el adorador comían juntos algo del sacrificio (Lev. 7:14-15). (3) La ofrenda, que describe aquellas ofrendas de cereales que están prescritas en Levítico 2:1-16 y 6:14-23. Estas consistían en panes hechos de harina especial. Eran las únicas ofrendas que no llevaban sangre, pero iban acompañadas de una ofrenda quemada (Núm. 28:3-6).

¿Cuál era la respuesta de Dios cuando un sacrificio santo le era ofrecido?

Dios y el adorador experimentaban una reconciliación, y así el adorador obtenía "el perdón de cualquiera de todas las cosas en que suele ofender" (Lev. 6:7). La raíz hebrea *"kapar"* es usada en Levítico para expresar este perdón y aparece 49 veces en este libro. Significa "expiar por el ofrecimiento de un substituto" y la mayoría de sus usos se refiere al ritual sacerdotal de rociar la sangre inocente, haciendo "expiación" por el adorador. Siempre es usada en conexión al perdón de pecados.

─────────────── *Estudio del texto básico* ───────────────

Lea su Biblia y responda

1. Complete en cada caso la información solicitada.

   a. ¿Dónde se encuentra nuestro sumo sacerdote? (Heb. 8:1)
   _____

   b. ¿Qué función realiza? (Heb. 9:2)
   _____

   c. Jesús al entrar al Lugar Santísimo con su propia sangre, ¿qué nos puede ofrecer? (Heb. 9:12)
   _____

   d. ¿Qué efecto tenía la sangre y las cenizas de los sacrificios presentados al Señor? (Heb. 9:13)
   _____

   e. ¿Qué doble efecto tiene la muerte de Jesús? (Heb. 9:14)
   _____ y _____

2. Marque falso (**F**) o verdadero (**V**) a las siguientes afirmaciones.
   ___ a. Los sacrificios no tenían ningún efecto.
   ___ b. En Jesús se obtiene la promesa de la herencia eterna.
   ___ c. Jesús entró en el Lugar Santísimo del Tabernáculo terrenal.
   ___ d. Es necesario que el sacrificio de Jesús se repita una vez cada año.
   ___ e. El hombre muere una sola vez y después el juicio.

Lea su Biblia y piense

1 Jesús, ministro del verdadero tabernáculo, Hebreos 8:1, 2.

V. 1. En este versículo, el autor destaca dos aspectos muy importantes. Primero menciona que la posición ocupada por Jesús esta sentado *a la diestra del trono.* Ningún sumo sacerdote se podía sentar mientras estaba realizando su servicio, es más, en el tabernáculo no había ningún mueble que permitiera esto. Esto hablaba de que su ministerio debería ser continuo y repetitivo. Entonces, al mencionar que Jesús *se sentó,* sugiere que su tarea ha sido consumada y es perfecta.

En segundo lugar, el lugar de ministerio de Jesús. El autor ha destacado que Jesús como sumo sacerdote penetró los cielos (4:14); fue encumbrado por encima de ellos (7:26); y entró al interior del velo (6:19). El autor dice que esto es precisamente el punto central de todo, y por eso destacan nuevamente que el lugar donde está Jesús son *los cielos*. Esto se refiere a la habitación y manifestación de la presencia de Dios, donde se cumple su voluntad. Así, Jesús reina con autoridad para poner en efecto la salvación alcanzada en la cruz. Como sumo sacerdote, representa la expiación por el pecado; como Rey, el poder de la redención.

V. 2. En contraste con los santuarios materiales y humanos, Jesús es ministro del *verdadero tabernáculo,* el que no es imitación de algo mejor que él, el único eterno, el que es morada eterna de Dios. El tabernáculo que construyó Moisés, desde sus comienzos fue diseñado para ser sólo "maqueta" (Exo. 25:40; 26:30) y "sombra" de la realidad celestial donde ahora ministra Jesucristo.

2 Jesús, el sacrificio perfecto y final, Hebreos 9:11-15, 24-28.

Vv. 11, 12. Por cuanto Jesús ha realizado su sacrificio perfecto y final, las "sombras" han dejado lugar a la realidad perfecta y permanente. El santuario donde ministra es el verdadero tabernáculo, *no hecho de manos* humanas. Mientras que el sumo sacerdote entraba en el Lugar Santísimo en el Día de la Expiación con la sangre de *machos cabríos y de becerros,* Jesús entró una sola vez a la presencia de Dios con su *propia sangre.* Con este sacrificio, Jesús consiguió *eterna redención,* haciendo innecesarias las repeticiones.

Vv. 13, 14. La sangre de los animales sacrificados en el antiguo orden tenían cierta eficacia, pero era externa para quitar la contaminación ceremonial. Estos sacrificios no tenían efecto sobre la conciencia del adorador; servían solamente como un modo externo y simbólico de anular la contaminación del pecado. El sacrificio de Jesús delante de Dios tiene la capacidad de limpiar la conciencia del hombre. Hace lo que otros sacrificios son incapaces.

V. 15. Por esto, el único camino para llegar al santuario celestial es la muerte expiatoria de Jesús. Este es el significado funcional de *mediador del nuevo pacto.* Por tener un efecto interior, se puede establecer el nuevo pacto anticipado por Jeremías (31:31-34) que tenía cuatro elementos básicos: (1) sería interno, "en su corazón" (v. 33); (2) haría reconciliación, "yo seré su Dios" (v. 33); (3) sería directo, "me conocerán" (v.34); (4) redentor, "perdonaré su iniquidad" (v. 34).

V. 24. El lugar santísimo era solamente contraparte de la realidad que representaba: el trono de Dios. Allí fue donde Jesús entró y nos representó. La expresión *presentarse* sugiere no la perpetua intercesión de Cristo, sino su representación oficial como la culminación de su muerte expiatoria.

Vv. 25, 26. Una vez más, el autor afirma que la presentación ante el Padre no necesita ser repetida. Si la acción sacerdotal de Jesús no hubiera sido más concluyente que la levítica, *le habría sido necesario padecer muchas veces.* Con esto se está estableciendo el efecto universal, total y eterno del sacrificio de Jesucristo.

Vv. 27, 28. Una muerte física precede al juicio. Cristo sufrió esta muerte, y al hacerlo murió una vez por todas. Al hacerlo, cargó con el pecado *de muchos.* Y volverá una segunda vez no para cargar con el pecado, sino para encontrarse con *los que le esperan.*

--- *Aplicaciones del estudio* ---

1. Como cristianos tenemos la confianza de que la obra de Jesucristo es perfecta y completa, Hebreos 8:1. Por cuanto Jesucristo se encuentra "sentado" a la diestra del Padre, eso trae a nuestras vidas la confianza de que su obra expiatoria en favor nuestro ha sido completada. Su sacrificio es perfecto, y por lo tanto no hay necesidad de repeticiones, ni añadiduras.

2. Por el ministerio de sumo sacerdote realizado por Jesucristo en el tabernáculo celestial, cada uno de los que confían en él, tienen libre acceso delante del Padre, Hebreos 8:1, 2. Jesucristo traspasó los cielos y llegó a la presencia de Dios en favor nuestro. Así que, el acceso a Dios, ha sido abierto por Jesucristo en su obra redentora. Por lo tanto, "acerquémonos confiadamente al trono de su gracia."

3. El sacrificio de Jesucristo tiene la capacidad de limpiar la conciencia del hombre pecador. Es decir, tiene una aplicación interna, Hebreos 8:14, 15. Por esta obra interior, el único camino para llegar al santuario celestial es la muerte expiatoria de Jesús, haciéndose así, mediador de un nuevo pacto interno.

--- *Prueba* ---

1. Describa los tres tipos de ofrendas presentadas al pueblo de Israel, y piense en una aplicación a la vida cristiana.

a. _____
Aplicación. _____

b. _____
Aplicación. _____

c. _____
Aplicación. _____

2. ¿Cómo explicaría a un inconverso la obra vicaria de Jesucristo?
_____
_____
¿A quién podría compartirlo esta semana? _____
_____

Lecturas bíblicas para el siguiente estudio

Lunes: Hebreos 10:19-27   **Jueves:** Hebreos 11:13-22
Martes: Hebreos 10:28-39   **Viernes:** Hebreos 11:23-31
Miércoles: Hebreos 11:1-12 **Sábado:** Hebreos 11:32-40

Unidad 8

Firmes en la fe

Contexto: Hebreos 10:19 a 11:40
Texto básico: Hebreos 10:19-27; 11:1, 29-33, 39, 40
Versículo clave: Hebreos 11:1
Verdad central: El ejemplo de los héroes de la fe del pasado nos hace un llamamiento a permanecer firmes en la fe para enfrentar las tentaciones y pruebas.
Metas de enseñanza-aprendizaje: Que el alumno demuestre su conocimiento del ejemplo de los héroes de la fe del pasado, y su actitud hacia maneras en las que él puede desarrollar una fe más madura para enfrentar las tentaciones y pruebas.

Estudio panorámico del contexto

En el capítulo 10:19-39, el autor pasa a una sección práctica, es decir, de la teología se transporta al campo de la vida diaria de sus lectores. Desde el principio del capítulo siete el autor se ha dedicado a un argumento continuo basado en la exposición de ciertas citas del Antiguo Testamento; y habiendo completado este argumento, lo aplica de una forma magistral a la vida diaria de sus lectores. En un principio, el autor toma nuevamente como base la obra de Jesucristo, y la describe en forma triple: a) como camino al Padre (v. 20); b) como sumo sacerdote (v. 21), y c) como purificador eficaz (v. 22). Partiendo de esta afirmación, exhorta a sus lectores a hacer tres cosas sumamente importantes: a) acercarse a la presencia de Dios (v. 22); b) mantenerse firmes en sus convicciones como creyentes (v. 23); y c) mantenerse en un verdadero espíritu de comunidad de redimidos (vv. 24, 25).

De los versículos 26 al 39 se destaca una nueva faceta del autor: el horror que siente del juicio de Dios por los que pecan deliberadamente. La severidad y horror con las que habla casi no tiene paralelo en el Nuevo Testamento. Ya anteriormente había advertido contra la negligencia, el endurecimiento del corazón, la incredulidad; pero ahora, por primera vez usa la palabra pecado, y esto para compararlo con la sangre expiatoria de Cristo.

Este horror queda contrastado con lo que sigue en la carta. El autor alienta a sus lectores recordándoles ejemplos de fe de los días pasados. Algunos han llamado al capítulo 11 de esta carta "el más grande capítulo de la Biblia," y se le ha nombrado "el salón de la fama de los hombres de Dios." El autor parece tener delante de sí al Antiguo Testamento y partiendo desde el Génesis examina la historia antigua de los nombres de los héroes de la fe, inscribiéndolos en un pergamino inmortal. Parece que intenta hacer una lista completa, pero es tan grande el números de héroes de la fe que le fue imposible continuar (11:32, 36). Después, sin mencionar nombres los agrupa primero por lo que hicieron (11:33-35); segundo por su resistencia paciente

(11:36, 37), y tercero por su peregrinación (11:38-40). Todos ellos actuaron como si las cosas pertenecientes al futuro ya estuvieran presentes, pues estaban convencidos de que Dios cumpliría lo que había prometido.

─────────── *Estudio del texto básico* ───────────

Lea su Biblia y responda

1. Complete en cada caso la información solicitada.
   a. ¿Qué nos da libre acceso al lugar santísimo? (Heb. 10:19)
   _____
   b. Dos condiciones para acercarnos al Señor. (Heb. 10:22)
   _____ y _____
   c. ¿Cómo debemos considerarnos en la iglesia del Señor? (Heb. 10:24)
   _____ y _____
   d. ¿Qué puede hacerse por uno que se aparta deliberadamente después qué ha recibido la verdad? (Heb. 10:26)
   _____

2. Relacione las siguientes columnas, escribiendo el número en el espacio en blanco. "Por la fe..."
   ___ a. ofreció un excelente sacrificio.   1. Jacob
   ___ b. fue traspuesto para no ver muerte.   2. Moisés
   ___ c. vivió como extranjero en la tierra.   3. Abel
   ___ d. bendijo a Efraín y Manasés.   4. Josué
   ___ e. rehusó ser "hijo de Faraón."   5. Enoc
   ___ f. cayeron los muros de Jericó.   6. Abraham

Lea su Biblia y piense

1 Cómo acercarnos a Dios, Hebreos 10:19-25.

V. 19. El autor afirma que todo creyente tiene *plena confianza para entrar al lugar santísimo*. Esto contrasta grandemente con las restricciones del antiguo orden sacrificial. En él, el sumo sacerdote, y no todo el pueblo, tenía el exclusivo privilegio de entrar al lugar santísimo; y solamente en el día de la expiación, y no cualquier día del año. Ahora, aquellos que han sido purificados interiormente tiene el privilegio de acercarse al Señor libremente.

Vv. 20, 21. Es casi imposible no pensar que el autor al mencionar *el velo* no estuviera pensando en aquel que separaba al lugar santo del santísimo (Exo. 26:31-34). Algunas veces se le llama "el velo protector" (Exo. 40:21; Núm. 4:5), pues protegía al sacerdote de la presencia de Dios. Este velo, una sola vez en el año, era traspasado por el sumo sacerdote. Parece que las palabras, *nos abrió a través del velo*, se refieren a la ruptura del velo cuando Jesús murió en la cruz (Mar. 15:38). Esta ruptura permite al creyente un libre acceso a Dios.

Vv. 22, 23. El autor repite enfáticamente la acción de acercarse a Dios, pues ya no está restringida por aquellas condiciones del sacerdocio levítico. Naturalmente, tal acercamiento sólo pude hacerse con *corazón sincero*, y *la plena certidumbre de fe*.

Vv. 24, 25. Con la certidumbre de acceso a Dios viene la preocupación por los demás. Aquí el autor tiene una grande perspectiva eclesiástica. Primero establece el estímulo que debe existir en la comunidad de los redimidos, y luego menciona la necesidad de la comunión.

2 Advertencia al que peca deliberadamente, Hebreos 10:26, 27.

V. 26. El pensamiento básico en este pasaje es el mismo que se hizo en 6:4-6. Las palabras *porque si pecamos voluntariamente*, deben ser entendidas como "pecar con soberbia." El autor está tomando como trasfondo Números 15:27-31, donde se afirma que aquel que peca con altivez será excluido del pueblo. Por la severidad del pasaje, es natural pensar que tiene en mente algo mucho más grave de cometer una falta. A lo que seguramente se está refiriendo es "apartarse del Dios vivo" del que habló en 3:12. Haber recibido *el conocimiento de la verdad* y luego rechazarlo es abandonar el único camino de la salvación, y por lo tanto, *no queda más sacrificio por el pecado*.

V. 27. La única expectativa para el apóstata, es decir, aquel que conoció la verdad pero se apartó, es *de juicio y de fuego ardiente*. Esto será horrendo, puesto que se ha repudiado el único sacrificio expiatorio, la única oportunidad de salvación. La acusación para quien haga esto es triple y se le culpará de: a) haber pisoteado al Hijo de Dios; b) haber considerado de poca importancia la sangre del nuevo pacto, y c) haber despreciado el ministerio del Espíritu Santo (v. 29).

3 Naturaleza de la fe, Hebreos 11:1.

V. 1. El autor da una definición de la fe más que una descripción. Fe es seguridad de *las cosas que se esperan*. La esperanza bíblica tiene varios aspectos importantes. Primero, esperanza significa estar expectante de un buen porvenir. El judío, igual que el cristiano, tiene una expectativa positiva del futuro que Dios le proveerá. Segundo, la esperanza se apoya en la fidelidad de Dios, que no se engaña a sí mismo. Tercero, la esperanza se fundamenta en las promesas de Dios. La promesa es una afirmación que anuncia una realidad aún no presente. Es por esto, que la fe es certidumbre de una realidad de *las cosas que no se ven*.

4 Héroes de la fe, Hebreos 11:29-33, 39, 40.

V. 29. El autor menciona un enorme evento del pueblo hebreo: el cruce en seco del mar Rojo. Este hecho proporcionó una forma pictórica de lenguaje para describir otras liberaciones, como el regreso de Babilonia (Jer. 23:7), y se utiliza en el Nuevo Testamento como un tipo de bautismo (1 Cor. 10:1).

Vv. 30, 31. Se menciona otro evento nacional: la caída de los muros de Jericó. ¿Por la fe de quién cayeron los muros? Primariamente por la de Josué: creyó y obedeció las instrucciones divinas. Pero también fue la fe del pueblo, pues llevaron a cabo las instrucciones de Josué.

Vv. 32, 33. El autor se limita a mencionar una lista de hombres que actuaron por fe, y una lista de acciones. La vida de fe hace posible acciones valientes, poderosas y perseverantes.

Vv. 39, 40. A pesar de todas estas pruebas de heroísmo espiritual, ellos no conocieron las bendiciones plenas del perdón de pecados, del acceso a Dios y de la comunión personal con él. Vivieron en la expectación del nuevo pacto, aquel que fue establecido en la cruz del Calvario por medio de Jesucristo.

--------------------- *Aplicaciones del estudio* ---------------------

1. Gracias a la obra salvadora de nuestro Señor Jesucristo, como cristianos tenemos libre acceso a Dios, Hebreos 10:19. Debido a las restricciones del sistema sacerdotal levítico, una persona del pueblo de Dios no tenía el privilegio que ahora nosotros gozamos por la obra de Cristo. Aun muchos de los sacerdotes hubieran deseado esta bendición. En base a esto, apreciamos las palabras del Nuevo Testamento que afirman que hemos sido hechos "real sacerdocio" de Dios.

2. La vida cristiana es una aventura de fe, Hebreos 11:1. Abandonar la esfera de la realidad en la que uno se siente tranquilo y seguro, y ponerse a caminar por las sendas de la historia, por la senda de la libertad y del peligro, por la vía de las decepciones y de las sorpresas, traído y llevado únicamente por la esperanza de Dios. A esto, la Biblia le da el nombre de fe.

--------------------- *Prueba* ---------------------

1. Al acercarnos a nuestro Dios, lo debemos hacer con _____ y plena _____ de fe, y _____ los corazones de mala conciencia, y lavados los _____ con agua pura (Heb. 10:22).

2. El autor a los Hebreos agrupa en tres listas a hombres que se caracterizaron por: (1) actos poderosos de fe; (2) resistencia paciente de fe, y (3) peregrinación victoriosa de fe. ¿Ha experimentado alguna de éstas en su propia vida? Narre su experiencia brevemente.

_____

_____

_____

Lecturas bíblicas para el siguiente estudio

Lunes: Hebreos 12:1-6
Martes: Hebreos 12:7-13
Miércoles: Hebreos 12:14-24

Jueves: Hebreos 12:25-29
Viernes: Hebreos 13:1-16
Sábado: Hebreos 13:17-25

Unidad 8

Vida y servicio aceptables

Contexto: Hebreos 12:1 a 13:25
Texto básico: Hebreos 12:1-4, 7-11; 13:1-5
Versículo clave: Hebreos 12:1
Verdad central: El cristiano debe consagrarse al servicio de su Señor mostrando al mundo la santidad de Dios.
Metas de enseñanza-aprendizaje: Que el alumno demuestre su conocimiento de los conceptos bíblicos acerca de la disciplina en la vida diaria, y su actitud de practicar las virtudes cristianas.

──────────── *Estudio panorámico del contexto* ────────────

En el Nuevo Testamento aparecen dos términos que describen la vida cristiana en su relación con el mundo. El primero de ellos es **extranjero**. Este describe a uno que no es ciudadano de un país, aun y cuando viva en él. Los cristianos han sido trasladados del reino de las tinieblas al reino de la luz. En segundo lugar, se le describe como **peregrino**, y hace hincapié sobre la transitoriedad de su vida en el mundo; pues su verdadera patria está en los cielos.

Bajo esta perspectiva, en el siglo II d. de J.C. se escribió una carta llamada "Epístola a Diogneto," que en una parte dice: "Los cristianos viven en sus propios países, pero únicamente como transeúntes, sufren todas las penalidades como extranjeros. Cada país extranjero les es una patria, y cada patria un país extranjero. Obedecen las leyes instituidas, y van más allá de ellas en sus propias vidas. El alma está encerrada en el cuerpo, y sin embargo lo sostiene; así también los cristianos están en el mundo como en una cárcel, y sin embargo, sostienen al mundo. Así es de elevada la misión que Dios les ha señalado, y no les está permitido rehuirla." Así, el cristiano tiene una forma particular de vivir, y de relacionarse con el mundo.

Una vez que el autor de la carta a los Hebreos ha descubierto ante los ojos de sus lectores los éxitos de aquellos hombres de fe del pasado, los vuelve a exhortar a la perseverancia de la vida cristiana. Ellos deben recordar que al igual que el alma está encerrada en el cuerpo, así ellos están en el mundo y deben sostenerlo. A aquellos héroes de la fe los llama: "nube de testigos", pero no en el sentido de espectadores que observan a sus sucesores, sino más bien porque por su lealtad y perseverancia han dado testimonio de las posibilidades de la vida de fe.

El autor y sus lectores aparecen como corredores en un estadio olímpico. No está bajo su consideración participar o no en la carrera. Tienen que hacerlo; Dios les ha fijado esta tarea. Por lo tanto, su carrera la deben correr bajo consideraciones muy importantes. Entre ellas está el ejemplo de la vida de Jesús (12:1-3), deben hacer de la disciplina algo indispensable en su preparación (12:4-11), al igual que la perseverancia (12:12-19). Y todo esto se debe reflejar en una vida de compromiso y servicio (13:1-17). Por todo esto, la vida cristiana ha de ser compromiso, servicio y misión.

─────────────── *Estudio del texto básico* ───────────────

Lea su Biblia y responda

1. Complete en cada caso la información solicitada.
   a. ¿Cómo se compara al pecado en la vida del cristiano? (Heb. 12:1)

   _____

   b. ¿Dónde debe estar la vista del creyente? (Heb. 12:2)

   _____

   c. ¿Qué efecto debe tener el padecimiento de Cristo en la vida del creyente? (Heb. 12:3)

   _____

   d. ¿Qué demuestra el hecho de que Dios discipline al creyente? (Heb. 12:7).

   _____

2. Marque falso (**F**) o verdadero (**V**) a la siguientes afirmaciones.
   ___ a. Sólo algunos participan de la disciplina de Dios.
   ___ b. La disciplina no niega el respeto.
   ___ c. El que es disciplinado por Dios recibe provecho.
   ___ d. La disciplina no tiene ningún resultado posterior.
   ___ e. El cristiano ha de ser hospitalario.
   ___ f. El cristiano no debe ser avaro.

Lea su Biblia y piense

1 Jesús ejemplo de disciplina, Hebreos 12:1-3.

V. 1. El autor en el capítulo 11 señaló al pasado recordando los héroes de la fe; ahora está apuntando al presente, a sus lectores. Puesto que el cristiano tiene a su derredor *tan grande nube de testigos,* su vida debe ser legítima. Los *testigos* no son observadores ansiosos por ver cómo se desempeña el cristiano, sino dan testimonio de que la vida cristiana se puede vivir. Por lo tanto, el autor exhorta *a despojarse de todo peso y del pecado.* Sin esto, la carrera es más desgastante y lenta. El pecado es algo que *nos enreda* con facilidad. Esto puede entenderse desde dos ángulos: Primero, describe algo que obstaculiza la carrera, segundo, como aquello que distrae al atleta.

V. 2. Habiendo quitado todo lo innecesario, se debe ver un sólo objetivo: la meta. En la vida del cristiano ésta es la persona de Jesucristo, *el autor y consumador de la fe.* Jesús es *autor* de la fe no en el sentido que él la haya creado, sino que él es su objeto, inspiración y fundamento. Es *consumador* ya que toda su vida estuvo caracterizada por una fe incuestionable en su

Padre, y tuvo su expresión máxima en Getsemaní. La recompensa del sufrimiento de Cristo es la posición de autoridad de la que tomó posesión al sentarse *a la diestra del trono de Dios*. En esta posición su *gozo* se completó, aunque primero tuvo que sufrir en *la cruz*.

V. 3. El autor invita a sus lectores a "considerar" los padecimientos de Jesús para que vivan con perseverancia. La palabra *considerad* describe la acción de "comparar" o "reflexionar." Así, el cristiano ha de compararse con el sufrimiento de Cristo, y a partir de allí habrá de proyectar sus propios sufrimientos. Solamente así, y viendo que los padecimientos propios no se pueden comparar con los de Jesucristo, el ánimo no decae ni desmaya.

2 El papel de la disciplina, Hebreos 12:4, 7-11.

V. 4. Los hebreos habían padecido algún tipo de persecución que les desanimó y veían la posibilidad de abandonar la fe. Probablemente habían perdido su posesiones (10:34), pero aún no habían *resistido hasta la sangre*, como Jesús y algunos de los héroes de la fe (11:35-37). Así que, tenían que seguir combatiendo contra el pecado, especialmente la tentación de volver atrás.

Vv. 7, 8. El autor emplea una cita del Antiguo Testamento (Prov. 3:11) para recordar a sus lectores que la disciplina forma parte de la relación padre-hijo. Así los lectores son animados: *permaneced bajo la disciplina* de Dios. Como dijo un escritor: ¡Qué gran privilegio ser tratados por Dios como hijos! ¡Mejor ser castigados por Dios que ser halagados por el diablo! La disciplina de Dios es evidencia de que el cristiano es su hijo, y no un hijo *ilegítimo*.

Vv. 9, 10. Si un padre terrenal corrige a sus hijos, no debería sorprender a los hijos de Dios que él los discipline. Este conocimiento debe ayudar a los creyentes a obedecer *con mayor razón* como verdaderos hijos.

V. 11. El valor pedagógico de la disciplina es enorme, aun cuando no se agradece cuando se recibe. El Profesor C. S. Lewis escribió: "Dios nos susurra en nuestros placeres, nos habla en nuestra conciencia, pero nos grita en nuestros dolores; estos son su megáfono para despertar a un mundo sordo." El fruto de la disciplina es *justicia*, que ha de ser entendida como la conformidad a una norma ética, y aplicada a los hombres describe a uno que permanece "derecho o tieso" ante las exigencias de la ley. Un hombre justo es aquel cuya alegría es permanecer en obediencia y sumisión al Señor.

3 Llamado a ejercitar las virtudes cristianas, Hebreos 13:1-5.

Vv. 1, 2. Una de las pruebas constantes de una vida cristiana saludable es la forma de convivir con los hermanos. Como no había facilidades para hospedarse en lugares públicos, se invita a los lectores a *la hospitalidad*. Al decir que algunos *hospedaron ángeles sin saberlo*, probablemente se refería a Abraham (Gén. 18), Gedeón (Jue. 6) y Manoa (Jue. 13).

V. 3. Los creyentes deben identificarse con los presos como si ellos mismos estuvieran presos. Estar en *el cuerpo* es estar igualmente expuesto a todos los riesgos del mundo.

V. 5. La forma de vida que se debe cultivar es contentarse con lo que se tiene. Esto no en el sentido de conformismo, sino evitando el *amor al dinero*.

Aplicaciones del estudio

1. La vida cristiana es algo que se puede vivir, Hebreos 12:1. Vidas como las de Abraham, José, Amós, Nehemías y Pablo son tremendos ejemplos de obediencia, fe y disciplina. Al mismo tiempo, ellos padecieron el mismo tipo de debilidades que nosotros, y sin embargo tuvieron éxito en sus vidas. La Biblia no habla de gente excepcional en el sentido de que tuvieran alguna virtud que nosotros no podamos tener, sino fueron excepcionales en su obediencia.

2. En Jesucristo tenemos el mejor ejemplo de la vida cristiana victoriosa, Hebreos 12:2. Como cristianos, muchas veces buscamos ciertos modelos a quienes deseamos tener como ejemplos, pero para qué buscar modelos a seguir si tenemos el modelo perfecto y refinado. El modelo a seguir es el Señor, él nos ha dejado el ejemplo. Intentemos poner nuestros pies donde alguna vez los puso él.

3. Nuestra relación con el Señor no se limita a la observancia de deberes religiosos; implica un compromiso con los necesitados que nos rodean, Hebreos 13:3. La vida cristiana es una vida de servicio, y particularmente a aquellos que están en desgracia. Recordemos que los parámetros del juicio serán, "estuve en la cárcel y no me visitasteis."

Prueba

1. Grandes hombres de tiempos bíblicos demostraron su fe al vivir dentro de la voluntad de Dios. Ellos son llamados en este estudio "testigos". ¿Qué es un testigo? ¿Qué es un mártir?

   Testigo _____

   _____

   Mártir _____

   _____

2. Dice Hebreos 13:3: "Acuérdense de los presos." ¿Qué posibilidad habría de que usted y sus compañeros pudieran hacer una visita a alguien en la cárcel?

Lecturas bíblicas para el siguiente estudio

Lunes: Santiago 1:1-8

Martes: Santiago 1:9-11

Miércoles: Santiago 1:12-18

Jueves: Santiago 1:19-21

Viernes: Santiago 1:22-25

Sábado: Santiago 1:26, 27

Sabiduría y fe frente a las pruebas y las tentaciones

Contexto: Santiago 1:1-27
Texto básico: Santiago 1:1-7, 13-17, 21-27
Versículos clave: Santiago 1:5, 6
Verdad central: Las instrucciones de Santiago acerca de las pruebas y las tentaciones ponen énfasis en la necesidad de obedecer la Palabra de Dios.
Metas de enseñanza-aprendizaje: Que el alumno demuestre su conocimiento de las instrucciones que da Santiago sobre cómo tratar con las pruebas y las tentaciones, y su actitud de aceptación de esas instrucciones.

Estudio panorámico del contexto

La carta de Santiago es eminentemente práctica en su enfoque. De principio a fin el escritor acentúa el desarrollo práctico de la verdadera religión. No se ve lo que aparece en las cartas paulinas: la intención de asentar una base doctrinal que sirva de fundamento para una amplia gama de mandatos. El elemento unificador de esta carta es la insistencia de ser hacedor de la Palabra. Por lo cortante de su predicación en contra de la injusticia social y de la desigualdad, ha sido llamada el "Amós" del Nuevo Testamento.

¿Quién fue el autor de esta carta? Por el nombre "Santiago" o "Jacobo," y por quienes en el Nuevo Testamento llevan este nombre, se considera a: (1) Jacobo, hijo de Zebedeo. Este es poco probable ya que fue martirizado en el año 44 d. de J.C. (Hech. 12:2); (2) Jacobo, hijo de Alfeo. Puede ser rechazado inmediatamente ya que no hay ninguna tradición a su favor. (3) Jacobo, hermano del Señor Jesucristo. Las semejanzas lingüísticas de este libro con su discurso en Hechos 15, lo mucho que depende de la tradición judía, y la armonía de los datos históricos del Nuevo Testamento referentes a él, favorecen su candidatura como el autor de esta carta.

Santiago en su carta toca diversos temas. Sus párrafos breves y escuetos se han comparado con hileras de perlas, cada una forma una entidad separada. Entre éstas aparece *la prueba* del carácter cristiano (1:2-4). Dios prueba al hombre colocándolo en situaciones que revelan la calidad de su fe y devoción (Gén. 22:1). Al someter al hombre a una prueba, Dios busca una purificación (1 Ped. 1:6); fortalecer su paciencia y carácter (1 Ped. 5:10); hacerle tener mayor seguridad en el amor de Dios (Rom. 5:3ss). Por otro lado, *la tentación* tiene como autor a Satanás (Job 1:12) y su fin es desviar la voluntad de Dios en el hombre (1 Ped. 5:8). Para esto, Satanás se vale de la tribulación (Apoc. 2:10), del estímulo para que satisfaga en forma equivocada sus deseos (1 Cor. 7:5), o de falsas representaciones de Dios y de su voluntad (Gén. 3:1-5).

Otro de los temas de Santiago es *la sabiduría* (1:5-7). Esta se manifiesta en un caminar correcto delante de Dios (3:13, 17, 18). No conduce al desorden sino a la paz, tiene como única fuente a Dios, y por lo tanto, se obtiene a través de la fe (1:5, 6).

―――――――― *Estudio del texto básico* ――――――――

Lea su Biblia y responda

1. Complete en cada caso la información solicitada.

a. ¿A quiénes está dirigida la carta? (Stg. 1:1)

_____

b. ¿Cómo debemos enfrentar la prueba? (Stg. 1:2)

_____

c. ¿Cuál es el resultado de la prueba? (Stg. 1:3)

_____

d. ¿Cómo describe a aquellos que han sido sometidos a una prueba y la paciencia ha dado su resultado? (Stg. 1:4)

_____

e. ¿Cómo debemos pedir al Señor sabiduría? (Stg. 1:6)

_____

2. Relacione las siguientes columnas.

___ a. El origen de la tentación.   1. La Palabra
___ b. Resultado de la baja pasión.   2. Satanás
___ c. Es resultado del pecado.   3. Dios
___ d. El origen de las bendiciones.   4. Bienaventurado
___ e. Puede salvar el alma.   5. El pecado
___ f. El que obedece a Dios.   6. La muerte

Lea su Biblia y piense

1 La actitud correcta hacia las pruebas, Santiago 1:1-4.

V. 1. Santiago se dirige *a las doce tribus de la dispersión.* Probablemente eran cristianos que antes habían sido judíos y que fueron dispersados por las persecuciones de la iglesia.

V. 2. La palabra *prueba* en esta carta se usa en dos sentidos: Adversidades exteriores (1:2), un elemento de verificación que Dios puede usar (1:13, 14). Aquí, probablemente está hablando de la persecución. Estar contentos en medio de la persecución es difícil, pero cuando ésta se ve como medio para alcanzar la semejanza de Cristo se puede enfrentar con *sumo gozo.*

Vv. 3, 4. El resultado a corto plazo de las pruebas es *la paciencia,* o mejor "resistencia perseverante." A la paciencia se le debe permitir que alcance su plenitud, produciendo hombres *completos* y *cabales*. El término "completo" describe la madurez cristiana, y el "cabal" se aplicaba a los animales aptos para ser sacrificados. Al decir esto, probablemente Santiago tuvo en mente las palabras de Jesús en Mateo 5:48.

2 La actitud correcta hacia la oración, Santiago 1:5-7.

V. 5. Santiago prevé que algunos de sus lectores dirán que no pueden ver ningún provecho en sus penalidades. En ese caso, el creyente ha de pedir *sabiduría* a Dios para comprender su situación. Dios otorgará esta sabiduría con *liberalidad y sin reprochar*. Con esto, Santiago está enfatizando la generosidad divina.

Vv. 6, 7. Sin embargo, hay que cumplir una condición: *pida con fe, no dudando nada*. Aquel que acude a Dios con peticiones debe estar seguro de lo que desea. El que duda es comparado con *una ola del mar,* corriendo de la fe a la duda, de la incredulidad a la esperanza. El que actúe así, no *recibirá cosa alguna del Señor.*

3 La actitud correcta hacia la tentación, Santiago 1:13-17.

Vv. 13, 14. Santiago pasa ahora de las pruebas exteriores a la internas. La palabra *tentación* conlleva la idea de inducir a alguien al pecado. Algunos judíos razonaban y decían, "puesto que Dios creó todo, también creó el impulso malo. Y ya que este impulso tienta al hombre para que peque, en último término Dios es el responsable del mal por haberlo creado." Santiago tiene en mente a este hombre que busca una excusa para su falta de firmeza. Así, en lugar de echarle la culpa a Dios, el hombre debe asumir su responsabilidad. Las palabras *arrastrado* y *seducido* son utilizadas en forma metafórica del arte de cazar y pescar poniendo una "carnada" o "sebo" al animal para atraparlo.

Vv. 15, 16. Santiago establece una progresión en el acto de pecar. Primero, *la pasión* es despertada, y el pensamiento perverso es concebido (v.14); luego la pasión provoca la consumación exterior del *pecado* (15a), y por último, el juicio divino sobre esto viene en forma de *muerte*. Santiago quiere que sus lectores se den cuenta de esto, por eso los exhorta a no engañarse.

V. 17. En oposición al pensamiento de que la tentación proviene de Dios, Santiago afirma que solamente lo bueno y perfecto proceden de Dios. Santiago al mencionar al *Padre de las luces* puede referirse a dos cosas: (1) Luces físicas como el sol, la luna y las estrellas; que aunque ellas cambian de acuerdo con las estaciones del año y en Dios *no hay cambio.* (2) Luces espirituales y morales que iluminan las mentes de aquellos que siguen la voluntad de Dios.

4 La actitud correcta hacia la Palabra de Dios, Santiago 1:21-27.

V. 21. Santiago va a un contexto más definido de la voluntad de Dios y la palabra hablada. Ya que la palabra es semilla, necesita buen terreno para germinar, por lo tanto el autor exhorta a su lectores a desechar todo lo corrupto. La *maldad que sobreabunda* no debe entenderse como una gran cantidad, sino como "lo que rebasa los límites".

V. 22. El cristianismo es una religión de acción. Por importante que sea el oír (1:19), no se debe detener allí. Oír la palabra sin hacerla es engañarse a sí mismo.

Vv. 23, 24. Aquel que oye la verdad y no la acepta, es semejante a uno que se ve en el espejo sin prestar atención. En este hombre, tanto la impresión como el olvido fueron instantáneos, pero el alejamiento de Dios es permanente.

V. 25. El hombre a quien *la perfecta ley,* siendo un espejo, revela las imperfecciones de su vida y procede a transformar su vida: es llamado *bienaventurado.*

Vv. 26, 27. Alguno que se considera *religioso.* ¡Hay más de uno! Estos son los que se basan en prácticas externas y se engañan a sí mismos. Así que, practicar la religión sin refrenar la lengua, sin visitar a los desvalidos y sin apartarse de corrupción es engañarse a sí mismo.

Aplicaciones del estudio

1. Las pruebas son medios por los cuales el Señor refina, ejercita y mejora nuestro carácter como hijos de Dios, Santiago 1:2-4. Ciertamente en el momento de la dificultad no se ve ningún provecho, pero su resultado es altamente benéfico. Y mientras llevamos valientemente estas cargas, podemos también tener gozo en el Señor.

2. Las tentaciones que vienen a la vida del creyente nunca son producidas por Dios, sino que son nacidas del interior de la naturaleza humana, Santiago 1:14. Cuando se quiere ver a Dios como fuente de la tentación, se está buscando la manera de eludir la responsabilidad por los propios pecados. Las bajas pasiones son pecaminosas en sí mismas aun cuando no hayan resultado en acciones perversas.

Prueba

1. En sus palabras defina "prueba" y "tentación" y explique el propósito de cada una de ellas.

   Prueba _____

   Propósito _____

   Tentación _____

   Propósito _____

2. En forma muy práctica, ¿cómo podría prepararse para enfrentar las pruebas y tentaciones que vienen a su vida? _____
   _____

Lecturas bíblicas para el siguiente estudio

Lunes: Santiago 2:1-4
Martes: Santiago 2:5-7
Miércoles: Santiago 2:8-10

Jueves: Santiago 2:11-13
Viernes: Santiago 2:14-17
Sábado: Santiago 2:18-26

Unidad 9

Fe y obras

Contexto: Santiago 2:1-26
Texto básico: Santiago 2:1-4, 8-10, 14-18, 21-24
Versículo clave: Santiago 2:18
Verdad central: La advertencia de Santiago contra la parcialidad y la fe muerta enseña que los cristianos deben respetar a todas las personas por igual y dar evidencia de su fe en cada área de su vida.
Metas de enseñanza-aprendizaje: Que el alumno demuestre su conocimiento de las advertencias de Santiago contra la parcialidad y la fe muerta, y su actitud para dar evidencia de su fe en Cristo.

────────── *Estudio panorámico del contexto* ──────────

En el capítulo dos de Santiago se tratan dos asuntos muy importantes: la distinción entre personas (2:1-13) y la relación entre la fe y las obras en la vida del cristiano.

En cuanto a la primera, hacer distinción entre personas, siempre en el Nuevo Testamento es vista como una parcialidad injusta. Significa mostrar espíritu servil o prestar atención especial a alguien por ser una persona rica e influyente; y el menosprecio por la que es pobre y humilde. De esto nunca pudieron acusar los líderes a Jesús, pues nunca trató a nadie con favoritismo (Luc. 20:21). La palabra "distinción" podía aplicarse en dos sentidos: elevar la apariencia de una persona considerándola con favor, o estimándola como poca cosa.

Con respecto a la relación entre fe y obras, Santiago ha sido criticado por algunos. Por ejemplo, la actitud de Lutero fue de desconfianza y de desilusión, ya que la encontraba en desacuerdo con la enseñanza de Pablo respecto a la justificación por la fe. Aparentemente, Pablo pone énfasis en que el hombre es salvo mediante la fe, y sólo eso, y que las obras para nada intervienen (Rom. 3:28; Gál. 2:16). Por esto, no sólo se dice que Santiago difiere de Pablo, sino que está en oposición a él, sin embargo, podemos decir:

(1) El énfasis de Santiago es el mismo de todo el Nuevo Testamento. Juan el Bautista predicaba que los hombres deberían dar frutos de arrepentimiento (Mat. 3:8). De acuerdo con Jesús, los cristianos deben vivir una vida de buenas obras, para que los hombres glorifiquen a Dios (Mat. 5:16). Jesús insiste en que los hombres deben ser conocidos por sus frutos (Mat. 7:15-21). Y además, el hombre no será juzgado por la ortodoxia de sus declaraciones, sino por los frutos prácticos de su fe (Mat. 25:31-46).

(2) Pablo habla igualmente de las obras que debe producir la fe. No importa cuán doctrinal sea su epístola, Pablo nunca deja de concluir con una sección ética en la cual subraya la expresión de las creencias en obras.

Además, Pablo deja claro que Dios pagará a cada cual conforme a sus obras (Rom. 2:6), e insiste en que cada uno dará cuentas de sus obras (Rom. 14:12). Dice que cada uno recibirá recompensa conforme a su labor (1 Cor. 3:8), y advierte que cada uno comparecerá ante Cristo, conforme a lo que haya hecho, sea bueno o sea malo (2 Cor. 5:10). A través de esto, se advierte que el cristianismo debe ser demostrado con obras.

──────────── *Estudio del texto básico* ────────────

Lea su Biblia y responda

1. Complete en cada caso la información solicitada.
   a. ¿Qué manda Santiago a sus lectores en 2:1?
   _____
   b. Si se hace distinción entre personas, ¿en qué se constituyen los que así hacen? (Stg. 2:2-4) _____
   _____
   c. ¿A quién escogió Dios como heredero? (Stg. 2:5)
   _____
   d. Hay dos cargos por hacer distinciones entre la gente, ¿cuáles son? (Stg. 2:9)
   1. _____
   2. _____
   e. ¿Qué pasa si se infringe un punto de la ley? (Stg. 2:10)
   _____

2. Complete cada expresión con la palabra correcta de la lista.

   a. Juicio sin misericordia contra el _____
   b. No hay salvación si hay fe, pero no _____
   c. La fe sin obras está _____
   d. Abraham fue justificado por _____
   e. Abraham es llamado _____

   1. muerta
   2. que no usa la misericordia.
   3. las obras de su fe
   4. hay obras.
   5. amigo de Dios.

Lea su Biblia y piense

1 Advertencia contra la parcialidad, Santiago 2:1-4, 8-10.

V. 1. En esta sección, Santiago sigue poniendo de relieve la importancia de la conducta del cristiano. Por su forma gramatical, siendo un imperativo,

Santiago está dando un mandamiento. Sus lectores son conscientes del significado de *la fe* en Cristo, y cómo no se permite la *distinción* de personas. No se puede tener fe y al mismo tiempo ser parcial.

Vv. 2-4. Santiago cita una ilustración para reforzar el mandamiento anterior. Un hombre rico con *anillo de oro* y vestido de ropas finas y otro *pobre con vestido sucio* entran en la reunión de un grupo de creyentes mientras están en el acto de adoración. Se puede suponer que ambos son visitantes, no miembros regulares. La acción anticristiana es juzgar el valor de cada hombre en base a su apariencia. Así, al rico se le da un trato preferente ofreciéndole un *buen lugar*; mientras que al pobre se le hace quedar en pie. La expresión *¿no hacéis distinción?* puede traducirse por "¿no estáis divididos?" La división es por causa de la diferencia de rango y la riqueza. Al actuar de este modo, están demostrando *ser jueces con malos criterios*.

Vv. 5-7. Santiago llama la atención de sus lectores diciendo, *oíd*, comparándose con el "de cierto de cierto os digo" de Jesús. La primera razón que presenta Santiago para el ilógico trato especial a los ricos es que *ha elegido Dios a los pobres*. Con esto, no se está afirmando que la elección de Dios sea arbitraria. Simplemente describe que los pobres se muestran más receptivos al evangelio que los ricos (ver Luc. 6:20; 1 Cor. 1:26-31). Otra razón es que los ricos son los que los han perseguido, y llevado aun hasta *los tribunales*. El punto culminante de Santiago contra favorecer a los ricos es que *blasfeman ellos el buen nombre* de Dios.

V. 8. Santiago conduce a sus lectores a una norma básica de conducta cristiana, y le llama *la ley real*. Esta es la ley del amor (Lev. 19:18), y es llamada real, porque es la ley "suprema" que es fuente de todas las demás leyes que gobiernan las relaciones humanas. Así mismo, es la suma de todas las demás leyes (Mat. 22:39; Rom. 13:8-10).

Vv. 9-11. Puesto que el amor no hace *distinción de personas*, la parcialidad es *pecado*. Y ya que la ley es la expresión de la voluntad de Dios, violar un mandamiento es rechazar su voluntad y así, toda la ley es quebrantada.

V. 12. Santiago resume este párrafo con una exhortación a hablar y actuar como aquellos que han de ser *juzgados por la ley de la libertad*.

2 Advertencia contra la fe muerta, Santiago 2:14-18, 21-24.

V. 14. La respuesta obligada a la primera pregunta es un rotundo ¡de nada!; la respuesta a la segunda es un categórico ¡no! *Obras* no se refiere a la idea de que haciendo algo se puede obtener la salvación, sino más bien a las obras de fe, el producto ético de la verdadera piedad y en especial las "obras del amor."

Vv. 15-17. Como lo hizo para demostrar la parcialidad (2:2, 3), ahora Santiago pone un ejemplo de cómo debe obrar la fe. Se encuentra en la iglesia un hermano necesitado de *la comida diaria,* y se le despide sin siquiera tenderle la mano para auxiliarlo en sus necesidades. Santiago pregunta, *¿de qué sirve?* La fe que no se preocupa, por medio de la participación activa de las necesidades de los otros, no es en absoluto fe.

V. 18. Santiago introduce la opinión de un oponente imaginario quien objeta que puede existir fe sin obras. Santiago niega esto, no abogando por la prioridad de las obras sobre la fe sino a través de la insistencia de que, no hay una fe cristiana válida aparte de las obras.

Vv. 21, 22. Para comprobar sus palabras, recurre al ejemplo de Abraham. La idea de que Abraham fue justificado por sus obras parece contradecir a Pablo (Rom. 4:3; Gál. 3:6), pero la reconciliación se encuentra en el acontecimiento al que se refiere cada uno. Pablo está pensando en el momento en que Abraham aceptó la promesa de Dios sin pruebas. Santiago se refiere al día cuando Abraham *ofreció a su hijo Isaac sobre el altar.* Santiago hace hincapié sobre la relación entre fe y acción cristiana. Abraham creyó y actuó.

Vv. 23, 24. Fue en la acción, las obras, de Abraham que *se cumplió la Escritura.* Así, la fe desnuda, improductiva no puede salvar al hombre. La verdadera fe se manifestará en obras, y sólo una fe así salva.

--------------- *Aplicaciones del estudio* ---------------

1. Como cristianos, la fe y el amor deben excluir la parcialidad y el favoritismo de nuestras relaciones, Santiago 2:1-3. Jesucristo en su propio ministerio vivió esta verdad. El se llamaba amigo de pecadores y publicanos, y a nadie veía con parcialidad. Puesto que en él ya no hay barreras de ninguna clase, pues él mismo las rompió, debemos seguir su ejemplo y enseñanza.

2. La exposición doctrinal de la salvación debe traducirse en obras de fe, Santiago 2:14. En la Biblia se habla del cristianismo como "el camino" (Hech. 5:20), pero también se describe como "esta vida". El camino es la exteriorización de la vida. El camino es un modo de relacionarse con el mundo y se caracteriza primariamente por la acción.

--------------- *Prueba* ---------------

1. La parcialidad es un punto duramente criticado por Santiago en su carta. ¿Cómo describe Santiago a aquel que practica la parcialidad?

_____

_____

2. Seguramente dentro de su congregación hay algún hermano con el que no tiene una buena relación. ¿Podría invitarlo esta semana a tomar un café y hablar con él en su casa?

Lecturas bíblicas para el siguiente estudio

Lunes: Santiago 3:1-3   **Jueves:** Santiago 3:10-12
Martes: Santiago 3:4-6   **Viernes:** Santiago 3:13-16
Miércoles: Santiago 3:7-9   **Sábado:** Santiago 3:17, 18

Poder y peligro de la lengua

Contexto: Santiago 3:1-18
Texto básico: Santiago 3:1-10, 13-17
Versículo clave: Santiago 3:5
Verdad central: Las instrucciones de Santiago acerca de la verdadera sabiduría y el control de la lengua, declaran que los cristianos deben evitar las palabras que no edifican y vivir bajo la sabiduría de Dios.
Metas de enseñanza-aprendizaje: Que el alumno demuestre su conocimiento de las instrucciones de Santiago acerca del control de la lengua y la verdadera sabiduría, y su actitud de evitar las palabras que no edifican y vivir bajo la sabiduría de Dios.

────────── *Estudio panorámico del contexto* ──────────

Santiago quiere advertir a sus lectores de tres asuntos muy peligrosos: (1) la enseñanza (3:1-2a); (2) la lengua (3:2b-12), y (3) la sabiduría humana (3:13-18).

Santiago ve peligro en la enseñanza. Ser maestro es peligroso pues se tiene la responsabilidad de poner el sello de su propia fe y conocimiento a aquellos que participan de su enseñanza. También es peligrosa la enseñanza pues hay el riesgo de presentar como verdad algo que es mentira. En el cristianismo primitivo, hubo maestros que intentaron introducir el judaísmo (Hech. 15:24), y quienes torcieron el evangelio con enseñanzas extrañas (1 Tim. 1:7). Ser maestro también es peligroso ya que incrementa el "ego" de aquel que enseña (Mat. 23:5). Este fue el principal problema de los escribas y fariseos del tiempo de Jesús. Por último, el instrumento principal del maestro es el habla y su agente la lengua. Esta es el centro de la segunda advertencia de Santiago.

Santiago ve peligro en la lengua. Aun cuando su tamaño es relativamente pequeño en relación a otros miembros del cuerpo, su daño puede ser infinitamente grande. Los alcances destructivos de una lengua "no domada" pueden ser semejantes a un grande incendio (Stg. 3:6), en ella hay muerte y vida (Prov. 12:18) pero su obra destructora es ruina total (Prov. 18:21; 16:28). No por nada, el Señor prohibió la calumnia en medio del pueblo. (Lev. 19:16). Una vez pronunciada la palabra no hay manera de hacerla regresar. Nada hay tan imposible de detener como un rumor; nada hay tan difícil de cicatrizar como los efectos de una palabra maligna. Por lo tanto, antes de pronunciar alguna palabra, es necesario meditar es sus efectos. El salmista dijo: "Sean gratos los dichos de mi boca y la meditación de mi corazón delante de ti, oh Jehová" (Sal. 19:14).

Santiago ve peligro en la sabiduría humana. Con esto no se quiere decir que el conocimiento y la educación no tienen valor. Entre los escritores bíblicos había hombres altamente preparados, entre ellos estaban Moisés (Hech. 7:22), Salomón (1 Rey. 3:12), Pablo (Hech. 22:3), y otros. Más bien al mencionar la sabiduría humana se piensa en aquella que proclama ser autosuficiente en sí misma, que se mantiene lejos de Dios y su revelación. Aquella sabiduría que corrompe la realidad de Dios. La sabiduría verdadera tiene su origen en el Señor mismo (Prov. 1:7).

────────── *Estudio del texto básico* ──────────

Lea su Biblia y responda

1. Complete en cada caso la información solicitada.
   a. ¿Qué implica ser maestro? (Stg. 3:1)

   _____

   b. Santiago compara la acción de someter la lengua con dos aspectos muy gráficos. ¿Cuáles son?

   _____ (3:3)
   _____ (3:4)

   c. ¿A qué es semejante la lengua? (3:5)

   _____

   d ¿Qué efectos produce una lengua no sometida (3:6)

   _____ y _____

   e. ¿Qué condición tiene una lengua no domada? (3:8)

   _____

   f. Al salir de la lengua maldición y bendición, ¿con qué la compara Santiago en 3:11?

   _____

2. Responda falso (**F**) o verdadero (**V**) a las siguientes afirmaciones.
   __ a. Quien no ofende es una persona cabal.
   __ b. La lengua es un miembro fácil de domesticar.
   __ c. Santiago recomienda la doble naturaleza de la lengua.
   __ d. La sabiduría verdadera se muestra en la conducta.
   __ e. Celos y contiendas es señal de madurez espiritual.
   __ f. La sabiduría no divina es animal y diabólica.

Lea su Biblia y piense

1 El poder de la lengua, Santiago 3:1-5.
Vv. 1, 2a. Para entender esta exhortación, es necesario recordar que en las iglesias primitivas cualquier miembro podía hablar en las reuniones. Al parecer, asumir el papel de maestro se volvió en una ansiedad; por lo tanto, los líderes tienen la necesidad de regular esta participación (1 Cor. 14:26-34). Las advertencias de Santiago no tienen el propósito de prohibir la participación sino recordar la responsabilidad implícita. Si los maestros fallan

recibirán *juicio más riguroso*. Santiago recuerda a su lectores que todos estamos expuestos a tropezar (1:2a). Este peligro lo lleva a hacer tres consideraciones.

V. 2b. En primer lugar, Santiago trata el uso correcto de la lengua. Quien practica este uso es llamado *cabal*. Este término describe a "aquellos que alcanzan plenamente su alta vocación," es decir, cumplen su propósito (compare Mat. 5:48).

Vv. 3, 4. En segundo lugar, Santiago utiliza dos ejemplos para describir el control que se debe ejercer sobre la lengua. El *freno en la boca de los caballos* es un instrumento muy pequeño, pero con su empleo, controlando la lengua del caballo, se domina y guía al animal en su totalidad. Así mismo, los barcos son gobernados por un *timón muy pequeño*. Con esto, Santiago establece que cosas muy pequeñas pueden producir resultados muy significativos.

V. 5. En tercer lugar, Santiago apunta su conclusión: la lengua es pequeña pero puede llegar a tener efectos muy grandes. Estos efectos pueden ser constructivos o destructivos, semejantes a un incendio.

2 El peligro de una lengua sin control, Santiago 3:6-10.

V. 6. La figura del incendio conduce a Santiago a la idea de comparar la lengua con *fuego*, capaz de destruir un gran bosque. La expresión *mundo de maldad,* describe a la lengua como un mundo de iniquidad en nuestros miembros, pues con ella se expresan las abominaciones del mundo caído (codicia, blasfemia, lujuria, etc). La lengua prende *fuego al curso de nuestra vida.* Los cristianos cabales tiene que ver con el fuego del Espíritu, los cristianos que no controlan su lengua con el fuego de las pasiones humanas.

Vv. 7, 8. Santiago pone el ejemplo de la domesticación de los animales. El hombre tiene la capacidad de someter a toda criatura del reino animal, pero no puede hacer lo mismo con su lengua. Esta es descrita como algo *incontrolable*, este término describe aquello que no permite ser guiado o conducido.

Vv. 9, 10. ¡Una lengua incontrolada en la boca de un cristiano es un contradicción moral! Los lectores de Santiago probablemente seguían la costumbre judía de agregar: "¡Bendito sea Dios!" cada vez que lo nombraban. Decir esto y luego, con la misma lengua, injuriar a alguien, no necesariamente a un cristiano, es algo que no puede ser. Esta contradicción no es natural o lógica. Así como no hay un manantial de agua dulce y amarga, o una vid que produce aceitunas.

3 La sabiduría para el uso de la lengua, Santiago 3:13-17.

V. 13. La conexión de esta sección no está en los versículos anteriores, sino más bien el pensamiento de Santiago se conecta con 3:1-2a, donde aconseja a los maestros de la iglesia. El autor aquí se basa en un juicio funcional: el sabio ha de mostrar su sabiduría en su conducta de mansedumbre.

Vv. 14-16. Pero la falta de sabiduría se presenta en aquello que es opuesto a la humildad: *amargos celos y contiendas,* "jactancias" y "mentiras" (14), y estas manifestaciones de ninguna manera se le pueden atribuir ᵃ

Dios. Más bien Santiago describe esto como una manifestación de lo que se opone a Dios. Es *terrenal* en contraste con lo celestial (1:17); es *natural* en contraste con lo espiritual (3:13), y es *diabólica* en contraste con lo divino. Esta falsa sabiduría produce división y contienda, y allí no está Dios, pues él no es Dios de confusión (1 Cor. 14:33). En cambio, la sabiduría de lo alto produce fruto de justicia, que es contrario a la ira de los hombres (1:20).

Aplicaciones del estudio

1. En nuestra vida como miembros de una iglesia local, debemos comprender el riesgo que implica ser guía de un hermano menor, Santiago 3:1-2a. Ciertamente discipular y enseñar es algo fascinante, pero debemos considerar la responsabilidad que esto implica. Ser guía o maestro nos hace responsables de la vida y el desarrollo de aquel a quien enseñamos, pues él actuará en base a nuestra instrucción.

2. Debemos considerar el peligro de dar una palabra ociosa, mal intencionada o descuidada, Santiago 3:6. Este peligro siempre está presente en un grupo de personas, y por ende en nuestras propias iglesia. Debemos tener sumo cuidado de hablar cosas que no convienen, pues el efecto de estas palabra puede ser devastador. Con palabras mentirosas se puede destruir la vida de una persona.

3. La sabiduría de Dios se manifiesta en armonía y sinceridad; la sabiduría mundana, en pleitos y divisiones, Santiago 3:14-18. En nuestras iglesias, muchas veces en el nombre de la espiritualidad y de la madurez se recurre a divisiones sin ningún sentido. Debemos entender que la verdadera espiritualidad se manifiesta en paz.

Prueba

1. Con la ayuda de este estudio escriba dos consejos prácticos que usted le daría a una persona que desea corregir su hasta ahora mal uso de la lengua.

    a. _____

    _____

    b. _____

    _____

2. Rompa una hoja de papel en pequeños trocitos, espere un viento fuerte y aviente los trocitos al aire. Luego trate de recolectar todos y cada uno de los pedacitos de papel y piense en los rumores.

Lecturas bíblicas para el siguiente estudio

Lunes: Santiago 4:1-3
Martes: Santiago 4:4-6
Miércoles: Santiago 4:7-10

Jueves: Santiago 4:11, 12
Viernes: Santiago 4:13-17
Sábado: Santiago 5:1-6

Unidad 9

Mejorando nuestras actitudes

Contexto: Santiago 4:1 a 5:6
Texto básico: Santiago 4:1-4, 7-9, 13-17; 5:1-4
Versículo clave: Santiago 4:7
Verdad central: Las enseñanzas de Santiago acerca de mejorar nuestras actitudes nos muestran que la práctica de actitudes correctas es el resultado de la sumisión a Dios.
Metas de enseñanza-aprendizaje: Que el alumno demuestre su conocimiento de las enseñanzas de Santiago acerca de las actitudes correctas, y su actitud para someter su vida a la voluntad de Dios.

─────────── *Estudio panorámico del contexto* ───────────

La nota inicial del capítulo cuatro contrasta fuertemente con la terminación del capítulo tres. En 3:18 Santiago habla de justicia y paz, mientras que en el capítulo cuatro se ocupa de guerra (4:1) y de injusticia (4:17), y todo esto proviene de las pasiones del propio hombre. Santiago ve a las pasiones como el punto de partida de muchos pecados. El término "pasión" en griego proviene de la misma raíz que describe algo "dulce" o "agradable," significando así, algo que produce satisfacción. Así, muy pronto llegó a describir el goce de los sentidos y luego, en sentido más amplio, el sentimiento de placer. En el Nuevo Testamento este término es usado solamente en cinco ocasiones, y siempre con un sentido negativo (vea Luc. 8:14; Tito. 3:3).

Al igual que la codicia, la pasión designa el poder siniestro que anhela el placer, y que esclaviza al hombre. Es interesante notar que dentro de los diez mandamientos, "no codiciar" es el último de ellos. A diferencia de los nueve anteriores mandamientos, este apunta hacia el interior del hombre. Además, para violar cualquiera de los primeros nueve necesariamente se tiene que violar primero el décimo. Este mandamiento muestra al hombre que se cree moral y religioso. Muchos hacen gala de su vida de rectitud, pero pronto, al enfrentar su vida con el mandamiento interior de "no codiciar," caen de rodillas. Este es el argumento y punto principal de Santiago en esta sección. Si se quiere practicar la verdadera vida cristiana, la auténtica espiritualidad y mantener buenas actitudes para con Dios, el prójimo y uno mismo, es necesario empezar con las pasiones internas.

La pasión interior, la falta de amor hacia el prójimo y hacia Dios, necesariamente tiende a manifestarse en acciones exteriores negativas. Si se tienen pasiones negativas hacia el prójimo surgen las guerras (4:1), los asesinatos (4:2) y el amor al mundo (4:4). Si se tienen pasiones negativas hacia Dios vendrá el alejamiento y la desobediencia. Si se tienen pasiones negativas hacia los hermanos en Cristo vendrán críticas destructivas (4:11) y falsos juicios (4:12). Si se tienen pasiones negativas hacia uno mismo surgirá la soberbia (4:16). Y por ultimo, si se tienen pasiones negativas en general vendrá la ambición y el deseo de placer (5:4-6).

─────────────── *Estudio del texto básico* ───────────────

Lea su Biblia y responda

1. Complete en cada caso la información solicitada.
   a. ¿De dónde vienen las guerras y los pleitos? (Stg. 4:1)
   _____
   b. ¿Qué significa la amistad con el mundo? (Stg. 4:4)
   _____
   c. ¿Cuál es el secreto para resistir al diablo? (Stg. 4:7)
   _____
   d. ¿Qué deben hacer aquellos de doble ánimo? (Stg. 4:8)
   _____
   e. ¿Qué sucede a aquel que se humilla delante del Señor? (Stg. 4:10)
   _____
   f. ¿Cómo son comparados aquellos que no consideran la voluntad de Dios en sus planes? (Stg. 4:14)
   _____

2. Relacione las dos columnas.

   ___ a. Codiciáis y no   1. guerra
   ___ b. Pedís, y no   2. tenéis
   ___ c. Ardéis de envidia, pero no   3. recibís
   ___ d. Combatís y hacéis   4. podéis obtener

Lea su Biblia y piense

1 Mejor actitud hacia el mundo, Santiago 4:1-4.

V. 1. Santiago elabora dos preguntas retóricas, que van dirigidas al origen del perpetuo conflicto que desintegra cualquier sociedad, la guerra. Santiago mismo contesta categóricamente esta pregunta, *de vuestras mismas pasiones.* La dificultad básica que considera el autor, es el hecho de permitir que deseos no santos se adueñen del control del hombre o del cristiano. Estos deseos regularmente conducen al desastre moral y espiritual.

Vv. 2, 3. La codicia interior conduce al hombre a obras vergonzosas. los conduce a la envidia, a los celos y a la enemistad, y aun puede llevarlos al asesinato. Con todo esto, Santiago no está describiendo una comunidad específica, sino que analiza las consecuencias de preferir los deseos humanos que a Dios.

V. 4. Igual que algunos profetas del pasado, Santiago llama a sus lectores adúlteros espirituales (Jer. 5:7; Eze. 16:30; Ose. 4:2), pues amar el mundo es rechazar a Dios. El *mundo* es aquel sistema de valores y acciones que está en oposición a Dios.

2 Mejor actitud hacia Dios, Santiago 4:7-10.

V. 7. Santiago establece una serie de nueve imperativos que el cristiano debe observar. El primero es someterse a Dios (vea también 1 Ped. 2:13). El segundo es tomar una posición contra el diablo, traducido como "resistir". Como resultado el diablo huirá.

V. 8. El tercero es acercarse a Dios en una íntima relación, como los sacerdotes se allegaban a Dios (Exo. 19:22). El cuarto es dirigido a los pecadores, y les manda limpiar sus manos de suciedad (Exo. 30:19-21). Esto es una figura para describir acciones malas. El quinto, dirigido a los inconstantes, es a purificar los corazones (1 Ped. 1:22). Esta es otra figura que describe transparencia de intenciones.

Vv. 9, 10. El sexto manda hacer duelo, (como en Mat. 5:4). El séptimo es un llamamiento al dolor piadoso, (del que se habla en 2 Cor. 7:10). El octavo es llorar y es muy semejante al anterior. Y el noveno es humillarse. Este término describe aquello que es plano o nivelado.

3 Mejor actitud hacia nuestro hermano, Santiago 4:11, 12.

V. 11. Nuevamente Santiago aborda el tema del habla. En este versículo hace incapié sobre lo perjudicial de hablar de alguien que está ausente. Establece que quien se aleja de Dios se acerca a la crítica. Quien habla así de su hermano está en dificultades con Dios, pues ha violado la "ley real" (2:8); y quien tal hace se constituye a sí mismo como juez.

V. 12. Puesto que Dios es el único superior a la ley, él es el único *Dador de la ley,* y justo *Juez.* Esta advertencia de Santiago es un eco de las palabras de Jesús (Mat. 7:1).

4 Mejor actitud hacia nosotros mismos, Santiago 4:13-17.

Vv. 13, 14. Para hablar del pecado de la mundanalidad y de la excesiva confianza en sí mismo, Santiago toma el ejemplo de unos mercaderes. Estos hacen planes para el futuro, cosa que no es mala en sí, pero sin tomar en cuenta a Dios. Viene a la mente la parábola de Lucas 12:19ss. Sin embargo, quien tal hace, está subestimando dos situaciones. La primera es la ignorancia de lo que sucederá mañana, y la segunda es lo incierto de la vida misma, la cual es como *vapor.*

Vv. 15, 16. El cristiano, al hacer planes, debe reconocer su dependencia de Dios y decir, *si el Señor quiere.* Esta dependencia no la reconocían los lectores de Santiago y se jactaban en su *soberbia.* El término "soberbia" sugiere pensamientos irreales de especulación basados en la capacidad personal.

V. 17. Santiago termina esta sección con una máxima: *al que sabe hacer lo bueno y no lo hace, eso le es pecado.* Esta expresión ha llevado a la idea de "pecados de omisión." La enseñanza de Santiago en este punto está muy cerca a la enseñanza de Jesús en las parábolas, donde el énfasis no es tanto hacer algo malo, sino fallar en hacer el bien.

5 Mejor actitud hacia la justicia social, Santiago 5:4-6.

V. 4. Santiago habla del pecado del hacendado, quien al retener el salario del jornalero viola expresamente la ley de Moisés (Deut. 24:14,15). Su clamor llega al Señor, quien se identifica como Dios de los oprimidos (Prov. 14:31).

Vv. 5, 6. Otro pecado es el haber gastado en lujos y deleites a costa de la vida del pobre. Esto también estaba duramente penado por la ley (Deut. 24:14; Prov. 22:16), y era un eco de la denuncia del profeta Amós (2:6-7), quien no dudó en declarar la codicia del pueblo, pues los ricos "vendían por dinero al inocente"; la indiferencia, pues, "anhelan el polvo de la cabeza de los desvalidos," y el egoísmo, puesto que "tuercen el camino de los humildes." La injusticia dentro del pueblo de Dios es injustificable, pues es una violación de la ley del Señor.

— Aplicaciones del estudio —

1. Toda pasión, deseo o codicia interna, necesariamente tiene su manifestación externa en acciones injustas, Santiago 4:1-3. Lo que pensamos e imaginamos, si es negativo, afecta a nuestra vida personal y social.

2. Como cristianos debemos estar a la vanguardia en la defensa de los derechos de los pobres y desvalidos, Santiago 5:4-6. Con esto no estamos promoviendo una teología de "liberación", pero si estamos dando atención sobre nuestra participación y compromiso con aquellos que son oprimidos injustamente. El Señor no puede soportar que se cometan actos de maldad contra nadie, pero se enfurece especialmente cuando se cometen contra los pobres e indefensos.

— Prueba —

1. De las actitudes estudiadas, ¿cuál de ellas necesita mejorar en su propia vida?

_____

2. Escriba lo que piensa hacer para mejorar la actitud que mencionó.

_____

_____

_____

Lecturas bíblicas para el siguiente estudio

Lunes: Santiago 5:7, 8   **Jueves:** Santiago 5:14, 15
Martes: Santiago 5:9-11   **Viernes:** Santiago 5:16-18
Miércoles: Santiago 5:12, 13   **Sábado:** Santiago 5:19, 20

Unidad 9

Oración y perseverancia

Contexto: Santiago 5:7-20
Texto básico: Santiago 5:7, 9-20
Versículo clave: Santiago 5:16
Verdad central: Las exhortaciones de Santiago enseñan que los cristianos deben esperar la segunda venida de Cristo con paciencia, perseverancia y preocupación auténtica por los demás.
Metas de enseñanza-aprendizaje: Que el alumno demuestre su conocimiento de las enseñanzas de Santiago acerca de la paciencia y perseverancia del creyente mientras espera la venida de Cristo, y su actitud de preocupación por los necesitados.

─────────── *Estudio panorámico del contexto* ───────────

En esta última sección de su epístola, Santiago, se encarga de tocar diferentes temas de la vida cristiana. Los trata con su característica perspectiva práctica y su enfoque directo. Sigue con su énfasis en ser "hacedores de la palabra" (1:22), y manifestar la vida cristiana en aspectos concretos. Así, en esta sección toca los temas de la paciencia ante la venida del Señor (5:7-11); el asunto de los juramentos (5:12); el tema de la oración (5:13-18), y por último, la restitución de hermanos caídos (5:19). Por las expresiones *llamen a los ancianos de la iglesia* (5:14), *unos a otros* (5:16) y *entre vosotros* (5:19), Santiago seguramente está pensando en la comunidad de la iglesia. Todas las acciones a las que invita Santiago tienen como único ambiente la comunidad del Señor.

Cuando los hombres basan su existencia en el mismo fundamento, cuando vienen determinados por un mismo origen surge entre ellos un vínculo, un existir para el otro que rebasa el simple coexistir. La palabra *"koinonia"* centra su atención en el elemento "común" que vincula a los individuos. Esta "vinculación" no es el mero hecho de tener algo en común, sino que exige la participación activa, una colaboración de parte de los individuos. La palabra "koinonia" deriva de la raíz griega que describe, "al que va junto a," y describe aquello que se tiene en comunidad. Este término se utilizaba para describir dos tipos de relaciones: 1. La natural e inquebrantable comunión que tenía el hombre con los dioses, y 2. La unión estrecha y fraternal de los hombres entre sí. Bajo el segundo aspecto, "koinonia" adquiere el sentido de hermandad o fraternidad, y se refiere a las estrechas relaciones de una comunidad. Es esta palabra la que en el libro de Los Hechos describe la vida de la iglesia primitiva.

De esta forma, la iglesia es la comunidad donde nadie vive para sí mismo, sino por el contrario, es donde uno se entrega a los demás. El amor del Padre, manifestado en la obra de Jesucristo y actualizada por el poder del

Espíritu Santo hace posible el amor en la comunidad de redimidos. Con los demás miembros de la comunidad eclesiástica se comparte la expectativa de la venida de Jesucristo, con los demás es veraz en su palabras, con los demás se solidariza en oración, y con los demás se preocupa por los caídos.

────────────── *Estudio del texto básico* ──────────────

Lea su Biblia y responda

1. Complete en cada caso la información solicitada.
   a. ¿Cuál es la actitud que el cristiano debe mostrar ante la venida de Jesucristo? (Stg. 5:7)

   _____

   b. Para ejemplificar, ¿con qué lo compara Santiago?

   _____

   c. ¿Quiénes son ejemplo de aflicción y paciencia? (5:10)

   _____

   d. ¿Cuál debe ser el proceder si alguno está...
      1. afligido? _____
      2. alegre? _____
      3. enfermo? _____

2. Responda falso (**F**) o verdadero (**V**) a las declaraciones.
   _____ a. Según Santiago, Elías fue un ejemplo de perseverancia.
   _____ b. La palabra del creyente ha de ser fluctuante.
   _____ c. Por la oración de Elías no llovió por más de tres años.
   _____ d. Restituir a un hermano es algo positivo para Santiago.

Lea su Biblia y piense

1 Exhortación a ser pacientes, Santiago 5:7, 9-11.

V. 7. De acuerdo con el contexto inmediato de este pasaje, Santiago amonesta a los ricos (5:1-6) y anima a los pobres para que soporten con *paciencia* su situación. El término traducido por "paciencia" describe el control sobre la ira; por lo tanto, la paciencia no es una indiferencia ante las situaciones angustiosas sino un control de las emociones. Para ejemplificar esto, Santiago cita el caso de un agricultor quien espera pacientemente las lluvias tempranas y tardías (octubre a noviembre y abril a mayo respectivamente) en las regiones de Palestina.

V. 9. Las situaciones críticas producen tensiones en las relaciones de cualquier grupo. La iglesia no está exenta de esta situación, y puede llegar a presentarse la murmuración. "Murmurar" es emitir un juicio falso sobre alguien. Solamente hay un *Juez*, quien tiene el pleno conocimiento de todo pensamiento, actitud y acto humano, y quien está libre de cualquier culpa, es Jesús, y él *está a las puertas* (vea Mar. 13:29).

Vv. 10, 11. Santiago pone como ejemplo de paciencia a los profetas que hablaron en el nombre del Señor, y para probar doctrinalmente su ejemplo cita una bienaventuranza del Señor (Mat. 5:11). El profeta citado como ejemplo es Job, quien es considerado por los judíos profeta, y cómo mostró esa resistencia paciente ante la adversidad.

2 Exhortación a ser veraces, Santiago 5:12.

V. 12. Santiago considera el asunto del carácter de la palabra empeñada. El llamado a la veracidad se hace al denunciar la facilidad con la que algunos religiosos juraban por el cielo o por la tierra (Mat. 5:33-37). Cuanto más frecuente es el juramento, más liviano es el compromiso. Por esto algunos rabinos decían: "No te acostumbres a los votos, porque tarde o temprano estarás haciendo falsos juramentos." Es por esto que Santiago advierte contra el uso de juramentos.

3 Exhortación a la oración, Santiago 5:13-18.

Vv. 13, 14. Santiago hace tres preguntas para indicar cuál debe ser el proceder de la iglesia en algunos casos particulares. Ante la aflicción se debe responder con oración; el gozo se debe expresar por medio de cantos; y la enfermedad se debe tratar con la oración de la comunidad y con el ungimiento con aceite. No se debe olvidar la capacidad terapéutica del aceite y la manera en la que era usado en situaciones de enfermedad en los tiempos bíblicos (Isa. 1:6; Luc. 10:34).

Vv. 15, 16. De estos versículos se deduce que no es el aceite el que sana al enfermo, sino es la respuesta del Señor a la oración de aquellos que interceden por el enfermo. Algunas veces se relacionaba la enfermedad con el pecado (Job 4:7; Juan 9:2), y quizá por eso Santiago asocia la sanidad con el perdón de pecados. Santiago además exhorta a los creyentes a confesarse sus faltas para poder orar unos por otros. No hay una unanimidad en la traducción de la última parte del versículo 16, pero el significado es claro: el hombre bueno tiene una gran fuerza en la oración.

Vv. 17, 18. Un ejemplo de este tipo de hombre lo fue Elías. Este profeta de Dios, quien tuvo *pasiones igual que nosotros,* a través de su vida de oración consiguió hacer verdaderas maravillas. Aquí se menciona la sequía mandada por el Señor y anunciada por Elías en los tiempos del rey Acab (1 Rey. 17), además se han de recordar los acontecimientos de Sarepta y del monte Carmelo.

4 Exhortación a rescatar al extraviado, Santiago 5:19, 20.

Vv. 19, 20. La última exhortación de Santiago es la de hacer volver a aquel que se ha desviado de la verdad. Si un cristiano ve que su hermano ha abandonado la sana enseñanza de la Palabra de Dios y lo logra hacer volver al camino del Señor, las bendiciones serán dobles: (1) Salvará la vida del extraviado de la muerte, y (2) cubrirá muchos pecados. Los pecados cubiertos no son de aquel que hace al hermano regresar sino los del extraviado. Esta mala interpretación la tenían los judíos pues creían que las buenas obras compensaban las malas.

1. Como miembros de una iglesia debemos evitar al máximo cualquier uso de la murmuración. Podemos destruir vidas si no cuidamos nuestra manera de hablar de los hermanos, Santiago 5:9. La murmuración es un peligro latente en toda congregación. Se puede presentar en los "espirituales" juzgando a los "carnales", o en los "carnales" burlándose de los "espirituales." Reconozcamos este peligro y estemos alertas.

2. Para nosotros, la oración debe ser aquel medio divino a través del cual podamos abrir las puertas de los cielos y ser objetos de las bendiciones divinas, Santiago 5:13-16. Leonardo Ravenhill dice: "La predicación se apodera del púlpito, pero la oración se apodera del cielo. La voz alcanza lo terrenal, la oración lo eterno." ¡Busquemos el cielo y lo eterno!

3. Debemos tomar como ejemplo de fe y de disciplina de oración a Elías tisbita, quien mostró siempre una fe y una obediencia tan grande a la palabra de Dios, Santiago 5:17. Leonardo Ravenhill, quien escribió mucho sobre Elías, dice que debemos preguntarnos: "¿Dónde está el Dios de Elías?" El responde: "Donde siempre ha estado, en su trono de gloria, esperando que algún Elías le llame."

———————————— *Prueba* ————————————

1. Lea algo de los dos gigantes del Antiguo Testamento que menciona Santiago en este pasaje, Job y Elías. Responda a esta pregunta aplicándola a los dos: ¿Por qué fue grande este hombre?

   Job fue grande por _____

   _____

   Elías fue grande por _____

   _____

2. Si alguien de su congregación se encuentra enfermo, invite a algunos hermanos de la iglesia para visitarlo y orar por su recuperación. ¡Recuerde Santiago 5:16b!

Lecturas bíblicas para el siguiente estudio

Lunes: Rut 1:1-5
Martes: Rut 1:6-9
Miércoles: Rut 1:10-14

Jueves: Rut 1:15-18
Viernes: Rut 1:19-21
Sábado: Rut 1:22

La lealtad de Rut

Contexto: Rut 1:1-22
Texto básico: Rut 1:1, 3-6, 8, 16-21
Versículos clave: Rut 1:16, 17
Verdad central: La lealtad de Rut hacia Noemí y hacia Dios ilustra lo que ocurre cuando los miembros de una familia son leales a Dios y el uno al otro.
Metas de enseñanza-aprendizaje: Que el alumno demuestre su conocimiento de lo que hizo Rut para demostrar su lealtad a Noemí, y su actitud hacia el compromiso que debe aceptar para fortalecer la lealtad entre los miembros de su familia.

Estudio panorámico del contexto

La historia de Rut se puede situar en el período de los jueces, una época sombría en la historia de Israel. Durante este período entre las victorias de Josué y el establecimiento de la monarquía, cada israelita "hacía lo que le parecía recto ante sus propios ojos" (Jue. 17:6). Como castigo por su desobediencia, Israel tuvo que vivir como esclavo bajo el control de los países vecinos, pero Dios levantó a los jueces para librar a Israel.

Hubo hambre en Israel, una catástrofe periódica en aquella región. Un hebreo, Elimelec, junto con su esposa Noemí y sus dos hijos, emigraron a los campos de Moab para sobrevivir, pero la familia encontró tragedia en este país vecino. Elimelec murió, y Noemí tuvo que enfrentarse a la aflicción y al dolor personal mientras dependía de sus hijos. Los dos se casaron con mujeres moabitas. Otro golpe trágico hirió a Noemí: sus hijos también murieron, dejándola totalmente desamparada.

No había muchas opciones propicias para la viuda de estos tiempos. Podría casarse de nuevo, pero Noemí ya era *demasiado vieja para tener marido* (v. 12). Muchas mujeres sin condiciones para sostenerse se dedicaban a la prostitución; Noemí, con sus creencias firmes en la ley moral de Jehovah, jamás hubiera considerado esa posibilidad. Tampoco podría quedarse en Moab. La única opción viable era regresar a su pueblo. Además, Noemí había recibido las nuevas que el hambre se había acabado en Belén. Ella decide volver.

Las dos nueras, Rut y Orfa, desean acompañarla, pero Noemí las desanima. En cambio, la suegra insiste en que las dos vuelvan a sus casas maternas para hallar a esposos moabitas. Después de muchas lágrimas, Orfa obedece a Noemí, dejándola para buscar una nueva vida en Moab, pero Rut lealmente se aferró a su suegra.

Quizás Noemí estuviera pensando que Rut no entendía los problemas económicos (como viuda), religiosos (como moabita) y sociales (como extranjera) que iba a enfrentar en Israel. Sin embargo, Rut declara su amor y fidelidad para Noemí, optando por seguirla y servir a Jehovah. Noemí acepta su firmeza de propósito.

Las dos llegan a Belén y la ciudad se sorprende de verlas. Al salir de su patria, Noemí (cuyo nombre significa "dulce") tenía mucho. Ahora, ella vuelve con las manos vacías y prefiere el nombre "Mara", "amarga", por causa de su sufrimiento en Moab.

Estudio del texto básico

Lea su Biblia y responda

1. En su opinión, ¿qué significa Jueces 21:25, y cuáles son las implicaciones en cuanto a la moralidad en los días de los jueces?
   Escriba sus ideas aquí:_____
   _____
   _____

2. Busque Deuteronomio 23:3-7 y explique concisamente la razón por la cual el pueblo de Dios tenía problemas con los moabitas.
   _____
   _____

3. ¿Falso (**F**) o verdadero (**V**)?
   _____ a. Elimelec y sus hijos murieron en Belén de Judá.
   _____ b. La nuera Orfa volvió a su pueblo y a sus dioses.
   _____ c. Rut quiso seguir a Noemí sin comprometerse a aceptar el Dios de Noemí.
   _____ d. Al regresar a Belén, Noemí le echó la culpa a Jehovah el Todopoderoso por la aflicción sufrida en Moab.

4. Llene los espacios en este versículo que muestra la lealtad de Rut. "No me _____ que te _____ y que me _____ de ti; porque a _____ que tu vayas, yo _____; y dondequiera que tú _____, yo viviré. _____ pueblo será _____ pueblo, y tu _____ será mi _____."

Lea su Biblia y piense

1 La amarga historia de Noemí, Rut 1:1, 3-5.
V. 1. El período de los jueces (1200-1020 a. de J.C.) era de significado crucial en la historia de Israel, pues fue una época de transición y deterioro moral. Esta nación entró en la tierra prometida con ideales nobles y la ley divina, pero la cultura y la religión de los cananeos influenciaron negativamente al pueblo de Dios. Por su desobediencia Israel fue dominado por los países vecinos. Los "jueces" de este período eran líderes carismáticos a quienes Dios llamó para librar a Israel de este dominio. Aunque existía una

enemistad feroz entre Israel y Moab, el hambre forzó a Elimelec a que buscara ayuda en territorio hostil.

Vv. 3, 4. Elimelec, cuyo nombre significa "mi Dios es rey", muere, dejando a su viuda al cuidado de los dos hijos. Los dos se casan con mujeres moabitas. Aun cuando la ley contiene una prohibición contra la presencia de moabitas en la congregación de Israel, no hay ninguna ley en el Pentateuco que prohiba el matrimonio con una moabita. Probablemente los *diez años* representan todos los años que la familia de Elimelec se quedó en Moab.

V. 5. En la cultura hebrea, el nombre tenía un significado extraordinario. Frecuentemente representaba el carácter o el futuro del receptor. Majlón (que significa "enfermizo") y su hermano Quelión (que traducido es "exterminio") cumplieron con la profecía de sus nombres: los dos murieron. Las moabitas se convirtieron en viudas, y Noemí quedó totalmente desamparada.

2 Noemí acepta su condición, Rut 1:6, 8.

V. 6. La expresión *Jehovah había visitado a su pueblo para darles pan* significa que el hambre en Judá se había acabado. Dios había actuado para bendecir a su pueblo. Sin razón para quedarse en Moab, Noemí toma la decisión de volver a Belén. Las dos nueras están de acuerdo, dispuestas a seguir a Noemí voluntariamente.

V. 8. Podemos ver el amor profundo de Noemí para con sus nueras. En vez de pensar solamente en su propio pasado trágico, ella muestra una preocupación por el futuro de las dos moabitas. Noemí les pide que vuelvan a su casa materna para que se casen y hallen *descanso* (o seguridad y bendición) *en la casa de su marido*. Luego ella ora que *Jehovah haga misericordia* con ellas en la misma manera que había hecho misericordia a la familia de Noemí. La palabra "misericordia" es una traducción de la palabra hebrea *hesed*, la que significa "amor comprometido y fiel".

3 Rut demuestra su lealtad a Noemí, Rut 1:16-18.

V. 16. Rut escogió no seguir el ejemplo de su cuñada y no obedecer los ruegos de su suegra. Su respuesta es una expresión clásica de lealtad resuelta y amor. La moabita estaba dispuesta a abandonar su país y a sus familiares para ir con Noemí. Ella se mostró deseosa de vivir donde Noemí viviría, sin preocuparse por las posibles privaciones. En vez de Moab, la nación de Judá se tornaría en su amado pueblo. Aun más importante, Jehovah, el Dios de Noemí, sería su Dios. Aquí Rut "se arrepintió" de su vida anterior (inclusive su adoración a Quemos, el dios de Moab) para adoptar la fe de Israel.

Vv. 17, 18. Este compromiso de Rut no es algo pasajero o superficial. Ella se va a quedar con Noemí hasta la muerte, ¡y la sepultura! Es interesante que Rut invocara el nombre de Jehovah para probar la seriedad de su compromiso. La resolución firme y elocuente de Rut dejó a Noemí convencida. La suegra aceptó la situación y dejó de discutir.

4 El triste retorno a Belén, Rut 1:19-21.

V. 19 Cuando las dos llegan a Belén, los ciudadanos se conmueven con la apariencia de Noemí, su compatriota a quien no habían visto hacía por lo menos una década. Los años crueles habían transcurrido, y Noemí había cambiado. Por ello, las mujeres preguntan: ¿*No es ésta Noemí*?

Vv. 20, 21 La respuesta de Noemí es rápida y brusca. Su experiencia amarga en Moab la había dejado amargada, por ende, su nombre no podía ser Noemí ("dulce"), sino Mara ("amarga"). ¿Quién amargó su existencia y vació su vida, su hogar y su felicidad? Era Jehovah, el Todopoderoso, quien la afligió. Dios, en la opinión de Noemí, estaba castigándola.

──────────── *Aplicaciones del estudio* ────────────

1. Enfrentaremos problemas y tragedias en nuestra vida. Noemí sufrió el hambre, pero padeció más aún al perder a su esposo y a sus hijos en Moab. El hecho de que seamos hijos de Dios no significa que quedamos exentos de angustia y dolor. Sí, tendremos problemas, pero Jehovah está con nosotros en nuestra aflicción.

2. Amor verdadero no es una emoción solamente, es un compromiso. Hoy día la palabra "amor" ha perdido su sentido bíblico, y se usa con ligereza para expresar cualquier clase de sensación o emoción, pero el amor leal que Rut demostró para con su suegra (y el amor que Dios nos ha demostrado) es un compromiso que no hace concesiones, una promesa que se cumple hasta la muerte.

3. Dios actúa en nuestra vida para bien, aun cuando nos parezca lo contrario. Noemí "le echó la culpa" a Dios por su infortunio porque solamente podía ver un futuro fútil y desesperado, pero Dios estaba obrando en su vida, preparándole un futuro fructífero. El apóstol Pablo tenía razón: "Y sabemos que Dios hace que todas las cosas ayuden para bien a los que le aman, esto es, a los que son llamados conforme a su propósito." (Rom. 8:28).

──────────── *Prueba* ────────────

1 ¿Cuáles son algunas características evidentes de la lealtad en la respuesta de Rut? (vv. 16, 17)

_____

_____

_____

2. Piense en alguien que usted conozca y que haya demostrado una lealtad profunda en su relación con Dios. ¿Cuáles son los resultados de la lealtad en la vida de esta persona (por ejemplo, en su matrimonio o en su trabajo)? Escriba su respuesta.

_____

_____

Lecturas bíblicas para el siguiente estudio

Lunes: Rut 2:1-7	**Jueves:** Rut 2:17-19
Martes: Rut 2:8-13	**Viernes:** Rut 2:20
Miércoles: Rut 2:14-16	**Sábado:** Rut 2:21-23

Unidad 10

Dios provee para Rut y Noemí

Contexto: Rut 2:1-23
Texto básico: Rut 2:2, 8-12, 17-20
Versículo clave: Rut 2:12
Verdad central: Las maneras cómo Dios proveyó para Rut y Noemí demuestran que Dios frecuentemente provee para sus hijos por medio del ministerio de otras personas.
Metas de enseñanza-aprendizaje: Que el alumno demuestre su conocimiento de cómo Dios proveyó para Rut y Noemí por medio de Boaz, y su actitud hacia las maneras cómo puede compartir con otras personas lo que Dios le ha proporcionado.

───────── *Estudio panorámico del contexto* ─────────

Mientras que Noemí y Rut son los personajes principales del primer capítulo trágico, se nos introduce a un nuevo personaje en el primer versículo del segundo capítulo. Boaz se describe como *un hombre de buena posición*. Esto probablemente significa que es un varón íntegro y honrado quien ha ganado el respeto de la comunidad. Pero lo más importante es que Boaz es un pariente de Elimelec. En el Antiguo Testamento, el pariente más cercano de otro hombre se llamaba el *goel*, o redentor. Este pariente tenía el derecho y el deber de casarse con la viuda del pariente difunto, "redimiendo" a su familia y su propiedad (vea Deut. 25:5-10). Cuando Rut pide permiso para espigar con el fin de traer su cosecha a Noemí, no espera hallarse en el campo de su *goel*.

Boaz se entera de la identidad y del esfuerzo tremendo de Rut. Con compasión, él la invita para que se quede en su campo, trabajando junto con sus criadas. Así Boaz le provee a Rut protección, una amplia oportunidad para recoger espigas y agua suficiente para saciar su sed. En humildad Rut quiere saber por qué Boaz le ha mostrado gracia "a una extranjera". Con su respuesta Boaz muestra su profundo aprecio por el sacrificio y el coraje de Rut. El la bendice, y la invita a comer con los otros segadores.

El trabajo arduo y persistente de Rut vale la pena. Al final del día, cuando se desgrana toda la cosecha, Rut se queda con un efa (aproximadamente 22 litros) de cebada. Cuando Noemí ve el fruto de la labor de su nuera y la comida que le sobró, ella bendice al hombre que le había mostrado compasión a Rut sin saber su identidad. Al darse cuenta de que el hombre era Boaz, el posible *goel* de la familia, Noemí se pone a alabar a Dios (por primera vez en el libro). Eso no es todo, Boaz le había pedido a Rut que permaneciera en el campo suyo hasta que terminara la cosecha, una petición con la cual Noemí estaba plenamente de acuerdo. Así Rut sigue espigando en el campo de Boaz, proveyendo para el presente y preparándose para el futuro, mientras cumple su promesa del pasado: vivir con Noemí (v. 23; lea 1:16).

Estudio del texto básico

Lea su Biblia y responda

1. Lea Deuteronomio 25:5-10. ¿Cómo se llama la provisión en la ley de Moisés para la mujer viuda? (v. 5) _____
¿Para qué existía esta ley? (v. 6) _____
_____

2. Rut no era una perezosa; trabajaba con diligencia y perseverancia. Por eso, ella recibió el elogio de Boaz y la bendición del Señor. Relacione los siguientes textos con la enseñanza en cuanto al trabajo en cada uno.

a. Proverbios 6:9-11. _____ 1) "el alma de los diligentes será prosperada."

b. Proverbios 13:4. _____ 2) "todo lo que te venga a la mano para hacer, hazlo con empeño."

d. Proverbios 14:23. _____ 3) "al perezoso le gusta dormir; su pobreza vendrá como un vagabundo."

c. Proverbios 12:24. _____ 4) "la mano de los diligentes gobernará."

e. Eclesiastés 9:10. _____ 5) "en toda labor hay ganancia."

3. ¿Qué produjo la diferencia entre la querella (Rut 1:20-21) y la alegría de Noemí (Rut 2:20)? _____
_____
_____

Lea su Biblia y piense

1 El encuentro entre Rut y Boaz, Rut 2:2.

A pesar de los reveses y la desesperanza profunda de Noemí y Rut en el primer capítulo, el tema del capítulo dos es la provisión de Dios en la vida de las dos mujeres pobres.

V. 2. Noemí y su nuera no hallan una "vida fácil" cuando llegan a Belén. En vez de gastar tiempo precioso en lamentarse por su pasado trágico o su presente precario, Rut toma la iniciativa. Le pide a Noemí permiso para ir al campo para espigar, para así proveer comida para las dos. Gracias a la ley mosaica, había tales provisiones para los pobres. Según esta legislación, a los segadores se les prohibía segar todos los rincones del campo y de recoger todas las espigas; estas "sobras", eran para los pobres, los extranjeros y las viudas (Lev. 23:22; Deut. 24:19). Con el permiso de Noemí, Rut sale en búsqueda de un campo de cebada para espigar *tras aquel ante cuyos ojos yo halle gracia,* o sea, cualquier dueño de un campo que la deje espigar libremente. Aunque se dice que Rut comenzó a espigar por "casualidad" en el campo de Boaz (2:3), el autor está destacando sutilmente que Dios estaba guiando los pasos de Rut.

2 Boaz provee para las necesidades de Rut y Noemí, Rut 2:8-12.

Vv. 8, 9. Boaz empieza a conversar con la moabita. Su saludo: *Escucha, hija mía* indica una diferencia substancial en la edad de los dos, pero hay una nota también de cariño y preocupación en sus palabras. En su deseo de protegerla, Boaz le prohíbe ir a otro campo donde obreros poco escrupulosos podrían molestarla. El le da a Rut el privilegio de seguir junto con las criadas, garantizándole un espigueo abundante. Además, Boaz la autoriza beber el agua preparada para los segadores; los que espigaban normalmente tenían que perder preciosos minutos sacando su propia agua. Boaz se excedió de lo usual para facilitar la labor de Rut.

V. 10. Rut se postró delante de Boaz en un acto de gratitud y humildad. ¿Qué significaban estos hechos generosos? El no estaba obligado a mostrar tanta bondad a un judío pobre, mucho menos a una extranjera. Con su curiosidad picada, Rut le pregunta: "*¿Por qué* yo una moabita "sin gracia" *he hallado gracia ante tus ojos?*"

Vv. 11, 12. Boaz le responde con una explicación y una bendición. En la explicación, Boaz se muestra impresionado con la historia completa de la devoción de Rut para con Noemí. Esta devoción incluye la disponibilidad de Rut de dejar a todo lo conocido (sus padres y su tierra) para aceptar a lo desconocido (el pueblo de Dios). Boaz pronuncia una bendición, pidiendo a Jehovah que la recompensa de Rut *sea completa* por su servicio de sacrificio. Rut, a pesar de su trasfondo moabita, había buscado refugio "bajo las alas de Jehovah." Esta frase es una ilustración gráfica de la confianza y seguridad que Rut ha encontrado en Jehovah, el Dios de Israel.

3 El gozo de Rut y Noemí, Rut 2:17-20.

Vv. 17, 18. Después de recibir aliento emocional, por las palabras de Boaz, y el aliento físico, por la comida, Rut se pone a espigar hasta la puesta del sol. Ella desgrana toda su cebada y, a fin de cuentas, tiene como un efa de cebada. Fielmente lleva los frutos de sus labores para la casa de Noemí, y comparte con ella la comida que sobra.

V. 19. El espigueo de Rut es más de lo que Noemí había soñado. Aparentemente alguien la había favorecido, y la suegra quiere averiguar la identidad del bienhechor. Sin esperar una respuesta a sus preguntas, Noemí bendice al hombre desconocido quien *se haya fijado* en Rut. En aquel intenso momento, Rut revela que el dueño bondadoso es Boaz.

V. 20. Al oír el nombre de Boaz, Noemí prorrumpe en bendición porque este pariente demostró su bondad a los vivos y a los muertos. En realidad Jehovah les ha probado su bondad a las dos viudas, y a sus esposos difuntos, a través del espíritu generoso de Boaz. El es uno de los parientes más cercanos, un *goel* en potencia. Este es el hombre que Dios va a utilizar para rescatar a la familia de sus apuros sociales y económicos. Noemí se da cuenta de todas las implicaciones y por eso expresa una alegría que hacía muchos años no sentía. Ahora había que esperar para ver cómo Dios iba a guiar los eventos en los próximos días. Noemí estaba segura que Dios tenía un plan para su vida. Era cuestión de tiempo.

Aplicaciones del estudio

1. Dios guía los pasos de sus siervos. Rut salió a trabajar sin saber adonde iba (2:3). De la perspectiva de Rut cualquier campo en el cual le dieran permiso para espigar sería bueno. Lo que para Rut fue una "casualidad" era un acto intencional del Señor. Dios estaba encaminando a Rut y guiándola en sus decisiones. Tenemos la promesa divina de que Dios "enderezará nuestras sendas" siempre y cuando confiemos en Jehovah de todo corazón (Prov. 3:5-6).

2. Dios generalmente provee para nosotros por medio de otras personas. Noemí estaba desalentada y amargada porque Jehovah le había afligido (1:20-21), pero Rut estaba dispuesta a trabajar para proveer comida. El Señor nos ha bendecido a través de la vida y el ejemplo de muchas personas. Dios quiere que seamos instrumentos de provisión en la vida de los demás.

Prueba

1. Con otro miembro de la clase, discuta cómo Dios usó a Boaz para proveer para Rut y Noemí en las siguientes áreas:

 a. Necesidades materiales: _____

 _____

 b. Necesidades emocionales: _____

 _____

 c. Necesidades espirituales: _____

 _____

2. Lea Mateo 25:41-46. ¿Cuál es la enseñanza de Jesús en estos versículos en cuanto a nuestra responsabilidad para con los necesitados?

 _____

3. Piense en alguna manera práctica en la cual usted puede ayudar a suplir las necesidades de alguna persona necesitada económicamente.

 _____

Lecturas bíblicas para el siguiente estudio

Lunes: Rut 3:1-5　　　　**Jueves:** Rut 4:7-12
Martes: Rut 3:6-18　　　**Viernes:** Rut 4:13-17
Miércoles: Rut 4:1-6　　**Sábado:** Rut 4:18-22

Rut es redimida por Boaz

Contexto: Rut 3:1 a 4:22
Texto básico: Rut 3:3, 4, 10-13; 4:5, 6, 13-16
Versículos clave: Rut 4:14, 15
Verdad central: Los eventos que hicieron posible que Rut fuera redimida por Boaz ilustran que las personas que actúan de acuerdo con la voluntad de Dios gozan de la bendición de él.
Metas de enseñanza-aprendizaje: Que el alumno demuestre su conocimiento de los eventos que hicieron posible que Rut fuera redimida por Boaz, y su actitud de vivir y actuar de acuerdo con la voluntad de Dios.

Estudio panorámico del contexto

En el segundo capítulo, Rut tomó la iniciativa en proveer para su suegra, Noemí, por medio de espigar en el campo de Boaz. En el capítulo tres, Noemí toma la responsabilidad de "buscar un hogar" para su nuera. Puesto que Boaz era pariente de Noemí, era el mejor "candidato" para redimir a Rut de su situación precaria. Por ello, Noemí le da consejos a Rut, según las costumbres de la época, para que ella enfrente a Boaz y proponga la posibilidad de matrimonio. Sería un hecho arriesgado que Boaz podría rehusar.

Rut obedece a Noemí al pie de la letra. Después de prepararse con perfume y prendas atractivas, Rut espera hasta que la cena haya terminado para acostarse a los pies de Boaz. Cuando Boaz se despierta y descubre que Rut está pidiéndole que se case con ella, Boaz expresa su gusto en hacerlo. Sin embargo, hay otro pariente (*goel*, o redentor) más cercano que podría querer casarse con ella (vea el "estudio panorámico" del estudio anterior). Boaz decide resolver el problema cuanto antes. Para proteger a Rut de los chismes dañinos, Boaz la envía a la casa de Noemí en la madrugada, después de proveerles comida.

Con el deseo de cumplir con su responsabilidad como *goel*, y por su amor para con Rut, Boaz pone manos a la obra. El sube a la puerta de la ciudad, el lugar donde los ancianos se congregaban para discutir asuntos legales, resolver pleitos y mantener el orden cívico. Allí, llama al otro posible redentor quien es identificado como "Fulano" (4:1) para enterarse de su deber de redimir el terreno de Noemí. Cuando el "Fulano" se da cuenta de que el negocio incluye la "adquisición" de Rut (o matrimonio con ella) y las consecuencias de esta tramitación, desiste. Boaz acepta el papel de "redentor," y recibe la bendición sincera del pueblo.

Boaz y Rut se casaron, y Jehovah los bendijo con un hijo que se llamaba Obed (que significa "siervo"). Noemí se hace el ama del niño, la alegría de su vejez. Jehovah recibió la alabanza de su pueblo por proveer "un pariente redentor." La nación de Israel también recibiría bendición, porque el rey David, el hombre según el corazón de Jehovah, sería nieto del hijo de Boaz y Rut.

────────────── *Estudio del texto básico* ──────────────

Lea su Biblia y responda

1. ¿Por qué Noemí le animó a Rut a que fuera para un encuentro con Boaz (Rut 3:1-4)? Marque con **X** la declaración que cree sea la correcta.

_____a. Noemí quería usar a Rut para sus propios propósitos, o sea, para proveerle un hijo a ella y a Elimelec.

_____b. En la opinión de Noemí, Dios las había abandonado. Por eso, ella tenía que tornarse una "casamentera" para su nuera.

_____c. Noemí tomó en serio su deber de proveer para Rut; por ende, trató de seguir la ley de Dios en buscarle un esposo.

2. Rut le pide a Boaz: *Extiende tus alas sobre tu sierva.* Lea estos otros ver-sículos que hablan de las "alas" de Jehovah: Salmo 17:8-9; 91:3-4. A la luz de estos versículos, ¿cuál es el significado de esta expresión en Rut 3:9? _____

_____

3. En Israel, había una costumbre especial para confirmar las transacciones con respecto a la redención. Lea Rut 4:6-8 y describa esta costumbre en sus palabras.

_____

_____

Lea su Biblia y piense

1 Los consejos de Noemí a Rut, Rut 3:3, 4.

Día tras día, semana tras semana, Rut había espigado fielmente en los cam-pos de Boaz. Ahora Noemí va a poner en marcha algunos asuntos que rápi-damente culminarán en el matrimonio de Rut y Boaz y un desenlace triun-fante.

V. 3. Según la ley, Boaz era un posible "redentor"; además era un hombre deseable, o sea, un buen esposo en perspectiva. Con sus instintos maternales y una compulsión moral de proveer un hogar estable para Rut, Noemí desa-rrolla un plan. Boaz iba a estar en la era aquella noche para aventar la ceba-da y para proteger el grano trillado. Noemí le aconseja a Rut que se bañe, se perfume y se vista para lucir lo mejor posible para Boaz. Después de llegar a la era, Rut no podría presentarse a Boaz hasta que el hombre hubiera cenado (alguien ha dicho que el hombre siempre está más vulnerable a las peti-ciones femeninas después de comer). Noemí quería crear el ambiente para el encuentro.

V. 4. Cuando Boaz se acostara y durmiera, Rut hallaría un lugar a sus pies para acostarse. Al momento en que se diera cuenta de la presencia, y la solicitud de matrimonio de Rut, le daría instrucciones a ella tocante a su redención. Es necesario aclarar que Noemí no está sugiriendo que Rut haga algo indecoroso. Ella tiene plena confianza en la virtud de Rut y el honor de Boaz. Con confianza en su suegra, Rut acepta el desafío.

2 Rut conquista el corazón de Boaz, Rut 3:10-13.

A la media noche, algo asustó a Boaz. ¡Qué sorpresa cuando descubrió que una mujer estaba acostada a sus pies! En el v. 9, Rut denodadamente le pide a Boaz que "extienda sus alas sobre ella", un eufemismo para proponer matrimonio.

V. 10. El hombre responde con una bendición, y otra vez se refiere a Rut como *hija mía*, destacando que Boaz era de mayor edad que ella. La *primera* acción de Rut fue cuidar de su suegra cariñosamente. Ahora Rut muestra una fidelidad aun más grande para Noemí. Si ella hubiera buscado un esposo joven que no fuera pariente de Elimelec, a Noemí se le habría dejado totalmente destituida.

V. 11. Boaz le asegura a Rut que no hay que temer. Aunque Rut era moabita, su reputación de ser una "mujer virtuosa" era indiscutible. Boaz le asegura que iba a hacer todo lo que Rut le había pedido.

Vv. 12, 13. Boaz le explica a Rut de un posible problema en el proceso. Hay un pariente redentor con una relación más próxima de parentesco que la suya. Si este pariente, cuyo nombre se desconoce, quiere redimir a Rut, es su derecho y su deber. Boaz jura ante Dios que está dispuesto a redimirla para sí mismo. De hecho, él está determinado a resolver el asunto durante el día siguiente.

3 Boaz hace los arreglos de redención, Rut 4:5, 6.

Boaz es hombre de palabra. Sube a la puerta de la ciudad y se sienta con los ancianos. Diez de estos líderes de la comunidad servirían como testigos legales. Cuando el pariente redentor más cercano de Elimelec se entera de la decisión de Noemí de vender su terreno, él declara su intención de comprarlo con gran entusiasmo.

V. 5. Boaz le revela al pariente redentor las otras responsabilidades de la redención. ¡El que compre la propiedad también tiene que "adquirir" a Rut! pues Rut es una viuda sin hijos, la redención incluye el matrimonio con ella y la esperanza de que les nazca un hijo que lleve el nombre del difunto Majlón (lea Deut. 25:5-10).

V. 6. El entusiasmo inicial del pariente redentor se evapora. Le sería un trato ventajoso comprar el terreno, pero tendría que invertir mucho dinero en una esposa y un hijo que legalmente sería considerado como hijo de otro. El rechaza la oportunidad y le cede el derecho de la redención a Boaz.

4 ¡Un hijo le ha nacido a Noemí!, Rut 4:13-16.

V. 13. Boaz cumple su promesa y se casa con Rut. A la pareja le nace un hijo que se llama Obed, o "siervo." Note que Jehovah recibe el crédito por la concepción y el nacimiento del niño.

Vv. 14-16. Las mujeres de Belén alaban a Jehová por haberle provisto de un pariente redentor para Noemí. El sustentará a Noemí en su vejez porque es hijo de Rut, la moabita, quien *es mejor que siete hijos*, un elogio glorioso a la lealtad cariñosa de Rut. Noemí está contenta en hacerse el ama de este niño especial en la vida de ella, pero ni Noemí entiende que este pequeño sería un eslabón importante en el linaje del rey David.

––––––––––––––––– *Aplicaciones del estudio* –––––––––––––––––

1. La virtud es un elemento esencial en la vida del pueblo de Dios. Aunque Rut fue criada en la cultura moabita, aprendió la importancia de vivir virtuosamente. Ella demostró su rectitud moral a través de su lealtad para con Noemí y su trabajo diario. Su comportamiento impresionó al pueblo de Dios (3:11). ¡Vivamos virtuosamente con un buen testimonio ante el mundo!

2. Dios tiene el poder de transformar y redimir. Noemí quería llamarse "amarga" porque se encontró sin familia y sin futuro, pero Jehovah le concedió una familia, un futuro y un dulce final a su historia. De vez en cuando lamentamos que los problemas de nuestra vida sean insoportables, pero no podemos cambiar nuestras circunstancias. Le echamos la culpa a Dios porque nos sentimos impotentes y abandonados, pero Dios puede transformar la situación; él tiene el poder de transformarnos y redimirnos también.

3. Dios frecuentemente usa las cosas pequeñas e insignificantes para hacer su gran voluntad. Quizá la historia de Rut y Boaz les parezca a algunas personas un cuento simple, de personas insignificantes que tuvo lugar en un rincón olvidado del mundo (Belén). Boaz se hizo el bisabuelo del rey David; además, la genealogía de Jesucristo contiene el nombre de Boaz (Mat. 1:5). Dios puede y quiere usar "cosas pequeñas" para su gloria.

––––––––––––––––––––– *Prueba* –––––––––––––––––––––

1. Haga una lista de cinco medios por los cuales Dios proveyó para la redención de Rut. _____

_____

_____

2. Dios transformó la situación de Rut y Noemí milagrosamente porque actuaron de acuerdo con la voluntad de él. Piense en una experiencia de su vida en que Dios le proveyó a usted durante circunstancias difíciles porque obedeció a Dios. Comparta esta experiencia con otro miembro de la clase y den gracias al Señor.

Lecturas bíblicas para el siguiente estudio

Lunes: 1 Samuel 1:1-18
Martes: 1 Samuel 1:19-28
Miércoles: 1 Samuel 2:1-11

Jueves: 1 Samuel 2:12-26
Viernes: 1 Samuel 2:27-36
Sábado: 1 Samuel 3:1 a 4:1a

Unidad 11

Nacimiento y primeras tareas de Samuel

Contexto: 1 Samuel 1:1 a 4:1a
Texto básico: 1 Samuel 1:11, 20, 24-28; 3:8-10, 19, 20
Versículo clave: 1 Samuel 3:19
Verdad central: El nacimiento y las primeras tareas de Samuel demuestran cómo Dios guía y capacita a la persona que está abierta a su dirección.
Metas de enseñanza-aprendizaje: Que el alumno demuestre su conocimiento de los eventos que rodearon el nacimiento de Samuel y las primeras tareas que Dios le asignó, y su actitud de estar abierto a la dirección de Dios.

─────────── *Estudio panorámico del contexto* ───────────

Elcana, un efrateo (de la región de Efraín), tenía dos esposas, Ana y Penina. Solamente Penina podía tener hijos mientras Ana era estéril. Cada año la familia viajaba a Silo donde ofrecían sacrificios y adoración a Jehovah delante de los sacerdotes oficiales, Ofni y Fineas, los dos hijos de Elí. Ana sufría durante estas peregrinaciones. En primer lugar, se creía en aquel entonces que la mayor responsabilidad de la mujer era procrear hijos. La mujer estéril no podía cumplir con esta responsabilidad, muchas veces porque Dios le estaba castigando. Además de eso, Penina buscaba oportunidades para humillar a su rival estéril. Elcana amaba a Ana y trataba de consolarla, pero Ana buscaba consuelo en el templo de Jehovah. Ella le pide a Dios que le dé un hijo; al mismo tiempo, se lo dedica al Señor. El sacerdote Elí, al principio interpretó mal la conducta de Ana, finalmente, la bendice y Ana sale segura de que iba a recibir una respuesta favorable de Dios.

Después de regresar a su casa en Ramá, Dios permite que Ana conciba y dé a luz a un hijo. Ana llama al niño "Samuel," que significa "su nombre es Dios," porque, Ana explica, *se lo pedí a Jehovah.* Después de que el niño es destetado, Ana y Elcana viajan para Silo, llevando con ellos sus sacrificios de adoración y al pequeño Samuel. Ana cumple su palabra dedicándolo a Jehovah "todos los días de su vida." Con gozo y gratitud Ana le canta un himno de adoración a Dios por su poder justo y santo.

Se demuestran claramente la inmoralidad y la irreverencia de los hijos de Elí, los "líderes espirituales" de Israel. Ofni y Fineas no tienen miedo de Dios; tampoco hacen caso a las advertencias de su padre. Por otra parte, Samuel crece física, espiritual y socialmente, sirviendo a Dios con fidelidad.

Un hombre desconocido profetiza contra la casa de Elí, prediciendo la muerte de Ofni y Fineas y la transferencia del sacerdocio a "un sacerdote fiel que actúe conforme" a la voluntad de Dios. Dios iba a rescatar a Israel de los que estaban desdeñando sus sacrificios y ofrendas.

En esta época de sequía espiritual, Dios se revela al joven Samuel. Confirma su juicio contra la iniquidad de la casa de Elí y Samuel le cuenta a Elí todo lo que Jehovah le había dicho. El joven sigue creciendo en su autoridad y fama como profeta de Dios.

───────────────── *Estudio del texto básico* ─────────────────

Lea su Biblia y responda

1. Ana era una mujer estéril, pero a ella le nació Samuel. Hay varias otras mujeres mencionadas en la Biblia que recibieron milagrosamente un hijo del Señor. Lea los pasajes siguientes y escriba el nombre de la mujer indicada en el texto.

    a. Génesis 18:10-12; 21:1-2 _____

    b. Génesis 29:31; 30:22-24 _____

    c. Jueces 13:2-3, 24 _____

    d. Lucas 1:5-7, 13 _____

2. En su oración de petición (1:11), Ana le pide a Dios que le dé un hijo varón. ¿Cuáles son las dos promesas que ella hace en dicho versículo?

    a. _____

    b. _____

3. En la versión Reina-Valera 1960, dice en 1 Samuel 3:19 que "Jehová estaba con [Samuel], y no dejó caer a tierra ninguna de sus palabras." ¿Qué significa este versículo? (lea el mismo versículo en la versión Reina-Valera Actualizada) _____
_____

Lea su Biblia y piense

1 Dios contesta la oración de Ana, 1 Samuel 1:11, 20.

El ministerio de Samuel como profeta y juez de Israel marcó un punto crucial en la historia del pueblo de Dios. Este hombre, consagrado antes de su nacimiento, iba a ser la persona indicada para guiar a Israel por un período de transición entre el liderazgo de los jueces y la formación de la monarquía.

V. 11. Elcana lleva a sus dos esposas, Ana y Penina, de la ciudad Ramataim-zofim (llamada Arimatea en Mat. 27:57) a Silo para adorar a Jehovah durante una fiesta hebrea. Ana no puede celebrar: es estéril y ha sido humillada por su rival Penina. En su aflicción y congoja va al templo para pedirle a Jehovah un favor. Ella dirige su llorosa oración a *Jehovah de los Ejércitos*, expresando plena confianza en su Dios todopoderoso, el Dios que siempre ganaba la victoria para Israel contra los ejércitos del enemigo. Ella le ruega a Dios que él se acuerde de su *sierva* y que le dé un hijo varón. A cambio, ella le promete que: (1) le dedicará el niño a Jehovah por todos los días de su vida; y (2) no pasaría navaja sobre la cabeza del hijo. Probablemente se refiere al voto nazareo (Núm. 6), por el cual uno se dedicaba a Dios por un tiempo especificado o por toda la vida.

V. 20. Jehovah responde, y en el tiempo prescrito, es decir, *a su debido tiempo,* Ana da a luz un hijo. En gratitud a Jehovah, Ana le pone por nombre "Samuel," o "su nombre es Dios." Samuel sería el hombre que llevaría el nombre y la autoridad de Dios.

2 La dedicación de Samuel, 1 Samuel 1:24-28.

Dios había cumplido el anhelo de Ana. Ahora ella iba a cumplir su compromiso delante del Señor: la dedicación de su hijo, Samuel.

Vv. 24, 25. Inmediatamente después del nacimiento del niño, Ana no fue con Elcana a Silo para la fiesta anual. Decidió esperar hasta que su hijo dejara de amamantar (probablemente dos a tres años) para presentarlo a Elí, ya para entonces el niño podía quedarse permanentemente con el sacerdote. Llega la hora de la dedicación, y la familia viaja para el tabernáculo en Silo, llevando consigo una ofrenda grande y variada: un toro de tres años, harina y vino. Luego que sacrifican el toro (posiblemente una ofrenda de consagración), los padres le llevaron su hijo a Elí.

Vv. 26-28. Ana se identifica como *aquella mujer* quien había orado en el tabernáculo, la que Elí había acusado de estar ebria (1:14). La petición había subido a Dios desde este lugar; ahora la respuesta de Dios estaba delante de sus ojos. En el sentido del verbo, Jehová le había concedido a Ana lo que ella le había pedido prestado. Ahora la madre va a dedicarlo, o "darlo" a Jehovah por el resto de su vida. Era un acto de adoración.

3 Dios llama a Samuel, 1 Samuel 3:8-10.

Vv. 8, 9. Aunque Samuel servía a Jehovah con Elí, podemos decir que el joven no había tenido una "experiencia personal" con el Dios de Elí. Por eso, cuando Jehovah lo llama por nombre, Samuel da por sentado que quien le llama es Elí. Con cada llamado, el joven corre a la cabecera de Elí para obedecerlo, y cada vez el sacerdote le asegura que no le ha llamado. Al tercer llamado, Elí se da cuenta de que Dios está llamando a Samuel. Le aconseja que diga a Dios: *Habla, oh Jehovah, que tu siervo escucha,* preparando al joven para que obedeciera la voz de Dios.

V. 10. Con paciencia, Jehovah llama a Samuel otra vez por nombre. Ahora Samuel está preparado y dispuesto a recibir la revelación divina.

4 Samuel recibe la palabra de Dios, 1 Samuel 3:19, 20.

Dios le revela a Samuel el juicio que caerá sobre la casa de Elí. El sacerdote anciano, sin la capacidad de discernir la revelación divina, hace que Samuel le diga todo en cuanto al mensaje de Jehovah. Al escucharlo Elí reconoce que es la voz de Dios.

V. 19. Creciendo en estatura y en fe, Samuel tiene la presencia de

Jehovah continuamente con él. La "marca registrada" del profeta auténtico e íntegro de Dios era el cumplimiento de sus profecías. Todas las palabras de Samuel se cumplían. También podemos decir que ninguna promesa de Dios a Samuel dejó de ser cumplida.

V. 20. Toda la población de Israel, desde el norte (Dan) hasta el sur (Beerseba), estaba convencida que Samuel era el acreditado portavoz de Dios. El tenía el respeto y la atención de la nación.

Aplicaciones del estudio

1. La oración, nuestro primer recurso. En vez de darse por vencida o buscar venganza, ella buscó a Dios en oración. Ana confiaba que Dios iba a escuchar su oración, y nada, ni la mala interpretación de Elí (1:14), iba a pararla. Para Ana la oración era su primer recurso en una situación imposible. El mismo Dios nos invita a traerle todos nuestros problemas y desafíos.

2. La necesidad de cumplir nuestra palabra. En un mundo donde la mentira y la promesa "rota" son "la moda," los hijos de Dios son llamados a cumplir sus votos delante del Señor. Ana le hizo una promesa al Señor (1:11) y la cumplió (1:28). Tenemos que cumplir nuestra palabra. Si somos transformados por la verdad de Cristo, nos es necesario hablar y vivir la verdad también.

3. Obediencia al llamado de Dios. Samuel aprendió a escuchar la voz de Dios y a obedecerla; por eso, la nación de Israel quería oír lo que él decía. Por otra parte, los hijos de Elí no escucharon la voz de Dios, viviendo en desobediencia y perdiendo su integridad, respeto y, al final, su vida. Dios está llamando a cada uno de nosotros.

Prueba

1. Un joven matrimonio cristiano está por tener su primer hijo. Pide que usted le dé consejos en cuanto a cómo criar a esta nueva criatura en el camino del Señor. ¿Cuáles son algunos principios que se pueden compartir de la experiencia de Ana y Samuel? Escriba por lo menos tres ideas.

_____

_____

_____

2. Como resultado de este estudio, yo quiero encontrar el propósito de Dios para mi vida. Estoy dispuesto a (marque sus respuestas con **X**):

_____ Orar

_____ Escuchar y leer la palabra de Dios

_____ Buscar consejo de personas dedicadas

_____ Hacer su voluntad

Lecturas bíblicas para el siguiente estudio

Lunes: 1 Samuel 4:1b-11
Martes: 1 Samuel 4:12-22
Miércoles: 1 Samuel 5:1-12

Jueves: 1 Samuel 6:1-18
Viernes: 1 Samuel 6:19 a 7:2
Sábado: 1 Samuel 7:3-17

Unidad 11

Los filisteos y el arca del Señor

Contexto: 1 Samuel 4:1b a 7:17
Texto básico: 1 Samuel 4:10, 11; 5:6, 7; 6:11-13; 7:3-6
Versículo clave: 1 Samuel 7:3
Verdad central: El relato de los filisteos y el arca del Señor nos enseña que Dios espera ser reconocido como el único Dios.
Metas de enseñanza-aprendizaje: Que el alumno demuestre su conocimiento de los eventos de los filisteos y el arca del Señor, y su actitud hacia la demanda que el Señor hace a cada persona de ser reconocido como el único Dios.

─────────── *Estudio panorámico del contexto* ───────────

Los filisteos eran parte de los "pueblos del mar" de Caftor (o Creta; vea Amós 9:7) que invadieron a Egipto en los últimos años del siglo trece antes de Cristo. Después de una confrontación con el faraón Rameses III, los filisteos ocupaban la planicie costera. A lo largo de la historia de Israel, la nación filistea fue un enemigo tenaz, evidente especialmente en el período de los jueces y durante los reinos de Saúl y David.

Este pueblo, con fuerzas militares superiores y deseos de extender su dominio por Palestina, libró batalla contra Israel, una batalla en la cual el pueblo de Dios perdió 4,000 hombres. Al analizar la derrota los ancianos decidieron enviar el arca del pacto, símbolo de la presencia divina en Israel, a la próxima batalla; pero Israel fue vencido y el arca preciosa cayó en manos de los filisteos.

La derrota tuvo un impacto trágico sobre la casa de Elí. Al oír las noticias de que sus hijos habían muerto y que el arca de Dios había sido capturado, el ciego y anciano Elí se cayó y murió. Su nuera, esposa de Fineas, dio a luz a un niño, llamándolo "Icabod" ("sin gloria") antes de que ella muriera. Ciertamente la gloria de la presencia de Dios se había apartado de Israel.

Como trofeo del triunfo sobre Israel, los filisteos llevaron el arca del "Dios derrotado" al templo de su dios principal, Dagón, en Asdod. Pero la imagen impotente de Dagón fue derrumbada y destruida delante del arca de Dios. Después, una plaga de tumores (quizás la peste bubónica) empezó a asolar a los ciudadanos. Con un pánico mortífero los gobernantes deciden trasladar el arca a Gat y luego a Ecrón; sin embargo, los resultados trágicos son iguáles, y se decide devolver el arca a Israel. Los filisteos tuvieron que admitir el poder superior de Jehovah de Israel.

Los líderes filisteos devuelven el arca en una carreta nueva con una ofrenda interesante: una caja con figuras de tumores y ratones hechas de oro. Cuando el arca llegó a Bet-semes, los habitantes se alegraron y ofrecieron sacrificios de gratitud a Jehovah. Sin embargo, después de una plaga en esta ciudad israelita, los líderes querían deshacerse del arca, enviándola viente kilómetros a la ciudad de Quiriat-jearim. Veinte años después de la llegada del arca, Samuel reúne al pueblo en Mizpa, llamándolo a abandonar los dioses falsos cananeos y a volver al verdadero Dios.

────────── *Estudio del texto básico* ──────────

Lea su Biblia y responda

1. En 1 Samuel 2:34 se encuentra una profecía contra la casa de Elí por los pecados de sus hijos. ¿Cómo se cumplió esta predicción? (1 Sam. 4:10, 11)

_____

_____

2. En 1 Samuel 6:17, las 5 ciudades (o distritos) principales de los filisteos son mencionadas: _____, _____, _____, _____ y _____. Después de que el arca fue capturada por los filisteos, ¿a cuáles de estas cinco ciudades se trasladó el arca? _____(5:1); _____(5:8); _____(5:10).

3. Escriba en sus palabras el desafío de Samuel (1 Sam. 7:3):

_____

_____

_____

Lea su Biblia y piense

1 La captura del arca, 1 Samuel 4:10, 11.

V. 10. Después del primer fracaso contra las fuerzas filisteas, Israel buscó otra estrategia: en la próxima batalla, el arca de Jehovah iba a entrar con las tropas israelitas. Esta arca contenía el pacto entre Dios e Israel (los diez mandamientos) y era símbolo de la presencia libertadora de Dios en medio de su pueblo. Cuando el arca llegó al campamento, todo Israel gritó con júbilo, mientras los filisteos temblaron con temor. Pese a su miedo inicial, los filisteos se esfuerzan, combatiendo al ejército de Israel y venciéndolo. Esta derrota, donde 30,000 hombres murieron, es peor que la primera (1 Sam. 4:2).

V. 11. La presencia del arca no trajo la victoria. Lo peor, el arca misma fue capturada. Tal desastre suscitó preguntas profundas: ¿puede el Dios que libró de la esclavitud en Egipto librar a su pueblo ahora? Jehovah, el que salvó a otros, ¿no puede salvarse a sí mismo? Al mismo tiempo, los dos malvados hijos de Elí, custodios del arca, murieron en cumplimiento de la profecía (1 Sam. 2:34).

2 **El arca trae plaga a los filisteos, 1 Samuel 5:6, 7.**

Los primeros versículos de este capítulo son una clara demostración de la superioridad del Dios de Israel sobre Dagón, una divinidad filistea del grano; aun un dios pagano reconoce el poder incomparable de la presencia de Jehovah.

V. 6. *La mano de Jehovah* es una expresión que se usaba mucho en el Antiguo Testamento. Significa una acción poderosa de Dios para bendecir o, en este caso, para castigar. Aunque varias versiones usan la palabra "hemorroides" para definir el castigo, es más probable que los tumores eran los síntomas visibles de la peste bubónica transmitida por ratones infectados con la enfermedad (vea 1 Sam. 6:4).

V. 7. Los líderes de Asdod reconocen los efectos físicos (los tumores) y espirituales (la impotencia de Dagón) del castigo divino. Llegaron a la única conclusión válida: ¡el arca no se podía tener en Asdod!

3 **Los filisteos devuelven el arca, 1 Samuel 6:11-13.**

El arca atemorizó a todos los filisteos; por ello los habitantes de Gat y de Ecrón querían deshacerse de este símbolo fatal. Después de una peregrinación de siete meses por tierras filisteas, el arca iba a ser devuelta a Israel.

V. 11. Al consejo de sus líderes religiosos, los filisteos preparan una "ofrenda" para el Dios ofendido de Israel: cinco tumores de oro y cinco ratones de oro. Junto con esta ofrenda, el arca se coloca sobre una carreta nueva para el viaje de vuelta a Israel. Con esto, los filisteos esperan anular la plaga divina.

V. 12. Como "prueba viva" de la supuesta naturaleza divina del arca, los filisteos trazan un plan. Si las vacas, las cuales tenían terneros y sobre las cuales nunca habían puesto yugo, siguen rumbo a una ciudad israelita de Bet-semes, sin salirse del camino, entonces la plaga era de Jehovah. Por otra parte, si estas vacas hubieran seguido su "instinto maternal" y hubieran vuelto, los filisteos habrían sabido que la peste era un desastre natural ocurrido *por casualidad.* ¡Qué sorpresa cuando las vacas fueron *sin apartarse ni a la derecha ni a la izquierda!*

V. 13. Los habitantes de Bet-semes estaban trabajando en la cosecha de trigo cuando el arca apareció. La inesperada llegada causó una celebración de alegría y sacrificios de gratitud.

4 **Samuel sirve como juez, 1 Samuel 7:3-6.**

Vv. 3, 4. Como profeta, Samuel llama a Israel al arrepentimiento sincero. La idea de "volverse" incluye la idea de dejar los dioses paganos de los cananeos (Baal, el dios de la fertilidad y Astarte, la diosa del amor) y a la vez reafirmar la lealtad única a Jehovah. Israel decidió aceptar el desafío, sirviendo sólo a Jehovah y recibiendo su liberación de los filisteos.

Vv. 5, 6. Como sacerdote, Samuel convoca una asamblea para orar por la nación pecadora. Israel admitió su pecado contra Jehovah y, a través del ayuno y un acto simbólico (el de derramar agua), demostró su profunda tristeza. Como juez, Samuel juzgaba a Israel.

1. Dios no bendice un ministerio pecaminoso. Los dos hijos de Elí tenían el título de "sacerdotes" de Jehovah, pero no practicaban la santidad que Dios requiere. Ellos presumían que su posición era más importante que su conducta. Dios está sumamente interesado en el comportamiento de sus siervos, y ellos recibieron el castigo merecido. Sabemos que todos los hijos de Dios somos "un real sacerdocio" (1 Ped. 2:9) con la responsabilidad de ministrar en el nombre y en el poder de nuestro Dios.

2. Dios no es un amuleto mágico en el que podemos depender cuando nos conviene. Después de perder la primera batalla, Israel decidió entrar en la segunda con el arca, usándola como si fuera un talismán para obtener la victoria. Dios no existe sólo para realizar nuestros antojos o para sacarnos de situaciones difíciles en las cuales nos encontramos. El quiere que tengamos una relación de fe continua y obediencia completa con él.

3. Nuestro Dios es el único Dios. Los filisteos servían a un panteón de dioses falsos, pero ellos, y la estatua de su dios, Dagón, tenían que reconoc~ el poder de Jehovah. La misma nación de Israel tuvo que decidir si quería seguir a los dioses paganos o al único y verdadero Dios. ¿Es Jehovah, el Dios de Israel y el padre de Jesucristo, el Señor de su vida?

Prueba

1. Ponga en orden cronológico los eventos del estudio de hoy (por ejemplo, el número "1" es el primer evento en la serie).

___ Samuel juzgaba a los hijos de Israel en Mizpa.
___ El sacerdote Elí muere.
___ Dagón cae en tierra sobre su rostro.
___ Los habitantes de Bet-semes se regocijan.
___ Los fariseos devuelven el arca y la ofrenda.
___ Israel se arrepiente de su pecado contra Jehovah.
___ Hay tres ciudades que sufren de la peste bubónica.

2. Aunque no sirvamos a ídolos como los filisteos (o, en varias épocas de su historia, el pueblo de Israel), hay muchos dioses falsos (riqueza, fama, poder, etc.) que claman por nuestra atención y nuestra lealtad. Piense en esta pregunta: ¿Quién es el Señor de mi vida? Si no es Jesucristo, ¿está dispuesto a arrepentirse ahora mismo? El quiere ser su Señor personal.

Lecturas bíblicas para el siguiente estudio

Lunes: 1 Samuel 8:1-9   **Jueves:** 1 Samuel 9:22-27
Martes: 1 Samuel 8:10-22   **Viernes:** 1 Samuel 10:1-16
Miércoles: 1 Samuel 9:1-21   **Sábado:** 1 Samuel 10:17-27

Israel pide un rey

Contexto: 1 Samuel 8:1 a 10:27
Texto básico: 1 Samuel 8:17-22; 9:15-17; 10:1, 17-19
Versículo clave: 1 Samuel 9:17
Verdad central: La petición de Israel de tener un rey ilustra el peligro de tratar de resolver los problemas usando soluciones humanas en lugar de confiar en Dios.
Metas de enseñanza-aprendizaje: Que el alumno demuestre su conocimiento de los dos grandes errores que condujeron a Israel a pedir un rey, y su actitud hacia las maneras cómo puede someter su vida y la solución de sus problemas a la dirección del Señor.

─────────── *Estudio panorámico del contexto* ───────────

Israel llegó a un momento decisivo en su historia. El profeta, sacerdote y juez Samuel ya había envejecido, y sus dos hijos, quienes iban a fungir como administradores de justicia, eran injustos y deshonestos. A la luz de esta situación, los líderes ancianos le piden a Samuel que provea un rey para dar dirección, estabilidad y protección a la nación. Ofendido y triste por la petición del pueblo, Samuel ora. Dios le revela que Israel puede tener su rey terrenal, pues ha rechazado y abandonado a su Rey celestial.

Como fiel profeta, Samuel advierte al pueblo de las consecuencias de su decisión. El rey como los de las otras naciones le exigiría un precio costoso: en vez de libertad, paz y prosperidad, un monarca produciría esclavitud, guerra e impuestos gravosos. Pese al argumento de Samuel, el pueblo rehusa oír y sigue clamando por un rey. Jehovah concede la petición popular.

Saúl, hijo de Quis, era hombre "joven y apuesto" de una buena familia y sin igual entre los varones de Israel. Mientras buscaba en vano unas asnas perdidas que pertenecían a su padre, Samuel estaba buscando la voluntad de Dios en cuanto al próximo rey de Israel. En una "cita divina", Saúl se encontró con Samuel para averiguar el paradero de los animales. El "vidente" Samuel le hace saber que, no sólo las bestias se habían hallado, sino también que el rey se había encontrado, Saúl mismo. En humildad sincera y aparente incredulidad, Saúl confiesa su pequeñez.

Treinta hombres se habían reunido para una fiesta hebrea con Samuel, y el profeta les pone a Saúl y a su criado a la cabecera de los invitados, la posición de respeto. También le da la mejor porción y después Saúl es invitado a dormir en la azotea de la casa de Samuel como un huésped de honor. Estos privilegios son un preludio para los eventos venideros. En una ceremonia secreta, Samuel unge a Saúl como rey de Israel.

Como confirmación externa de la transformación interna operada por Dios, Saúl tiene varios encuentros predichos por Samuel. Al hablar con su tío, Saúl no le divulga nada tocante al reino.

Israel se reúne en Mizpa para ratificar públicamente lo que Samuel y Saúl ya habían hecho secretamente. Después de un proceso de selección "de suerte", Saúl es aclamado rey por el pueblo, aunque varios "perversos" manifiestan su oposición a la decisión.

——————————— Estudio del texto básico ———————————

Lea su Biblia y responda

1. ¿Cuáles son las cuatro razones mencionadas en 1 Samuel 8:5 por las cuales Israel pidió un rey?

   a._____
   b._____
   c._____
   d._____

2. ¿Qué hará el rey? Lea 1 Samuel 8:10-18 y marque con **X** las advertencias de Samuel con respecto al rey.

   a.____ Tomará a vuestros hijos para que sean escoltas del rey.
   b.____ Gobernará con sabiduría y generosidad.
   c.____ Tomará a vuestras hijas para que sean perfumadas.
   d.____ Tomará lo mejor de vuestras tierras.
   e.____ Proveerá liderazgo espiritual.
   f.____ Tomará el diezmo de vuestros granos y viñedos.
   g.____ Tomará a vuestros siervos.

3. Lea 1 Samuel 9:21 y escriba en sus propias palabras el significado de la respuesta de Saúl.

   _____
   _____

Lea su Biblia y piense

1 Israel persistentemente pide un rey, 1 Samuel 8:17-22.

V. 17. Samuel obedece el mandato de Dios en 1 Samuel 8:9 de declarar cual será el proceder del rey que ha de reinar sobre ellos. Israel iba a sufrir privaciones personales y económicas por elegir a un rey. Tierra y esclavos serían confiscados para el uso del rey (v. 14). Aquí Samuel les advierte que el diez por ciento del rebaño será automáticamente propiedad personal del rey, además de un diezmo de los granos y viñedos (v. 15). Lo peor de todo es que, este pueblo libre se convertiría en una nación de esclavos.

V. 18. Hasta este momento, Samuel describe las consecuencias sociales y económicas de la monarquía. En el aspecto espiritual el resultado será que cuando clamen a Dios pidiendo alivio por causa de su nuevo rey, *Jehovah no os escuchará*. En Exodo 2:23-25, Israel se encuentra sufriendo en esclavitud involuntaria en Egipto. En aquel caso Dios oyó el clamor y el gemido del pueblo oprimido y actuó para librarlo. La advertencia de Samuel era clara: cuando Israel experimentara opresión de parte de su nuevo rey, el que el pueblo escogiera, Jehovah no respondería. Si iba a confiar en un rey, el rey lo tendría que salvar.

Vv. 19, 20. El pueblo rechazó la amonestación dura de Samuel. Ya que el profeta era portavoz para Dios, Israel estaba rechazando la voluntad de Dios para su futuro. En forma terca y persistente, la nación demuestra su egoísmo en buscar un rey en vez de a Dios. Observe el uso de las palabras *nosotros* y *nuestro* en estos versículos. La confianza en Dios había "pasado de moda"; Israel quería actualizarse, con un monarca como cualquier otro país contemporáneo. También quería un rey dispuesto a llevar a cabo las batallas de Israel y no las batallas de Jehovah. Lo que se estaba pidiendo era la disolución de la antigua confederación entre las doce tribus y el establecimiento de un poderoso gobierno centralizado.

Vv. 21, 22. Como Moisés, Samuel es un fiel mediador, llevando las quejas y peticiones arrogantes del pueblo a Jehovah. Dios permite que la voz popular sea escuchada, y Samuel recibe la responsabilidad de constituir un rey sobre Israel. El profeta disuelve la asamblea mientras espera el momento propicio para nombrar al nuevo rey.

2 El encuentro de Samuel y Saúl, 1 Samuel 9:15-17.

Vv. 15, 16. Aunque Dios no estaba de acuerdo con la decisión de su pueblo, él obra durante todo el proceso para guiar a la nación vacilante. Saúl obedientemente busca a las asnas perdidas de su padre, mientras Samuel recibe una revelación específica de parte de Jehovah. Veamos, hay un día específico: *mañana*, una hora específica: *a esta misma hora*, una persona específica: *de Benjamín*, una tarea específica: *a éste ungirás* y un resultado específico: *librará a mi pueblo de mano de los filisteos*.

V. 17. Cuando Samuel y Saúl se encuentran, el profeta recibe de Jehovah una confirmación de que Saúl era el futuro rey. No cabía duda: Saúl era el hombre escogido por Dios.

3 Samuel unge a Saúl como rey, 1 Samuel 10:1.

Al salir el sol, Samuel lleva a Saúl al extremo de la ciudad y, sin otro espectador, unge al nuevo líder de Israel. En este acto, el profeta realiza tres acciones importantes: (1) derrama el aceite sobre la cabeza de Saúl. Este ungimiento era un símbolo que Dios aprobaba al ungido, fuera él profeta, sacerdote o rey. (2) Samuel le besa, que puede ser el primer reconocimiento oficial de la consagración del rey. (3) Samuel le habla, explicándole a Saúl que era Dios (y no simplemente Samuel) quien estaba autorizando este proceso. El nuevo rey tiene la aprobación divina.

4 El pueblo rechaza a Dios, 1 Samuel 10:17-19.

En contraste con la ceremonia privada anterior, la elección del nuevo rey presentada aquí es por todo el pueblo.

Vv. 17-19. Con su autoridad profética, Samuel convoca al pueblo en Mizpa. Antes de entrar en el proceso de elegir al rey, el líder aprovecha la oportunidad de recordar al pueblo los actos redentores de Dios a lo largo de su historia. Este Dios libertador y misericordioso está siendo rechazado, y en su lugar el pueblo escogerá un rey que esclavizará a Israel. A pesar de esta apostasía patente, Jehovah permite que el pueblo siga con su decisión, y Samuel guía el proceso para escoger a Saúl como rey.

Aplicaciones del estudio

1. ¡Cuidado con la "amnesia espiritual"! El hombre tiene la gran capacidad de olvidar las verdades más básicas de su existencia. Después de haber visto la mano libertadora del Rey de los reyes a lo largo de su historia, Israel optó por buscar un rey "como tienen todas las naciones". Este pueblo no pudo recordar ni el amor protector de Jehovah ni los fracasos de los reyes de sus países vecinos. Al perder su memoria, perdió también su particularidad. Los creyentes tenemos que decidir entre dos opciones: la de recordar lo que Dios ha hecho en nuestra vida y confiar en él para nuestro futuro o la de vivir según los valores mundanos, buscando la seguridad y realización en cosas pasajeras.

2. La paciencia divina. Dios permite que los hombres tomen decisiones equivocadas. Israel, en su obstinación, rechazó a Dios; sin embargo, Dios mostró su paciencia y misericordia en guiar al pueblo a que escogiera a Saúl.

Prueba

1. ¿Cuáles fueron los dos grandes errores que condujeron a Israel a pedir un rey?
   a. _____
   b. _____

2. Según la enseñanza del Nuevo Testamento, si queremos ser discípulos fieles de Jesús, tenemos que amar a Cristo más que a cualquier otra persona (Luc. 14:26), cualquier otro propósito (Luc. 14:27) o cualquier otra posesión (Luc. 14:33). Piense en cualquier persona o cosa que está desplazando al Rey soberano en su vida.
   a. Otra persona _____
   b. Otro propósito_____
   c. Otra posesión _____

Lecturas bíblicas para el siguiente estudio

Lunes: 1 Samuel 11:1-11   **Jueves:** 1 Samuel 12:6-12
Martes: 1 Samuel 11:12-15   **Viernes:** 1 Samuel 12:13-17
Miércoles: 1 Samuel 12:1-5   **Sábado:** 1 Samuel 12:18-25

Victoria de Saúl y despedida de Samuel

Contexto: 1 Samuel 11:1 a 12:25
Texto básico: 1 Samuel 11:5-7, 11; 12:1-3, 20-25
Versículo clave: 1 Samuel 12:24
Verdad central: La victoria de Saúl y la despedida de Samuel nos enseñan que Dios usa para bendición de otros a aquellos que confían en su Santo Espíritu y le sirven con fidelidad.
Metas de enseñanza-aprendizaje: Que el alumno demuestre su conocimiento de los factores que contribuyeron a la victoria de Saúl y los eventos que rodearon la despedida de Samuel, y su actitud hacia el compromiso de confiar y servir, en el Espíritu de Dios, para poder ser de bendición a otros.

─────────── *Estudio panorámico del contexto* ───────────

Saúl tiene la oportunidad de "fabricarse un trono" en el corazón de Israel, estableciendo y consolidando su reino, mientras Samuel se despide del liderazgo de Israel.

Jabes de Galaad era una ciudad a la orilla oriental del río Jordán cuyos habitantes habían sido destruidos por los israelitas (Jue. 21:8-12). El rey amonita, Najas, amenaza al pueblo en sacarle el ojo derecho a cada ciudadano. Cuando Saúl se entera de la situación, llama a toda la nación para presentar un frente unido contra la intimidación amonita. La victoria para Israel significa el rescate de Jabes y el inicio positivo para el nuevo rey protector.

Después de la victoria contra Najas, el pueblo quiere ejecutar a todos los que se habían opuesto al liderazgo del rey Saúl. Sin embargo el rey, con nobleza y gratitud a Dios, les perdona la vida, dando amnistía a los "perversos" (1 Sam. 10:27; 11:13). Samuel convoca al pueblo en Gilgal para otra proclamación formal del reino de Saúl. En este acto lleno de significado religioso y político, Saúl recibe el favor del pueblo por su dirección valiente durante la crisis nacional.

Con la aceptación del nuevo rey, Samuel decide presentar su "canto del cisne." El viejo juez entiende que la nación de Israel está ingresando en una nueva etapa de su historia, y él no quiere impedir el nuevo régimen, pero antes, Samuel, recuerda al pueblo de su integridad incontestable durante los años como juez. En seguida Samuel cuenta la historia de Israel, una historia caracterizada por un ciclo de desobediencia, castigo y la salvación de Dios. Aunque Israel ha escogido un rey humano en vez de Jehovah, Dios está dispuesto a bendecir al pueblo obediente; por otro lado, la desobediencia traerá ruina.

Al darse cuenta de su pecado, el pueblo le pide a Samuel que interceda delante de Dios por ellos; el profeta, sacerdote y juez promete rogar por Israel. Sin embargo, hay una advertencia bien clara en las palabras de Samuel: aunque Israel tiene su rey, la lealtad total de la nación pertenece a Jehovah. De otro modo, Israel y su rey perecerán.

―――――――― *Estudio del texto básico* ――――――――

Lea su Biblia y responda

1. ¿Cuál era la reacción emocional de Saúl al oír de la situación en Jabes de Galaad (1 Sam. 11:6)? _____

   ¿Por qué? _____

2. El escritor bíblico le atribuye la ira al poder del Espíritu Santo. ¿Puede un creyente ser "espiritual" y "encendido con ira" a la vez? (lea Mar. 3:5 y Efe. 4:26-27 antes de responder) _____

3. ¿Cuál es el "ciclo vicioso" evidente en la historia de Israel?
   a. Los israelitas _____ de Jehovah (1 Sam. 12:9).
   b. Dios _____ en mano del enemigo (1 Sam. 12:9).
   c. Los israelitas _____ a Jehovah en arrepentimiento (1 Sam. 12:10).
   d. Jehovah _____ un "libertador" para Israel (1 Sam. 12:11).

4. Asocie la declaración en la columna izquierda con la cita correcta en la columna derecha.
   ____ 1) Una promesa de Samuel   a. 1 Sam. 12:22
   ____ 2) Una advertencia de Samuel b. 1 Sam. 12:23
   ____ 3) Un mandato de Samuel   c. 1 Sam. 12:24
   ____ 4) Una promesa de Dios   d. 1 Sam. 12:25

Lea su Biblia y piense

1 Saúl triunfa sobre los amonitas, 1 Samuel 11:5-7, 11.
V. 5. El soberbio jefe de las fuerzas amonitas le dio al pueblo de Jabes un *ultimátum:* o la rendición (con la crueldad de sacarle el ojo derecho a cada ciudadano) o la destrucción total de la ciudad. Najas, cuyo nombre significa "serpiente" o "magnificencia," permitió que los habitantes de Jabes buscaran un "salvador" (uno que los libraría) dentro de siete días. Lo interesante es

que Saúl, ungido secretamente por Samuel y aclamado rey en Mizpa, no está conduciéndose como el rey de Israel: sigue con sus labores agrícolas. Al regresar del campo, se entera del aprieto de sus hermanos en Jabes.

V. 6. Las noticias trágicas encienden reacciones fuertes. En primer lugar, el poderoso Espíritu de Dios vino sobre Saúl, tal como sus precursores (los jueces) lo habían experimentado (Jue. 3:10; 11:29; 15:14), para equiparlo para la batalla. Al mismo tiempo, *se encendió su ira en gran manera*, una referencia a la indignación (o furia) justa y santa contra las fuerzas que estaban atacando al pueblo de Dios (compare esta ira "justa", inspirada por Dios, y la ira de Saúl contra David inspirada por celos, 1 Sam. 18:6-11).

V. 7. En un gesto simbólico, Saúl le envía un mensaje amenazando a todo Israel: "participáis en la liberación de Jabes o seréis descuartizados como estos bueyes." El estímulo gráfico "galvaniza" al pueblo y *salieron como un solo hombre*. El agricultor comienza a actuar como rey, movilizando las fuerzas en solidaridad contra un enemigo común.

V. 11. Como comandante de Israel, Saúl usa una táctica conocida (Jue. 7:16; 1 Sam. 13:17) para sorprender el enemigo. La estrategia es exitosa: después de una batalla de pocas horas, las tropas de Najas son derrotadas. Saúl e Israel gozan de la victoria.

2 Samuel concluye su labor como juez, 1 Samuel 12:1-3.

V. 1. En 1 Samuel 8:7 Jehovah mandó a Samuel que escuchara la voz del pueblo y le diera un rey. Ahora el profeta anuncia que ha cumplido con su tarea, aunque este proceso le era desagradable (1 Sam. 8:6). Samuel estaba dispuesto a obedecer a Dios en todo.

V. 2. Aquí Samuel traspasa el poder al nuevo rey. El canoso profeta, ya con hijos adultos, había *andado delante* de su nación por muchos años. Quizá Samuel se refiere aquí, no sólo a su posición como líder, sino también a su conducta ejemplar y dedicación como juez. A partir de aquí, el rey iría delante del pueblo.

V. 3. Al rendir cuentas de su liderazgo, Samuel le pide al pueblo que confirme su integridad y a la vez compara su desempeño con el del nuevo rey. El nunca tomó los animales de nadie; el rey sí lo haría (1 Sam. 8:16). Samuel nunca defraudó u oprimió, pero los hijos de Israel serían oprimidos por el nuevo monarca (1 Sam. 8:11-13). Como juez honesto, nunca aceptó soborno para "hacerse de la vista gorda". El pueblo afirma su carácter intachable. Samuel puede retirarse con una conciencia limpia.

3 Samuel hace un llamado a la fidelidad, 1 Samuel 12:20-24.

Vv. 20, 21. No hay duda que, en la mente de Samuel, Israel había pecado. Sin embargo, el profeta le ofrece al pueblo consuelo ("no temáis") y consejos. Sería fácil apartarse de Jehovah, buscando ayuda y significado en "vanidades" (ídolos) impotentes. Los dioses falsos no pueden salvar; solo Jehovah salva. Por eso, Samuel manda al pueblo a servir a Jehovah *con todo vuestro corazón*, o sea, con lealtad total y una voluntad resuelta.

V. 22. No es la obediencia de Israel ni su arrepentimiento lo que garantiza la protección divina. Jehovah mismo la garantiza, eligiendo a Israel por su amor. Su propio nombre (identidad o reputación) está en juego; por eso, su pueblo nunca será desamparado por él.

V. 23. Samuel tampoco desamparará al pueblo. Su papel como juez ya se acababa, pero su responsabilidad sacerdotal, la de interceder por Israel, no tendría fin. Al mismo tiempo, Samuel, continuará instruyendo a Israel en el camino del Señor como profeta fiel.

V. 24, 25. Recalca la necesidad de temer y servir a Jehovah fielmente. Dios les ha demostrado, por medio de obras maravillosas su amor y poder.

Aplicaciones del estudio

1. Un buen comienzo. Saúl ganó una gran victoria al principio de su reino porque estaba bajo el control del Espíritu Santo (1 Sam. 11:6). Este agricultor con humildad magnánima le dio el crédito de su victoria a Jehovah y comenzó su papel histórico como el primer rey de Israel. Quizá siente usted que es un creyente "ordinario y común", pero sólo Dios sabe lo que usted puede ser y hacer siempre y cuando sea sumiso a él.

2. Un siervo fiel hasta el fin. Samuel había sido sensible a la voz de Dios desde su juventud, no tenía de qué avergonzarse. Decidamos hoy vivir en fidelidad a la voz de Señor para que mañana no tengamos que agachar la cabeza delante de Dios y de su pueblo.

3. La paciencia de Dios y nuestra perseverancia en oración. En 1 Samuel 12:22, 23, Samuel nos enseña una lección valiosa. A pesar de las debilidades e infidelidades de Israel, Dios había invertido su propia reputación y carácter en su pueblo; él no iba a dejarlo desamparado. Samuel tampoco quería abandonar este pueblo vacilante. Le prometió orar y guiar a esta nación rebelde. ¿No debemos nosotros los creyentes hacer lo mismo?

Prueba

1. ¿Cuáles fueron dos factores que contribuyeron a la victoria de Saúl?
   a. _____
   b. _____

2. ¿Cuáles fueron los dos eventos principales que rodearon la despedida de Samuel?
   a. _____
   b. _____

3. Lea de nuevo 1 Samuel 12:24 y medite en las palabras de Samuel. ¿Cómo debemos servir a Dios? Con _____ y con _____

   ¿Cuál debe ser nuestra motivación para el servicio? _____

Lecturas bíblicas para el siguiente estudio

Lunes: 1 Samuel 13:1-23   **Jueves:** 1 Samuel 16:1-13
Martes: 1 Samuel 14:1-52   **Viernes:** 1 Samuel 16:14-23
Miércoles: 1 Samuel 15:1-35   **Sábado:** 1 Samuel 17:1 a 18:5

Unidad 12

Saúl desobedece a Dios

Contexto: 1 Samuel 13:1 a 18:5
Texto básico: 1 Samuel 13:5, 8-14; 15:2, 9, 22-24, 27, 28; 16:11-13; 17:50, 51
Versículo clave: 1 Samuel 15:22
Verdad central: La experiencia de Saúl al desobedecer a Dios nos ilustra que la desobediencia a Dios es el primer paso hacia el final de un servicio efectivo y agradable al Señor.
Metas de enseñanza-aprendizaje: Que el alumno demuestre su conocimiento de la desobediencia de Saúl y el nombramiento de David, y su actitud hacia las consecuencias trágicas de usurpar la autoridad de Dios en cualquier aspecto de nuestra vida.

———————— *Estudio panorámico del contexto* ————————

Después de la amenaza amonita, la nación de Israel tendría que enfrentar a su enemigo perpetuo, los filisteos. Saúl, como rey y líder de las tropas de Israel, destaca guarniciones bajo su mando y el de su hijo, Jonatán. Provocado por un ataque israelita, el ejército de los filisteos decide combatir contra Israel y los guerreros de Saúl se le iban dispersando por pánico. Samuel demora y Saúl toma la decisión de ofrecer un holocausto a Dios, la responsabilidad del sacerdote Samuel, para asegurar el favor de Dios y frenar el éxodo de sus tropas. Al llegar, Samuel lo condena por no haber obedecido el mandato divino; por eso, el reino de Saúl sería breve mientras Jehovah busca un hombre "según su corazón" para guiar su pueblo.

En el capítulo 14, el joven príncipe, Jonatán, y su escudero atacan a los filisteos de sorpresa, desencadenando una batalla de la cual Israel sale victorioso con la ayuda de Jehovah. Sin embargo, Saúl quiere matar a Jonatán por no haber obedecido su orden de no comer hasta que el enemigo fuera vencido. El pueblo no permite que Jonatán reciba la pena de muerte. Después Saúl entra en guerra contra todos los enemigos vecinos de Israel.

El rey recibe un mandato divino por medio de Samuel: destruir completamente los amalequitas. En este sentido, Israel tendría que actuar como el verdugo divino, declarando una guerra santa contra este enemigo de Dios (Exo. 17:8-16). Saúl no le obedece a Dios, perdonando la vida del rey Agag y lo mejor del ganado. Samuel lo enfrenta con el resultado trágico de su desobediencia insolente: el reino de Saúl es rasgado y dado a otro. A pesar del arrepentimiento del rey, Samuel tristemente nunca lo vuelve a ver.

Dios le da al sacerdote viejo otra tarea: la de ungir al nuevo rey escogido por Dios de entre los hijos de Isaí en Belén. Samuel los invita a una comida sacrificial, y allí examina a los siete hijos de Isaí; sin embargo los siete son rechazados por Jehovah. Por fin, un joven pastor, David, es ungido como rey, y el Espíritu de Dios comienza a descender sobre su vida. Al mismo tiempo, Saúl, atormentado por un "espíritu malo", sólo recibe consuelo y alivio al escuchar la música del arpa de David.

Con piedras y una honda, David hace lo que todo el ejército de Israel no podía hacer, derrotar al paladín filisteo, Goliat. Después de la victoria, David y Jonatán hacen un pacto de amistad.

Estudio del texto básico

Lea su Biblia y responda

1. ¿Cuáles son las tres razones por las cuales Saúl ofreció el holocausto en vez de esperar a Samuel? (1 Sam. 13:11)

    a. _____

    b. _____

    c. _____

2. Lea 1 Samuel 13:14. ¿Qué significa la frase, "un hombre según su corazón"? _____
   _____

3. Llene los espacios. (1 Sam. 15:22-23)

    "Ciertamente el _____ es mejor que los _____, y el prestar _____ es mejor que el _____ de los carneros. Porque la _____ es como el pecado de _____, y la _____ es como la iniquidad de la _____."

4. Según 1 Samuel 16:7, ¿cuál es la diferencia entre la perspectiva de Dios y la del hombre? _____
   _____

Lea su Biblia y piense

1 Saúl actúa torpemente, 1 Samuel 13:5, 8-14.

V. 5. A pesar de la duda tocante a la edad y los años del reino de Saúl (vea las notas sobre 1 Sam. 13:1 en RVA), no cabe duda de que el rey tuvo que batallar contra los filisteos a lo largo de su régimen (1 Sam. 14:52). En esta ocasión, la nación de Israel se encuentra con apenas 3,000 guerreros, quizá el ejército básico mantenido durante tiempos pacíficos, mientras los filisteos, con gente tan numerosa, como la arena de la orilla del mar, se han preparado para una ofensiva masiva.

Vv. 8, 9. Cuando los israelitas se dan cuenta de su situación de desventaja, se atemorizan y buscan lugares para esconderse. Según 1 Samuel 10:8,

Saúl tenía que esperar por siete días para que Samuel llegara para ofrecer los sacrificios de paz. El rey está desesperado: los filisteos están acercándose, los compatriotas están dispersándose y Samuel no se puede localizar. Sin saber qué hacer, Saúl mismo ofrece el holocausto, usurpando la autoridad que sólo poseía el sacerdote de Jehovah.

Vv. 10-12. Al concluir la ceremonia, Samuel llega. Saúl, consciente de su rebeldía, sale para "bendecir" a Samuel, quien investiga lo que había pasado. Saúl resume los apuros en que se encontraba, echándole la culpa a Samuel diciéndole: *tú, no venías en el plazo señalado;* y defendiendo su decisión dice: *me vi forzado.*

Vv. 13, 14. Samuel no acepta las justificaciones débiles del rey. Saúl había tenido la oportunidad de obedecer el mandamiento divino y ver su reino confirmado por Jehovah. Pero actuó impetuosamente, motivado por miedo y no por fidelidad. Por ello, Jehovah va a quitarle el reino y dárselo a un hombre *según su corazón,* uno que obedecería la palabra del Señor. Sin nombrarlo, sabemos que el autor se refiere a David.

2 Saúl desobedece al Señor y es reprobado, 1 Samuel 15:2, 9, 22- 24, 27, 28.

V. 2. A Saúl le es dada otra oportunidad para obedecer un mandato claro del Señor. Samuel, como buen profeta, le comunica a Saúl las palabras autoritarias de Jehovah: El va a castigar al pueblo de Amalec por sus hechos contra Israel (lea Deut. 25:17-19) y su instrumento para llevar a cabo lo merecido será Israel. Saúl tendrá que realizar un *cherem* (guerra santa o exterminio sagrado) para destruir completamente a esta nación malvada.

V. 9. Saúl y sus seguidores destruyen *todo lo despreciable y sin valor,* pero no quieren matar ni al rey Agag (¿un "trofeo" de la guerra?) ni lo mejor del ganado (¿para su propio uso?). Un evidente patrón de desobediencia.

Vv. 22-24. Saúl no puede engañar a Samuel con las justificaciones piadosas y su excusas defectuosas por su rebelión. En los ojos de Jehovah, el obedecer es mejor que el ritual religioso (Isa. 1:10-20; Jer. 7:21-26). Esta desobediencia, disfrazada como "piedad" rechaza la palabra del Señor y es tan pecaminosa como la idolatría condenada en la Ley. Al fin, el rey rechazado confiesa su pecado, admitiendo que obedeció al pueblo (en vez de a Dios) y pídiéndole perdón a Samuel (en vez de a Dios).

Vv. 27, 28. Cuando Samuel rehusa a adorar a Dios con Saúl, el líder angustiado agarra del borde del manto del profeta para retenerlo (y quizá la bendición de Dios), se rasgó el manto.

Samuel usa esta "ilustración viva" para recalcar que Dios ha rasgado el reino de las manos de Saúl para entregarlo a su prójimo.

3 Samuel unge a David como rey, 1 Samuel 16:11-13.

Samuel cumple obedientemente la orden del Señor. Para elegir al "ungido" de Jehovah, examina los siete hijos de Isaí presentes allí; no obstante la apariencia física de estos, Samuel sabe que ninguno será el próximo rey de Israel. Al descubrir que faltaba otro hijo, el menor, Samuel no puede descansar hasta que lo ve. El joven pastor, *de buena presencia,* recibe la confirmación de Jehovah, y el profeta lo unge con aceite. Interesantemente, el

Espíritu de Jehovah, que irrumpía esporádicamente en los jueces, desciende permanentemente sobre David.

4 David vence a Goliat, 1 Samuel 17:50, 51.

En esta famosa historia, David mata al guerrero superior, Goliat, y derrota a los filisteos. El gran paladín está en el suelo decapitado por su propia espada, y el simple pastor, sin armaduras o armas sofisticadas, depende del poder de Dios para ganar.

──────────── *Aplicaciones del estudio* ────────────

1. Desarrolle la fe y la paciencia para esperar en el Señor. Cuando Saúl se encontró en un apuro, la única opción visible era la de sacrificar el holocausto. No pensó en esperar más. Por eso pecó contra la palabra de Jehovah. Cuántas veces hemos examinado nuestras circunstancias, medido nuestras habilidades y actuado precipitadamente sin esperar en el Señor. Hay que aprender a andar por fe y no por vista (2 Cor. 5:7). Tenemos una promesa preciosa: "bienaventurados son todos los que esperan en él" (Isa. 30:18).

2. La obediencia parcial no agrada a Dios. En vez de llevar a cabo el mandato del Señor, Saúl trató de obedecer "a medias." El rey adoptó la idea equivocada de que Dios pasaría por alto su fracaso en cumplir su mandato porque iba a participar en una ceremonia religiosa (1 Sam. 15:20-22). Dios no se complace con nuestra religiosidad ni nuestros "sacrificios"; El busca una persona cuya vida esté completamente entregada a él (2 Crón. 16:9). Recuerde: ¡la obediencia parcial es rebelión total!

3. Dios conoce su corazón. Dios no está impresionado con su apariencia, sea lo que sea; su corazón es lo que le importa. Samuel (o Saúl o Goliat) no habría escogido a David para reinar sobre Israel, pero Dios lo escogió. Dios lo ha escogido a usted también. Se ha preguntado: ¿para qué?

──────────── *Prueba* ────────────

1. Escriba por lo menos tres consecuencias de la desobediencia del rey Saúl (lea 1 Sam. 13:13, 14; 15:26, 28, 35; 16:14).

    a _____

    b._____

    c. _____

2. Quizá usted esté enfrentando una decisión difícil hoy. ¿Está dispuesto a obedecer a Dios, venga lo que venga? _____

Lecturas bíblicas para el siguiente estudio

Lunes: 1 Samuel 18:6-16   **Jueves:** 1 Samuel 19:8-24
Martes: 1 Samuel 18:17-30   **Viernes:** 1 Samuel 20:1-23
Miércoles: 1 Samuel 19:1-7   **Sábado:** 1 Samuel 20:24-42

Unidad 12

Saúl tiene celos de David

Contexto: 1 Samuel 18:6 a 20:43
Texto básico: 1 Samuel 18:6-12, 27-29: 20:14-17
Versículo clave: 1 Samuel 18:14
Verdad central: Los celos son un sentimiento negativo que puede destruir a quien los posee y al objeto de ellos.
Metas de enseñanza-aprendizaje: Que el alumno demuestre su conocimiento de lo que guió a Saúl a tener celos de David, y su actitud hacia la manera de evitar ser destruido o destruir a otra persona por causa de los celos.

─────────── *Estudio panorámico del contexto* ───────────

En los capítulos de nuestro estudio vemos el resultado trágico de los celos. David regresa victorioso de su batalla con Goliat, y su éxito popular produce el temor creciente del rey Saúl. Con pánico de ceder su trono a David, el rey rechazado por Dios, bajo la influencia de "un espíritu malo", atenta contra la vida del joven David mientras toca el arpa. Afortunadamente David escapa de la lanza real, pero Saúl no puede escapar de la realidad que Jehovah está con David. Para contrarrestar la popularidad de su rival, Saúl hace que David sea jefe de mil; pero esta estrategia fracasa pues David goza más y más del amor del pueblo.

El rey intenta otra táctica: si David fuera su yerno, siempre tendría que encabezar las fuerzas israelitas contra los filisteos. Los filisteos lo matarían, y Saúl se desharía de su joven enemigo.

Aunque David humildemente resiste la plegaria del rey para que se case con Merab, hija mayor de Saúl, decide casarse con Mical, otra hija de Saúl quien ama a David. Para pagar el precio matrimonial David tendría que entregarle 100 prepucios de filisteos al rey. Al contrario de las esperanzas de Saúl, David logra doblar el precio matrimonial. El rey, después de haber "perdido" a su hija al entregarla a David, la lealtad de Jonatán, y la popularidad en Israel, sufre de un miedo incontrolable y una hostilidad fatal.

En su desesperación, Saúl les da la orden a Jonatán y a sus ministros de asesinar a David. Por su amor hacia David, Jonatán le advierte que se esconda; mientras tanto él busca más información del rey. Con una súplica conmovedora notando las hazañas y la lealtad de David, Jonatán logra disuadir a su padre para que no peque "contra sangre inocente." David vuelve a servir al rey. Después de otro gran éxito militar de David, el atormentado rey trata sin éxito de matarlo. Mical lo ayuda a escapar de los emisarios de Saúl, al fingir que David se había enfermado. David se escapa y le cuenta a Samuel todo lo que había ocurrido. Unos mensajeros son enviados para prender a David, pero ellos, y después Saúl mismo, son impedidos por el

Espíritu Santo; todos comienzan a profetizar y David huye.

David y Jonatán renuevan su pacto de lealtad. Aunque a Jonatán le parece imposible que su padre todavía quiera quitarle la vida a David, él promete averiguar la disposición de su padre en la fiesta de la luna nueva. Al enterarse de la ausencia de David en la fiesta, Saúl se pone tan airado que maldice a Jonatán y busca matarlo con la lanza. Jonatán informa a David del peligro inminente y lo ayuda a escapar.

—————————— *Estudio del texto básico* ——————————

Lea su Biblia y responda

1. Saúl experimentó varias emociones fuertes por causa de sus celos. Busque el pasaje bíblico y escriba la emoción en la línea.
   a. 1 Sam. 18:8; 20:30 _____ c. 1 Sam. 18:9 _____
   b. 1 Sam. 18:15, 28a _____ d. 1 Sam. 18:29b _____

2. ¿Quiénes eran las personas afectadas por la envidia del rey?
   a. 1 Sam. 18:9 _____ c. 1 Sam. 20:30 _____
   b. 1 Sam. 19:17 _____ d. 1 Sam. 18:12 _____

3. Marque con **F** las declaraciones falsas y con **V** las verdaderas.
   _____ a. David trató de quitarle el reino al rey Saúl inmediatamente después de la derrota de Goliat.
   _____ b. Saúl quería que David se casara con su hija porque tenía un gran aprecio por las hazañas de David.
   _____ c. Jonatán amó a David y trató de protegerlo.
   _____ d. Mical usó un ídolo doméstico para engañar a los mensajeros de Saúl que buscaban a David.
   _____ e. El rey trató de matar sólo a David con la lanza.

4. Lea Proverbios 14:30. Según este versículo, ¿cómo es la envidia?
   _____
   ¿Por qué? _____

Lea su Biblia y piense

1 Saúl tiene celos de David, 1 Samuel 18:6-12.

V. 6. David había matado al gigante, el pueblo de Jehovah había sido rescatado de la amenaza filistea y el ejército de Israel se volvía en su "marcha de victoria". Como era costumbre (vea Exo. 15:20; Jue. 11:34), las mujeres salían para felicitar y darles la bienvenida a sus guerreros triunfantes con música alegre y danzas de celebración.

Vv. 7, 8. Saúl estaba acostumbrado a recibir las alabanzas del pueblo, pero no podía aguantar la letra del nuevo canto. Al veterano "comandante en jefe" se le atribuía la derrota de miles de los enemigos de Israel mientras David, "soldado raso" inexperto, recibía el crédito por la caída de decenas de miles. El gozo glorioso de las mujeres se contrasta en grande con el enojo fogoso del rey. Para Saúl, el canto popular de victoria se convierte en una amenaza a su autoridad real y su dinastía futura.

V. 9. El héroe del pueblo es ahora el adversario principal de Saúl. Desde aquel día, Saúl mira con sospecha y con desconfianza a David. El bienestar de la nación no le es lo más urgente; Saúl está consumido por sus propios intereses egoístas.

Vv. 10, 11. Para la mente hebrea, todo, lo malo y lo bueno, proviene de Jehovah. Por ello, el texto reza: *un espíritu malo de parte de Dios se apoderó de Saúl.* En esta ocasión, este espíritu se manifiesta en la conducta estática y delirante de Saúl. David, el que ya había tocado para el rey atormentado (1 Sam. 16:14-23), trata de apaciguar su angustia al tañer el arpa. Esta vez no le sirve, pues el monarca reacciona con ira letal. Dos veces trata de matar a David con su lanza, pero el joven lo esquiva.

V. 12. Aquí encontramos una razón teológica para el temor de Saúl: él se da cuenta de que Jehovah está con David (lea 1 Sam. 17:37). A la vez, se entiende la trágica realidad de que Saúl no goza más de esta comunión con el Dios de Israel.

2 David llega a ser yerno de Saúl, 1 Samuel 18:27-29.

V. 27. Antes de la muerte de Goliat, Saúl le había prometido al vencedor su hija como esposa (1 Sam. 17:25). Ahora Saúl quiere que su hija, Mical, se case con David, pero para engañarlo. En vez de pedir el "precio matrimonial" común, Saúl le pide a David que le traiga los prepucios de 100 filisteos "para vengarse del hijo del rey". Aunque este requisito nos parece muy grosero, nos muestra el desdén israelita para los filisteos incircuncisos. En realidad, Saúl buscaba la muerte de David. El joven acepta el reto y le lleva al rey dos veces más de lo pedido. Saúl no tiene otra opción que la de darle por mujer a Mical.

Vv. 28, 29. El temor y hostilidad de Saúl aumentan aún más por dos motivos. En primer lugar, el rey ve y reconoce que el éxito de David sólo se puede atribuir a la presencia poderosa de Jehovah. En segundo lugar, David no tiene sólo el amor de todo Israel y Judá (1 Sam. 18:16) sino también el de la propia hija de Saúl. ¡Este pretendiente al trono ya se ha infiltrado en el palacio del rey!

3 El pacto de David y Jonatán, 1 Samuel 20:14-17.

En un encuentro clandestino, David le pide al hijo de Saúl que averigüe la actitud del rey para con él. Jonatán accede a esta petición, pero ya piensa en el papel de David en el futuro.

Vv. 14, 15. Jonatán reconoce que David será el nuevo rey de Israel y no él mismo. El hijo de Saúl sabía que, cuando David subiera al trono, sus enemigos serían destruidos uno por uno. Por ello, Jonatán le ruega a David, por la misericordia de Jehovah, que perdone su propia vida y después las de su casa. Jonatán espera lo inevitable.

Vv. 16, 17. Jonatán hace un pacto con David basado en amor fraternal y la confianza mutua. Al maldecir a los enemigos de su amigo David, Jonatán pone a su familia bajo la protección y cuidado del futuro rey de Israel.

Aplicaciones del estudio

1. La oposición es una realidad para el hombre de Dios. ¿Qué había hecho David para merecer la ira de Saúl? ¡Nada! Sólo había tratado de rescatar a Israel de las garras de sus enemigos. Sin embargo, lo que pasó con David, aunque era injusto, pasa hoy día en las vidas de muchos creyentes. Esté preparado para enfrentar oposición, no porque haya pecado sino porque quiere ser fiel a Dios.

2. Los celos destruyen. Un autor desconocido ha escrito: "Los celos son una mezcla de amor, odio, avaricia y orgullo." Saúl se amó a sí mismo, y por eso odiaba a cualquier rival. No obstante, la envidia que lo hizo querer matar a David, acabó en destruir su familia, su reino y su propia vida. Desgraciadamente, hay líderes cristianos que están destruyendo sus familias y sus ministerios porque, en vez de celebrar las victorias de sus consiervos en Cristo, tienen celos de ellos.

Prueba

1. ¿Cuáles son algunas de las razones que guiaron a Saúl a tener celos de David? Llene el espacio con las palabras correctas.
   a. Razón personal: _____ recibía más elogios populares que _____ (1 Sam. 18:9).
   b. Razón familiar: Le parecía a Saúl que David le estaba robando el _____ de su familia (1 Sam. 18:28; 20:17).
   c. Razón espiritual: Saúl se dio cuenta de que _____ estaba con David (1 Sam. 18:12).

2. Piense en su respuesta a las siguientes preguntas:
   a. ¿Cómo debo reaccionar cuando otros son elogiados y yo no?_____
   _____
   b. ¿Cuál es mi reacción cuando Dios ha usado a otro hermano y no a mí?
   _____

Lecturas bíblicas para el siguiente estudio

Lunes: 1 Samuel 21:1-9   **Jueves:** 1 Samuel 22:6-10
Martes: 1 Samuel 21:10-15   **Viernes:** 1 Samuel 22:11-17
Miércoles: 1 Samuel 22:1-5   **Sábado:** 1 Samuel 22:18-23

Unidad 12

La venganza de Saúl

Contexto: 1 Samuel 21:1 a 22:23
Texto básico: 1 Samuel 21:1-3, 6, 9; 22:11-19
Versículo clave: 1 Samuel 22:2
Verdad central: La venganza de Saúl contra los sacerdotes de Nob por haber ayudado a David, nos ilustra las consecuencias trágicas de este sentimiento.
Metas de enseñanza-aprendizaje: Que el alumno demuestre su conocimiento de los eventos que estimularon el sentimiento de venganza en el corazón de Saúl, y su actitud hacia los pasos que puede dar para eliminar el sentimiento de venganza.

─────────── *Estudio panorámico del contexto* ───────────

Los capítulos 21 y 22 de 1 de Samuel examinan el intento de David de escapar de la ira y venganza del rey Saúl. Después de despedirse de Jonatán y huir de la corte real, David acude a Nob, una localidad cerca de Jerusalén. Allí el fugitivo encuentra al sacerdote Ajimelec, y le explica que el rey Saúl le ha encargado una misión secreta. El sacerdote fiel confía en sus palabras y le entrega al futuro rey dos cosas pedidas: pan para sostener la vida y una espada para defenderse. Doeg el edomita, siervo de Saúl, se entera de las acciones del enemigo de su rey.

Aunque David busca asilo en el territorio enemigo del rey filisteo, Aquis, le reconoce inmediatamente como el guerrero exitoso de Israel y, proféticamente, como "el rey de la tierra". Con gran temor de ser declarado "persona no grata" (o sea, "persona sin vida"), David se finge loco para escapar ahora de la venganza filistea; lo hace de modo convincente. Aparentemente había una plétora de tontos y dementes en Gat; Aquis no quería otro.

Al evitar la represalia de los filisteos, David huye a la cueva de Adulam, donde se reúne con sus parientes y un grupo de 400 malcontentos, hombres oprimidos, endeudados y "amargados de espíritu." David se hace jefe de esta banda y, para proteger a sus padres de una posible revancha por parte de Saúl, les busca refugio en Moab (quizá porque Rut, la bisabuela de David, procedió de allí). El profeta Gad instruye a David a dejar el refugio y entrar en la tierra de Judá.

Gabaa, situada pocos kilómetros al norte de Jerusalén, era el sitio donde se reunía al aire libre la corte de Saúl. Con su distintiva lanza en la mano, el rey trata patéticamente de solicitar información sobre el paradero de David, enemigo del reino y amigo de Jonatán. Después de acusaciones de una conspiración, Doeg rompe el silencio, delatando a Ajimelec como cómplice de David.

El sacerdote y los de su casa son llamados delante del rey. Saúl da por sentado que Ajimelec ha colaborado con David a sabiendas de que no estaba loco. A pesar de la noble defensa del sacerdote inocente, el rey lo condena a muerte junto con su familia. Aunque los siervos reales no llevan a cabo la orden de su rey, Doeg el edomita lo hace, matando a ochenta y cinco hombres y destruyendo completamente a Nob, la ciudad sacerdotal. El único hijo de Ajimelec que quedó vivo, Abiatar, cuenta a David de la matanza cruel.

Estudio del texto básico

Lea su Biblia y responda

1. Escriba en el espacio el nombre de la persona.
   a. Sacerdote de Nob (1 Sam. 21:1) _____
   b. El principal de los pastores de Saúl (1 Sam. 21:7) _____
   c. El rey de Gat (1 Sam. 21:10) _____
   d. Un profeta de Jehovah (1 Sam. 22:5) _____
   e. El hijo sobreviviente del sacerdote (1 Sam. 22:21) _____

2. Marque con **F** las declaraciones falsas y con **V** las verdaderas.
   a. _____ Ajimelec le dio a David el pan sagrado porque no quería darle pan común y corriente.
   b. _____ David llevó con él la espada de Goliat el filisteo.
   c. _____ David se fingió loco porque tuvo gran temor del rey Saúl.
   d. _____ David se convirtió en jefe de un ejército de soldados profesionales en Adulam.
   e. _____ Ajimelec nunca había consultado a Dios por David.

3. Según 1 Samuel 22:14-15, ¿por qué Ajimelec le ayudó a David?
   _____
   _____

Lea su Biblia y piense

1 David acude a Ajimelec, 1 Samuel 21:1-3.

V. 1. Probablemente el santuario de Nob estaba al norte de la vieja ciudad de Jerusalén y al sur de Gabaa, la capital del Saúl. Ajimelec, cuyo nombre significa "mi hermano es rey", sirvió como sacerdote principal de un grupo de 85 sacerdotes. Conoció a David y su alta posición en la corte de Saúl, pero no sabía nada de las circunstancias nuevas de David. De hecho, Ajimelec expresa sorpresa, y quizá miedo, al ver al joven guerrero solo.

V. 2. Para protegerse, David miente. Le confía a Ajimelec que, en obediencia al rey, está encargado de una misión secreta. Además, se va a reunir con los otros soldados en otro lugar. Su truco era suficiente para aliviar el temor del sacerdote y ganar su confianza.

V. 3. David le pide comida, específicamente *cinco panes, o lo que haya.*

Interesantemente, cinco panes serían demasiado para un solo hombre, pero insuficiente para un ejército. David estaría satisfecho con cualquier alimento que estuviera a mano.

2 Ajimelec ayuda a David, 1 Samuel 21:6, 9.

V. 6. La única comida disponible era el pan sagrado. Según la tradición sacerdotal, el pan sagrado que se colocaba en la mesa del tabernáculo de Moisés se llamaba "el pan de la Presencia" (Exo. 25:30; Lev. 24:5-9). Es posible que los doce panes simbolizaran la perfecta provisión de Dios para su pueblo. Ajimelec está dispuesto a darle al ejército de David este pan especial, siempre que se hubiera abstenido de relaciones sexuales con mujeres. David le asegura que sus soldados son dignos de comer. En Mateo 12:1-4, Jesús se refiere a esta experiencia de David para defender a sus discípulos hambrientos.

V. 9. En su desesperación de huir de Saúl, David no llevó consigo sus armas de batalla. Sin embargo, David le explica al sacerdote que las órdenes apremiantes del rey le forzaron a salir sin su equipo. La única arma aprovechable era la incomparable espada de Goliat. Con la misma espada David le había cortado la cabeza al paladín filisteo (1 Sam. 17:51); ahora el héroe convertido en "huidizo" quiere usar la espada para proteger su propia cabeza.

3 Saúl ordena matar a los sacerdotes de Nob, 1 Samuel 22:11-17.

Vv. 11, 12. Al enterarse de la ayuda que David recibió de Ajimelec, el rey enfurecido busca venganza ciega. Llamando al sacerdote y a todos los miembros de su casa paterna, Saúl se prepara para darles un castigo ejemplar por su deslealtad al rey. Todos lo obedecen, y Ajimelec se presenta delante del monarca.

V. 13. Saúl sospecha una conspiración entre su rival, David, y este sacerdote de Jehová, Ajimelec. ¿La prueba? David recibió comida, armas y, el colmo de colmos, dirección divina del sacerdote. Aparentemente, hasta Dios estaba participando en esta acción criminal.

Vv. 14, 15. Ajimelec se declara inocente de todos los cargos. David es, en primer lugar, un hombre ilustre y honorable: un fiel servidor, un yerno real y jefe de la guardia personal del rey. ¿Quién podría poner en duda su lealtad? ¿Quién podría negarle a uno tan favorecido del palacio del rey? La casa del sacerdote no ha sabido nada de una conspiración.

Vv. 16, 17. El rey no quiere escuchar la defensa hábil de Ajimelec; en cambio ordena la muerte inmediata de toda la casa sacerdotal. Aunque el rey estaba seguro de que la mano de los sacerdotes estaba con David, los servidores encargados de su ejecución no quisieron extender su mano contra los siervos de Jehová.

4 Doeg cumple la orden de Saúl, 1 Samuel 22:18, 19.

V. 18. Los edomitas eran descendientes de Esaú y se consideraban enemigos de los hijos de Israel (vea Núm. 20:14-21; 2 Sam. 8:13-14). Mientras los miembros de la corte de Saúl rehusaron participar en el sacrilegio, Doeg no se negó a su comandante; mató a 85 de los sacerdotes de Jehovah.

V. 19. Siguiendo las reglas de la guerra santa (vea Deut. 20:16-17), la ciudad estaba completamente destruida y cada vida, fuera humana o animal, fue aniquilada. La venganza de Saúl contra David llegó a exterminar una ciudad completamente inocente.

──────────── *Aplicaciones del estudio* ────────────

1. La venganza no acepta la verdad. La paranoia y el temor de Saúl le hicieron ciego a la inocencia de Ajimelec y sordo a los argumentos honestos del sacerdote. La persona que sólo busca una oportunidad para vengarse no puede darse el lujo de buscar la verdad.

2. La venganza contra otros, bloquea nuestra relación con Dios. En Deuteronomio 32:35, Jehovah declara: "Mía es la venganza, yo pagaré." El mismo se encarga de esta responsabilidad; cuando nosotros tratamos de vengarnos, estamos "jugando a ser Dios", los resultados son devastadores.

3. La venganza destruye. En su afán de destruir a David, Saúl acabó por destruir a los siervos del Señor, a una ciudad inocente, a su familia y, al final, su propia vida. Era un precio sumamente alto. La venganza, como cualquier otro pecado, tiene su "paga" y el resultado es siempre la muerte y la destrucción.

4. La mentira es desastrosa. David jugó un papel importante en la matanza de la familia de Ajimelec. Con una mentira, el futuro rey le hizo al sacerdote ingenuo participar en su escape, lo cual resultó en tragedia. El creyente no puede arriesgar su vida ni la de otros con mentiras.

──────────── *Prueba* ────────────

1. Lea de nuevo 1 Samuel 22:7-8, 13. Escriba tres razones mencionadas aquí por las cuales Saúl buscaba venganza contra David.

    a. _____

    b. _____

    c. _____

2. Lea Romanos 12:17-21. ¿Cuáles son los pasos, según estos versículos, que se pueden dar para eliminar este sentimiento? Escríbalos.

_____

_____

_____

Lecturas bíblicas para el siguiente estudio

Lunes: 1 Samuel 23:1-13   **Jueves:** 1 Samuel 24:1-22
Martes: 1 Samuel 23:14-18   **Viernes:** 1 Samuel 25:1-44
Miércoles: 1 Samuel 23:19-29   **Sábado:** 1 Samuel 26:1-25

David perdona a Saúl

Contexto: 1 Samuel 23:1 a 26:25
Texto básico: 1 Samuel 24:6, 15-19; 25:32-35, 39; 26:8-11, 21-24
Versículo clave: 1 Samuel 26:24
Verdad central: Las dos ocasiones cuando David perdonó a Saúl nos ilustran los beneficios de vivir de acuerdo con la voluntad de Dios y obedecer su palabra.
Metas de enseñanza-aprendizaje: Que el alumno demuestre su conocimiento de las dos ocasiones cuando David perdonó a Saúl en reconocimiento de la voluntad del Señor, y su actitud para desarrollar un espíritu perdonador.

--------------- *Estudio panorámico del contexto* ---------------

Al oír del ataque contra la ciudad de Queila por los filisteos, David obtiene el permiso de Jehovah para librar la ciudad, pero el miedo de sus soldados se lo impiden; por eso David busca una "segunda opinión" y, otra vez, recibe la promesa de victoria de Jehovah. Con confianza los hombres de David derrotan a las tropas filisteas y libran la ciudad asediada. Cuando Saúl se da cuenta de que su enemigo está "encerrado" en Queila, el rey se esfuerza para capturarlo. No obstante David, buscando dirección divina por medio del efod, escapa de la cuidad con unos 600 hombres.

Mientras Saúl persigue a David, el joven y su ejército se esconden en el desierto de Zif en la región de Hebrón. Allí hay un reencuentro entre David y Jonatán que hace eco a su última reunión de 1 Samuel 20. Surgen de nuevo los temas de la protección de Jehovah, el reino seguro de David y el pacto de lealtad y amistad entre los dos amigos íntimos.

Los habitantes de Zif se muestran aliados de Saúl, informándole del paradero del astuto adversario, David. Las tropas reales comienzan a rodear a los hombres de David, pero Saúl recibe un mensaje de una nueva emergencia con los filisteos; tiene que abandonar su caza.

Después Saúl continúa su inexorable persecución de David en En-guedi, cerca del mar Muerto. Saúl entra a una cueva, inerme y vulnerable, para "hacer sus necesidades"; sería un momento oportuno para David y sus compañeros, escondidos en la misma cueva, de vengarse, pero David, hasta arrepentido por haber cortado el borde del manto de Saúl, le muestra a Saúl su respeto profundo por el ungido del Señor. En vez de buscar venganza, David perdona, y Saúl parece arrepentido por su conducta contra David.

David es afrentado por Nabal, un hombre rico y brusco "de malas acciones". La bella Abigaíl, noble esposa de Nabal, busca aplacar la ira del ofendido líder con regalos y plegarias. David, impresionado con la acción de Abigaíl, perdona a su esposo. Sin embargo, Nabal muere después de descubrir lo que aconteció. David invita a la viuda a ser una de sus esposas.

Otra oportunidad para matar a Saúl se presenta en el desierto de Zif. Aunque David le roba a Saúl varias pertenencias mientras el rey duerme, rehusa "extender su mano" contra el ungido de Jehovah. Saúl tiene que admitir el futuro triunfo de David.

─────────────── *Estudio del texto básico* ───────────────

Lea su Biblia y responda

1. Escriba el número correcto en el espacio correspondiente.
    a. David era jefe de una banda de _____ hombres (1 Sam. 23:13).
    b. Saúl tomó a _____ hombres escogidos para buscar a David (1 Sam. 24:2)
    c. El rico Nabal tenía _____ ovejas y _____ cabras (1 Sam. 25:2).
    d. Abigaíl llevó _____ panes, _____ tinajas de vino, _____ ovejas, _____ medidas de grano tostado, _____ tortas de pasas y _____ panes de higos secos para apaciguar la ira de David.

2. Ponga en orden cronológico de 1 a 10 los eventos descritos en 1 Samuel 23-26.
    ___ a. David y Jonatán se encuentran de nuevo en Hores.
    ___ b. El profeta Samuel muere.
    ___ c. David perdona la vida de Saúl después de "robarle" su lanza y su cantimplora.
    ___ d. Nabal muere.
    ___ e. David libra la ciudad de Queila.
    ___ f. David perdona la vida de Saúl después de cortar el borde del manto de Saúl.
    ___ g. David toma a Abigaíl por esposa.
    ___ h. Saúl casi captura a David en un monte después de rodearlo.
    ___ i. David escapa de Queila.
    ___ j. Abigaíl intercede ante David.

Lea su Biblia y piense

1 David perdona la vida de Saúl, 1 Samuel 24:6, 15-19.

En dos ocasiones David escapa del ejército de Saúl (1 Sam. 23:13, 28-29), y aun Jonatán, el hijo del rey, declara su lealtad al fugitivo (1 Sam. 23:16-18). Sin embargo, Saúl continúa su ataque empedernido contra David.

V. 6. Al descubrir que David y su banda se encuentran en En-guedi, el rey lleva 3.000 hombres (5 veces el número de guerreros con David) para atrapar a su rival. Cuando Saúl entra en la misma cueva donde se esconden las fuerzas de David, hay una "oportunidad dorada" para David de matar al rey y tomar las riendas de la nación, pero no lo hace. Corta el borde del manto real (quizá simbólico del "arrebatamiento" del reino de Saúl) sin que

Saúl se dé cuenta y después sufre remordimiento por haberlo hecho. ¿Por qué? Porque Saúl es *el ungido del Señor*. Aunque el rey se había comportado impropiamente, David tenía mucho respeto para el oficio real; ni él ni sus hombres iban a extender sus manos en violencia contra Jehovah y su escogido.

V. 15. David se revela a Saúl, mostrándose inocente de las cargas impuestas por el gran rey. David, el que se clasifica como un *perro muerto* o *una pulga*, ha rechazado la violencia contra el rey de Israel quien lo ha cazado injustamente. Por eso, David apela al juez justo, Jehovah, el único que conoce la integridad de David y que puede protegerlo de la violencia de Saúl.

Vv. 16-19. Con un llanto de arrepentimiento y terror, Saúl le responde a David con algunas afirmaciones reveladoras. Le llama *hijo mío*, una respuesta al saludo de David en v. 11 ("padre mío"). El rey admite que David es más justo que él: Saúl habría destrozado a David, pero David dejó que su enemigo saliera *sano y salvo*. De hecho, era Jehovah mismo quien entrega a Saúl en la mano de David. Como el Señor está luchando contra Saúl, el rey opta por pedir las bendiciones de Jehovah para su futuro sucesor.

2 David perdona la afrenta de Nabal, 1 Samuel 25:32-35, 39.

Al negar a David la hospitalidad común, el brusco Nabal insulta y ofende el honor del eventual rey. David "pierde los estribos" y corre el riesgo de manchar su reputación al reaccionar violentamente contra este hombre insensato.

Vv. 32-34. David bendice (agradece) a Jehovah por haber enviado a Abigaíl, la mujer sabia quien actuó prontamente no sólo para salvar la vida de su esposo y su casa sino también para prevenir a David de involucrarse en la venganza personal. Ya que la venganza pertenece a Jehovah, David podría haber pecado contra el Dios de Israel al vengarse con su propia mano.

V. 35. Después de recibir su "ofrenda de paz" (v. 18), David le promete a Abigaíl la paz que ella le había pedido. El oyó su voz y "levantó su cara", una expresión que significa que David concedió su petición.

V. 39. Cuando Nabal se informa de lo ocurrido, su corazón eufórico se paraliza. David atribuye su muerte eventual al castigo justo de Dios contra el culpable Nabal y en defensa del inocente.

3 David perdona de nuevo la vida de Saúl, 1 Samuel 26:8-11, 21-24.

Las palabras de Saúl al final del capítulo 24 no pusieron fin a las hostilidades entre el rey y David. La tregua luego se rompe, y Saúl busca la oportunidad de atrapar a su adversario.

V. 8. David y su sobrino, Abisai (1 Crón. 2:16), entran furtivamente en el campamento de Saúl. Todo el ejército real, inclusive Saúl y sus guardaespaldas, estaban dormidos profundamente. Abisai lo interpreta como el momento oportuno, dado por Dios, para ejecutar al rey. Saúl asesinado con su propia lanza (la misma con la cual el rey trató de clavar a David en la pared; vea 1 Samuel 18:11) sería una proeza extraordinaria.

Vv. 9-11. David no permite que Abisai lo mate, recalcando su convicción que el hombre no debe vengarse contra *el ungido de Jehovah*. El único con el derecho de darle el golpe mortal es Dios mismo, y él lo haría naturalmente o durante la guerra. David lleva la lanza y una cantimplora como prueba de su "visita".

V. 21-24. Otra vez Saúl confiesa su propio pecado y la inocencia de David, y David reafirma la justicia de Dios en preservar su vida.

Aplicaciones del estudio

1. El perdón es "dulce" la venganza "amarga". El poeta Byron escribe que "la venganza es dulce". En la lección anterior, la experiencia de Saúl muestra que la venganza en realidad es un sentimiento terriblemente amargo. David podría haber justificado su revancha personal contra Saúl y Nabal con referencia a "sus derechos" o "defensa propia", pero optó por no hacerlo. Los que hemos experimentado el dulce perdón divino debemos aprender a perdonar a los que nos han herido. Nosotros tenemos esa opción.

2. El arrepentimiento simulado es una farsa; el arrepentimiento genuino produce resultados. En dos ocasiones Saúl se mostró arrepentido por sus acciones contra "su hijo" David (1 Sam. 24:17-20; 26:21), pero cada vez volvió a perseguir a su rival. Por otra parte, Abigaíl le pidió misericordia a David por los hechos imprudentes de Nabal, y ella la recibió. El arrepentimiento auténtico se refleja en conducta y carácter transformados.

3. El "ungido del Señor" merece respeto y honor. Quizá Saúl no merecía el título "Rey de Israel", pero David sabía que ésta posición, establecida por Dios, se debe respetar. Hay muchos que buscan el título "pastor" o "maestro" que no lo merecen, pero hay que honrar la posición instituida por el Señor. A la vez, los que llevan el "título" deben conducirse digna y honradamente.

Prueba

1. Lea Proverbios 16:7. ¿Qué hizo David para perdonar a Saúl y vencer su deseo de vengarse? Discuta su respuesta con un compañero de clase.

_____

2. ¿Está usted guardando rencor o resentimiento contra alguien? ¿Le gustaría recibir el poder de perdonarlo? Lea la siguiente oración: "Señor, sé que Jesucristo tomó sobre sí mismo todos mis pecados y me ha perdonado, yo no he querido perdonar a _____ por lo que me hizo. Perdóname, Señor. Recibo tu poder de hacerlo hoy.

Fecha:_____   Firma: _____

Lecturas bíblicas para el siguiente estudio

Lunes: 1 Samuel 27:1-4   **Jueves:** 1 Samuel 28:1, 2
Martes: 1 Samuel 27:5-7   **Viernes:** 1 Samuel 28:3-19
Miércoles: 1 Samuel 27:8-12   **Sábado:** 1 Samuel 28:20-25

Saúl y la espiritista de Endor

Contexto: 1 Samuel 27:1 a 28:25
Texto básico: 1 Samuel 27:5, 6; 28:1, 2, 4-7, 11, 15-23
Versículo clave: 1 Samuel 28:15
Verdad central: El relato de la consulta que Saúl hizo a la espiritista de Endor nos ilustra que las personas que no obedecen a Dios sufren una penosa angustia y desesperación.
Metas de enseñanza-aprendizaje: Que el alumno demuestre su conocimiento de las circunstancias y el estado de ánimo que impulsaron a Saúl a consultar a la espiritista de Endor, y su actitud para establecer una relación de obediencia a Dios.

Estudio panorámico del contexto

A pesar de la promesa de Saúl de no hacerle ningún mal (1 Sam. 26:21), David decide escapar con sus tropas y sus dos esposas a la tierra de los filisteos. Gat era el principado más cerca de Israel, y la ciudad del vencido Goliat, pero Saúl no iba a arriesgar una guerra con sus vecinos por buscar a David en su nuevo refugio. No hay mención aquí de su primera extraña visita a la tierra de Aquis (1 Sam. 21:10-15), ahora David es recibido con gusto.

David le pide al príncipe filisteo una "base" en el campo; recibe la ciudad fronteriza de Siclag, unos 40 kilómetros al suroeste de Gat. La distancia le da a David mucha libertad y poca supervisión filistea; al mismo tiempo, Aquis tiene un grupo aguerrido protegiendo la frontera. Aunque David se queda apenas un año y cuatro meses en territorio filisteo, la ciudad de Siclag iba a permanecer bajo el control de los reyes de Judá permanentemente.

De su posición protegida en Siclag, David y sus tropas hacen incursiones (o "razzias") periódicas contra varios pueblos no israelitas, llevando el botín y matando a todos los seres humanos. Aquis cree, engañado por la decepción de David, que estas incursiones son contra Israel. Si David llega a ser traidor de Israel y su propia gente lo aborrece, Aquis puede contar con su lealtad.

Por mucho tiempo David logró evitar un conflicto directo con su pueblo sin que Aquis se diera cuenta, pero ahora los filisteos se movilizan para hacer guerra contra Israel, y Aquis quiere que David y sus guerreros, supuestamente experimentados en ataques contra Israel, estén a su lado para la batalla. Sorprendentemente David acepta el desafío, y Aquis lo hace su guarda personal. ¡Qué apuro para David! ¡Qué peligro para Aquis!

Ante una amenaza filistea aterrorizante y sin poder obtener dirección divina, Saúl apela a la necromancia, una práctica pagana prohibida por él mismo. A través de una espiritista, Saúl busca los consejos del difunto profeta Samuel, y recibe un mensaje terrible: Israel será vencido, y Saúl perderá su reino y su vida, junto con la de sus hijos.

Al escuchar la condena, Saúl quedó postrado de terror y agotamiento. La espiritista al fin pudo persuadirlo a comer algo para recobrar sus fuerzas. El abatido rey, junto con sus servidores, salieron aquella noche para enfrentar su destino desastroso.

———————————— *Estudio del texto básico* ————————————

Lea su Biblia y responda

1. ¿Cuáles son los tres medios a través de los cuales Jehovah se había comunicado con su pueblo según 1 Samuel 28:6?
   a. _____ ; b. _____ ; c. _____

2. ¿Por qué el rey escogió quebrar su propia ley? Saúl menciona dos razones por las que quería hablar con Samuel a través de una espiritista.
   a. 1 Sam. 28:4-5 _____
   b. 1 Sam. 28:6 _____

3. La Biblia condena el uso de necromancia (consultar a los muertos). Lea Deuteronomio 18:9-14 y conteste estas preguntas:
   a. ¿Quiénes escuchan a los que conjuran a los espíritus? (v. 14) _____

   b. ¿Cómo se llama cualquiera que participa en estas cosas? (v. 12) _____

   c. ¿Qué hará Jehovah por estas abominaciones? (v. 12) _____

   d. ¿Cuál debe ser la respuesta del pueblo de Dios? (v. 13) _____

Lea su Biblia y piense

1 David se refugia entre los filisteos, 1 Samuel 27:5, 6.

Con sus 600 hombres y su familia, David huye de la ira de Saúl al territorio filisteo.

V. 5. Con la destreza de un político, se gana fácilmente la confianza ("halló gracia" ante los ojos) de Aquis de Gat. David nunca le comunica al rey filisteo toda la verdad. Es verdad que no quería causar problemas en la ciudad real, pero tampoco quería que las autoridades reales supieran todo lo que estaba planeando. David buscaba la distancia necesaria para parecer leal a Aquis mientras mantenía su lealtad auténtica a Israel.

V. 6. Sin tardar, Aquis le concede la ciudad fronteriza de Siclag, una ciudad originalmente consignada a la tribu de Simeón (Jos. 19:5). Era una ubicación ideal para las incursiones de David contra los pueblos beduinos en el desierto palestino. El autor de 1 de Samuel agrega aquí que, al pasar Siclag a manos de David, de allí en adelante se conoce como posesión hebrea.

2 Saúl consulta a la espiritista de Endor, 1 Samuel 28:1, 2, 4-7, 11.

V. 1. Nos parece aquí que la estrategia y el engaño de David se van a revelar. Los filisteos se preparan para el combate contra Israel, y Aquis invita a su fiel vasallo (y el enemigo número uno de Saúl), David, a acompañarlo personalmente. ¿Extenderá David su mano contra sus compatriotas amados?

V. 2. Sin querer mostrar cualquier duda sobre su participación con el ejército filisteo, David acepta la invitación, pero su respuesta rápida contiene ambigüedad: Aquis verá lo que su "servidor" puede hacer, ¿verá obediencia o traición? El filisteo sólo confía en David: lo hace su guarda personal permanente. ¿Quién va a proteger a David cuando sea descubierto? El guerrero está verdaderamente "entre la espada y la pared".

Vv. 4, 5. Acampado en Sunem, una ciudad ubicada a unos 6 km. al norte de la ciudad de Jezreel, el feroz ejército filisteo había avanzado y estaba en posición de dividir a Israel. Las tropas de Saúl se preparaban en las montañas de Gilboa, de entre 8 a 20 km. de Sunem. Al ver las fuerzas de su enemigo, el rey de Israel se atemorizó. No se sabe si por el número superior de los filisteos o por la condición emocional y espiritual de Saúl.

V. 6. Saúl ya sabe que Jehovah lo había rechazado, pero desesperado busca una palabra de Dios. No la puede hallar por medio de los métodos comunes; ni los sueños, el Urim (usado por el sacerdote) o los profetas, le proveen revelación divina. El silencio de Jehovah es ensordecedor.

V. 7. ¡Si el Dios vivo no habla, quizá los muertos lo harán! A pesar de su ley prohibiendo la necromancia (brujería), Saúl quiere consultar a una mujer de Endor experimentada en evocar a los espíritus de los muertos. El supremo legislador se convierte en sumo transgresor.

V. 11. Disfrazado para ocultarse, Saúl le pide a la "bruja" que haga subir a Samuel. El rey recordó que Samuel lo amaba y, aunque esta práctica era ilícita, buscaba la palabra del profeta.

3 Las consecuencias del pecado de Saúl, 1 Samuel 28:15-19.

V. 15. Según la creencia hebrea, todos los muertos se quedaban en el Seol. Al llamar a Samuel, Saúl estaba molestándolo e interfiriendo en los asuntos reservados para los difuntos. El rey le explica que sólo Samuel puede revelarle lo que va a pasar.

Vv. 16-19. El profeta solamente le tiene palabras de condenación y desastre: Jehovah es ahora su adversario; el reino ahora pertenece a David (hay referencia a la desobediencia de Saúl que se encuentra en 1 Sam. 15:22-23); los filisteos vencerán a Saúl y a la nación de Israel; y el rey y sus hijos perderán su vida. Jehovah lo había escogido; ahora Jehovah está rechazándolo en absoluto. El "salvador" de Israel, campeón contra los filisteos, ahora lo perdería todo. Las palabras son abruptas y aplastantes.

4 Saúl ante la predicción de su muerte, 1 Samuel 28:20-23.

Vv. 20-23. Saúl cae, un desvanecimiento total; su notable altura postrada en angustia y conmoción. Agotado por no haber comido, Saúl primero rechaza y después acepta la comida preparada por la espiritista. En realidad, ella le prepara una cena real y según las leyes ceremoniales judías. Será su última comida como el rey de Israel. Después de nutrirse, el monarca afligido y sus compañeros, salen a prepararse para la batalla que también será la última.

──────────── *Aplicaciones del estudio* ────────────

1. Cuando vivimos lejos de Dios no tenemos esperanza (28:5). El salmista escribió: "Si en mi corazón yo hubiese consentido la iniquidad, el Señor no me habría escuchado" (Sal. 66:18). Nuestra desobediencia e indiferencia nos alejan de la íntima comunión con Dios. Saúl no quiso obedecer a Jehovah, y por eso perdió toda la esperanza. Pablo afirma que los que no conocen a Cristo están "sin esperanza y sin Dios en el mundo" (Efe. 2:12). ¿Es Cristo su Señor? ¿Le ha entregado su vida? Ponga su confianza en Jesús; sólo él puede llenar su vida con esperanza y darle vida eterna.

2. Los creyentes en Cristo no deben consultar con adivinos y espiritistas para conocer la voluntad de Dios. Vivimos en un mundo donde muchos buscan dirección divina por medio de adivinación, horóscopos, brujería y espiritismo. Dios nos ha dado su Palabra verdadera (lea Isa. 8:19-20), que es lámpara a nuestros pies y lumbrera a nuestro camino. También su Espíritu Santo vive en nosotros para guiarnos a toda la verdad (Juan 16:13).

3. Los creyentes conocen con toda claridad que Dios disciplina a sus hijos cuando no le obedecen. La disciplina de Dios se basa en su amor perfecto para con su hijos, con el fin de que participemos de su santidad. Lea y medite sobre Hebreos 12:3-13.

──────────── *Prueba* ────────────

1. Lea la siguiente lista, piense en el impacto de esta emoción en la vida de Saúl y escriba lo que el creyente puede hacer para enfrentar estas emociones.
   a. Temor _____
   b. Soledad _____
   c. Angustia _____
   d. Desesperación _____

2. Saúl, el rey de Israel, desobedeció y pagó las consecuencias. Jesús, el "Rey de reyes", obedeció perfectamente (Fil. 2:8). Ore para que viva en obediencia, siguiendo el ejemplo de Cristo.

Lecturas bíblicas para el siguiente estudio

Lunes: 1 Samuel 29:1-11   **Jueves:** 1 Samuel 30:9-19
Martes: 1 Samuel 30:1-5   **Viernes:** 1 Samuel 30:20-31
Miércoles: 1 Samuel 30:6-8   **Sábado:** 1 Samuel 31:1-13

Unidad 12

Obediencia *versus* desobediencia

Contexto: 1 Samuel 29:1 a 31:13
Texto básico: 1 Samuel 30:1, 2, 6-8, 16-19; 31:1-7
Versículo clave: 1 Samuel 30:6
Verdad central: El relato de la victoria de David y el trágico final de la vida de Saúl nos ilustran la bendición de obedecer y las consecuencias de no obedecer a Dios.
Metas de enseñanza-aprendizaje: Que el alumno demuestre su conocimiento del resultado de la obediencia tanto como la consecuencia de la desobediencia a Dios, y su actitud de obedecer a Dios.

─────────────── *Estudio panorámico del contexto* ───────────────

La narración que comenzó en 1 Samuel 28:1 continúa. Los dos ejércitos se alistan para la batalla mortal. Los cinco gobernantes filisteos reunen sus tropas bajo un mando unificado; David y su banda marchan en la retaguardia con Aquis. De repente, los jefes filisteos exigen que David sea excluido de la batalla: ¡éste que ha matado a diez mil filisteos puede volver a hacerlo! A pesar de las protestas de Aquis, y el fingido furor de David, la banda hebrea es forzada a volver a Siclag sin participar en la guerra.

Al terminar su viaje de tres días, David y los hombres encuentran la ciudad de Siclag quemada y abandonada. Los amalequitas, antiguos adversarios de Israel, habían saqueado el pueblo y habían llevado cautivos a todos los habitantes, quizá para tomar represalias contra las incursiones anteriores de David (1 Sam. 27:8). Los hombres, privados de sus familias, se hartaron de llorar.

La angustia de David era debida no sólo al secuestro de sus dos esposas sino también a la actitud amarga y amotinada de su banda; en vez de paralizarse ante un posible apedreamiento, David "se fortaleció en Jehovah." Con la ayuda del sacerdote Abiatar, David buscó y consiguió una respuesta afirmativa de Dios: los amalequitas serían hallados y los cautivos librados.

A pesar de la marcha agotadora entre Afec y Siclag, la banda de David emprende el rescate de sus familias, por la fatiga, 200 hombres se quedan con el equipaje. David y los 400 hallan en el desierto a un enfermo esclavo egipcio abandonado por su amo amalequita. Este les ayuda a localizar el campamento del enemigo. Los exitosos amalequitas, en plena fiesta, son sorprendidos por el ataque feroz de los hebreos. Aunque 400 jóvenes escapan, la banda de David recupera todo lo que había perdido.

Al regresar de su triunfo, ciertos hombres perversos (y avaros) no quieren repartir el despojo con los compañeros que habían quedado atrás con el equipaje, pero David, en papel de juez justo, declara que el botín es don de

Jehovah y, como tal, se debe distribuir por igual. David también reparte los bienes con los ancianos de Judá.

En el otro escenario, donde se encuentra Saúl, la guerra estalla, y el ejército israelita es derrotado definitivamente. Con sus tropas destrozadas y sus tres hijos muertos, Saúl tiene que enfrentar a los arqueros filisteos. En vez de recibir la mofa del enemigo, el rey herido decide suicidarse. Su cuerpo, denigrado por los vencedores, es recuperado y enterrado cariñosamente por los habitantes de Jabes.

────────────── *Estudio del texto básico* ──────────────

Lea su Biblia y responda

1. Ponga una **F** al lado de las oraciones falsas y una **V** al lado de las verdaderas.
   ___ a. David fue excluido de ir contra Israel porque Aquis no confiaba en él (1 Sam. 29:3, 6, 9).
   ___ b. Los amalequitas mataron a todos los habitantes de Siclag (1 Sam. 30:2).
   ___ c. Los hombres de David querían apedrearlo (1 Sam. 30:6).
   ___ d. David les dio la mayor parte del botín a los que descendieron a la batalla (1 Sam. 30:23-24).
   ___ e. El escudero de Saúl lo mató (1 Sam. 31:4).

2. La desobediencia de Saúl tuvo graves consecuencias. Escriba las consecuencias evidentes...
   a. Para su familia (1 Sam. 31:2) _____
   b. Para su propia vida (1 Sam. 31:6) _____
   c. Para Israel (1 Sam. 31:1,7) _____
   d. Para la reputación de Jehovah (1 Sam. 31:9) _____

3. Lea 1 Samuel 31:11-13. ¿Qué hicieron los habitantes de Jabes por Saúl?
   _____
   ¿Qué había hecho Saúl por ellos en sus primeros días como rey de Israel? (1 Sam. 11:1-11) _____
   _____

Lea su Biblia y piense

1 Los amalequitas atacan Siclag, 1 Samuel 30:1, 2.

V. 1. Después de haber sido negada la oportunidad de luchar por Aquis y los filisteos, David y su banda de 600 hombres viajaron tres días y más de 80 kilómetros para encontrarse con sus familias. Al llegar a Siclag, descubrieron que los amalequitas habían atacado e incendiado la ciudad. Los amalequitas eran descendientes de Amalec, el nieto de Esaú (Gén. 36:12), y eran enemigos de Israel durante el liderazgo de Moisés (Exo. 17:8-16). Al rey Saúl se le había dado la responsabilidad de erradicar a este pueblo, pero en desobediencia se negó a hacerlo (1 Sam. 15). Ahora David tiene que sufrir las consecuencias del pecado de Saúl y su propio descuido, aparentemente David no dejó hombres en Siclag para protegerla.

V. 2. David había dirigido unas incursiones contra los de Amalec, no dejando a nadie vivo (1 Sam. 27:8, 9). Ahora los amalequitas llevan cautivos a todos en la ciudad, sin matar a nadie, y siguen su camino con el botín y sus nuevos esclavos.

2 David consulta al Señor, 1 Samuel 30:6-8.

V. 6. El líder enfrenta una crisis seria: sus hombres, cansados físicamente y exhaustos emocionalmente, hablan de apedrearlo. El que había comenzado su carrera castrense exitosa con una piedra contra los filisteos, ahora tiene que arrostrar las piedras letales de sus propios hombres. David mismo está angustiado, habiendo perdido a sus esposas y la confianza de sus tropas. ¿De dónde vendrá su socorro? Este poeta y rey sabía que su socorro siempre venía de Jehovah, la fortaleza de su vida. El Dios que lo había elegido, ahora lo protegería y lo guiaría.

Vv. 7, 8. Cuando Saúl ordenó la muerte de los sacerdotes de la casa de Ajimelec, sólo Abiatar escapó y huyó en busca de David (1 Sam. 22:20-23). Ahora Abiatar lleva el efod (una prenda sacerdotal que se usaba para discernir la dirección divina) a David. David no iba a perseguir a los amalequitas sin tener una palabra positiva de Jehovah. La respuesta es animadora: los cautivos serían librados y los bienes recuperados.

3 David se venga de los amalequitas, 1 Samuel 30:16-19.

Un amalequita abandonó a su siervo egipcio enfermo en el desierto para morir solo y sin provisiones. A éste, David lo encontró, lo alimentó y consiguió la información que necesitaban para descubrir el paradero de los amalequitas.

V. 16. Las victorias tenían que celebrarse. Cuando los hombres de David llegaron, estos descendientes de Amalec estaban haciendo un banquete, complacidos y desprevenidos. Su celebración frívola contrasta con la intención seria de David.

V. 17. El ataque de sorpresa dura por lo menos un día, del amanecer hasta la tarde. El autor de la historia se deleita también al hablar del número superior de los amalequitas: ninguno del vasto ejército escapa excepto 400 jinetes que logran escapar en sus camellos (el número de todas las tropas de David).

Vv. 18, 19. Todo los bienes robados por los amalequitas son recuperados, inclusive las dos esposas de David. Ninguna persona, pertenencia o parcela se pierde, y a David le es dado el crédito completo por el éxito. La victoria total de David provee un contraste bien marcado a la derrota de Saúl.

4 La muerte de Saúl y de sus hijos, 1 Samuel 31:1-7.

Vv. 1, 2. Esta batalla fue muy importante, pues los filisteos mostrarían su supremacía indiscutible en la región. Los israelitas caen delante de sus enemigos, y con ellos mueren en el monte Gilboa tres de los hijos de Saúl: Jonatán, Abinadab y Malquisúa (Isboset, mencionado en 2 Sam. 2:8, aparentemente sobrevivió).

Vv. 3, 4. La derrota del rey sería la derrota de Israel; por eso los filisteos siguen persiguiendo a Saúl. Sin defensores y sin hijos, Saúl es herido gravemente por la flecha de un arquero enemigo. Viéndose impotente para escapar de la captura y la tortura por sus adversarios, Saúl le pide a su escudero que lo mate. Como el soldado no quiere hacerlo por miedo, Saúl decide suicidarse.

Vv. 5-7. Al ver a su rey muerto, el leal escudero sigue su ejemplo trágico. Hay una gran pérdida de vidas, y los israelitas abandonan las ciudades llenos de pánico. La profecía es cumplida.

Aplicaciones del estudio

1. Jehovah es nuestra fortaleza, (1 Sam. 30:6). ¿Dónde busca usted ayuda y consuelo cuando hay que tomar decisiones difíciles? Al perder a sus esposas y la confianza de sus tropas, David no se suicidó; buscó a Dios, y Jehovah le concedió la fuerza y la dirección necesarias para superar los problemas. El salmista escribió: "Jehovah es la fortaleza de mi vida; ¿de quién me he de atemorizar?" (Sal. 27:1b).

2. El fruto de la obediencia, 1 Sam. 30:18. David no era un ser perfecto; cometió muchos errores en su vida, pero en su angustia buscó al Señor y obedeció las instrucciones que Jehovah le dio (1 Sam. 30:8). ¿El resultado? No sólo recogió a sus esposas y las familias de su banda, sino también envió "regalos" del botín a sus amigos. Cuando un líder (de una familia, iglesia o país) es obediente, todos los demás participan de la bonanza.

Prueba

1. Anote 3 consecuencias de la obediencia de David (1 Sam. 30):

    1) _____

    2) _____

    3) _____

2. Consecuencias de la desobediencia de Saúl (1 Sam. 31):

    1) _____

    2) _____

    3) _____

3. La obediencia no es fácil, pero siempre produce resultados eternos. ¿Está dispuesto a obedecer al Señor en todas sus decisiones? ¿Cómo?

Lecturas bíblicas para el siguiente estudio

Lunes: Lucas 1:1, 2   **Jueves:** Hechos 1:1, 2
Martes: Lucas 1:3   **Viernes:** Colosences 4:14
Miércoles: Lucas 1:4   **Sábado:** Lucas 24:44